LE JARDIN
D'ACCLIMATATION

YVES NAVARRE

LE JARDIN
D'ACCLIMATATION

Roman

FLAMMARION

Il a été tiré de cet ouvrage :

VINGT-CINQ EXEMPLAIRES SUR VELIN ALFA
DONT VINGT EXEMPLAIRES NUMÉROTÉS DE 1 A 20
ET CINQ EXEMPLAIRES, HORS COMMERCE, NUMÉROTÉS DE I A V

© Flammarion, 1980.
Printed in France.
ISBN : 2-08-06 4291-X

« Je ne peux aujourd'hui que t'offrir ce jardin dans lequel nous grandirons toujours sans le savoir, sans le vouloir. »

Lettre de Bertrand Prouillan à son frère Sébastien.

1

Le 9 juillet. 10 heures du matin. Henri Prouillan se tient debout, mains croisées dans le dos, la tête légèrement penchée, le front contre la vitre, derrière l'une des trois portes-fenêtres, celle du centre, dans le grand salon. Il regarde la place d'Antioche, 75017, Paris, de son premier étage. Il a soixante-quatorze ans. Enfant, au même endroit, il se postait ainsi, parfois, les mains dans le dos, la tête légèrement penchée, le front contre la vitre du bas. S'il laissait une trace, on le grondait, après. Si on le surprenait, il fermait les yeux et attendait qu'on l'arrache à son poste. Les domestiques avaient le droit de l'écarter, pas celui de le toucher. Henri, petit, unique fils, était intouchable. Telle ou tel domestique passait un coup de chiffon sur la vitre. Henri se rendait alors dans sa chambre. Il avait inventé une manière, sa manière, de fermer lentement, précautionneusement les portes, derrière lui, pivotant sur la pointe puis sur les talons de ses galoches de collégien ou de ses bottines du soir, tournant sur lui-même, le coude relevé, tenant la poignée du bout des doigts, comme un mépris, ou une grâce. Suzanne, Suzy, jalousie, venait de naître. Henri voyait peu ses parents. Il les voit mieux, là, maintenant. Ils sont pourtant morts depuis cinquante et cinquante et un ans, l'un après l'autre, il y a si longtemps. Henri Prouillan sourit, si peu à lui-même ou à qui que ce soit, un sourire dans le vide de la place. Autrefois, il y avait une statue, là, au centre, des pavés tout autour, des voitures plus lentes, toutes noires, et souvent les attelages des Grandes Glacières de la Porte Clichy, en livraison, va-et-vient, toute la journée, boulevard Malesherbes, la plaine Monceau, les beaux quartiers sans ombres.

Ce matin, Henri Prouillan laisse une trace sur la vitre en s'écartant de lui-même. D'un geste bref il l'efface, recule, l'efface de nouveau. De la vitre du bas à la vitre du haut, il a grandi. Désormais, il devient plus petit. Il se tasse. Il se voûte. Il a l'impression de se casser de partout. Mais il se sent terriblement debout. Encore. Et maître. Il se retourne. Le décor de l'appartement n'a pas changé. Un décor auquel Cécile n'a même pas osé toucher. Sans doute parce qu'elle n'a pas connu les parents de son époux. Ce matin, Henri Prouillan est seul. Avec son chien. Pantalon.

C'est un caniche. Depuis quelques années déjà, Henri Prouillan le conduit tous les six mois à la clinique vétérinaire de l'impasse des Acacias, près de l'Etoile, et le docteur Bermann fait à la bête une injection de sérum de Bogomoletz. On prolonge ainsi la vie de Wallou, fils de Wagguy, petit-fils de Watou, surnommé Pantalon, comme son père et son grand-père. Ce matin, Pantalon III est couché près de la porte d'entrée, sous la console de marbre. C'est sa place. Il attend qu'on le sorte. Bernadette est allée au dispensaire. Au moment du petit déjeuner, Henri Prouillan a pensé « encore ! Mais pourquoi ? » Il ne l'a pas dit à voix haute, par peur. Bernadette est irremplaçable. N'ayant nulle part où aller, si ce n'est un hospice, elle a choisi de « prendre sa retraite » avec « Monsieur » et « tant que Monsieur sera là ». Parfois, un jour de bonne humeur partagée, elle rappelle à son patron qu'elle a six mois de plus que lui et qu'elle, aussi, a le droit de s'inquiéter de sa santé. Henri Prouillan, ravi par la ritournelle de Bernadette, appel amusé, se contente de répondre « vous n'avez pas les soucis que j'ai. Faites-moi donc des gâteaux comme autrefois ». Mais les gâteaux n'ont plus le même goût. L'appartement ne rutile plus.

Pantalon se lève en deux temps, les pattes avant d'abord, les pattes arrière ensuite. Son maître est dans l'entrée. Il le voit à peine, comme une ombre, et au flair. Il baisse la tête, tend le museau, remue la queue. Le fait de se lever le place tout contre la porte, à l'endroit même où le battant sera entrebâillé, geste décisif venu d'en haut, quand on aura attaché la laisse à son collier. Il pourra sortir, enfin, et se retenir jusqu'au trottoir, premier marronnier, toujours le même, depuis dix-sept ans. Ils savent compter, eux. Lui pas. Pantalon ne sent plus ses pattes et ne voit plus ni jour ni nuit, une lueur à peine. Cécile était la seule personne à le regarder en lui donnant un sucre, à lui parler en lui donnant un bout de gâteau. Bernadette se le raconte à elle-même : le jour où Madame est morte (en clinique) Pantalon a fait pipi sur le lit de Madame (dans la chambre de Madame, dans l'appartement), « et il ne savait pas » ! Bernadette parle seule, à voix haute, à l'office. C'est sa manière de s'entourer des domestiques, chauffeur et femme de ménage, qui ne sont plus employés depuis le départ de Bertrand, le troisième fils et quatrième des enfants, Luc, Sébastien, Claire et Bertrand, trois mariages, un départ et pour Madame, le début d'une lente agonie. Henri Prouillan attache la laisse au collier. « Viens ! » Pantalon lui lèche la main.

Sur la place, premier marronnier, Pantalon ne lève même plus la patte. Henri Prouillan, distrait, tire sur la laisse. Pantalon pisse en marchant, lentement, déhanchement du train arrière, raideur des pattes. On ne sort plus Pantalon aussi souvent qu'autrefois. Ses ongles ont poussé. Cela le gêne. Personne ne s'en est rendu compte. Pas même le docteur Bermann.

Suzy, veuve du dramaturge Jean Martin, vient déjeuner aujourd'hui avec son frère. C'est un événement. « Nous nous voyons peu parce que nous nous aimons trop. » Ou l'un, ou l'autre, il y en a toujours un des deux pour le dire à l'autre, le frère ou la sœur, rescapés, toujours là. Ils se renvoient cette balle, Suzy trichait toujours au croquet et Henri voulait à tout prix gagner au tennis, comme un aveu, leur aveu. Pour rire. Ou bien s'excuser. Toute une vie à s'excuser en faisant mine de s'amuser. Henri Prouillan, membre de l'Académie des sciences morales et politiques, ancien ministre, président honoraire du Conseil économique et social, trois Républiques, vingt-sept gouvernements, une fortune transmise, protégée, intacte, et Suzanne, Suzy, de sept ans sa cadette, moqueuse (« de quoi étais-tu ministre, déjà ? »), glorieuse (« Jean n'a eu qu'une femme et des femmes. L'une reste, les autres passent ») et sans enfant (« le Boulevard ne doit pas reproduire. Ou bien n'est-ce qu'un oubli de notre part ! »). Suzy dirige le théâtre des Champs, rive droite, bon an mal an « je suis condamnée au succès ». Henri n'a plus de nouvelles de ses enfants. Henri et Suzy ont rendez-vous ce 9 juillet, à 13 heures, 2, place d'Antioche, premier étage, il n'y a qu'une porte. Bernadette fera les courses en rentrant du dispensaire. Elle a sorti l'argenterie des grands jours. La sœur de

Monsieur, comme d'habitude, sitôt à table, réclamera une serviette non amidonnée « j'ai les lèvres fragiles ». Tout d'eux est écrit, vécu d'avance, et pourtant. La sœur de Monsieur viendra à pied, « en voisine », du boulevard Haussmann.

Henri Prouillan tire sur la laisse du chien « Pantalon ! Nous allons être en retard. C'est une grande promenade ». Il vient de parler au chien, à voix haute. Le son de sa voix le surprend. Il ne s'était pas écouté depuis longtemps. Pantalon est sourd. Il suit son maître, à la traîne.

Sur la place d'Antioche, quatre immeubles identiques dessinent un cercle parfait. Des immeubles en pierre de taille, un rez-de-chaussée avec jardinet en quart de lune, un premier étage noble avec balconnets et portes-fenêtres, un second étage à fenêtres seulement, et des lucarnes dans le toit, ovales, circulaires, alternativement les yeux des domestiques, le regard des combles. Bernadette vit désormais dans la chambre de Claire, dans l'appartement. Monsieur, ainsi, peut l'appeler la nuit en cas de malaise. Inversement aussi, mais ce ne fut jamais le cas. Henri Prouillan quitte la place d'Antioche. Il remontera jusqu'à l'avenue des Ternes par l'avenue de Wagram. Il porte un chapeau et un manteau. C'est l'été. Le ciel du matin est gris, doux, l'air duveteux. Paris se donne déjà un air abandonné. Henri Prouillan connaît ce Paris-là, qui se vide. Le Paris des couloirs quand on parle de changement de gouvernement ou de remaniements ministériels. Le Paris qui fomente, majorité, opposition. Le Paris sans Assemblée nationale et sans Sénat, quand on prend et le temps de l'intrigue et celui des décisions restées en souffrance. Chaque année, Henri Prouillan expédiait Cécile et les enfants, à Moncrabeau, en tout début d'été. Et dans le vide de la ville, vide qui se créait pour un mystérieux mois d'août, sans plus personne que des artistes pour croire à un moment de grâce, il s'employait à prendre tous les contacts qu'il n'avait pas pu établir l'automne, l'hiver et le printemps durant, à surveiller la gestion de son portefeuille boursier, traditionnel déjeuner chez Taillevent avec l'agent de change le premier samedi de juillet, et surtout à aimer qui il aimait, quand il aimait, liaisons qui seules fixent sa mémoire et lui donnent comme une certitude d'avoir, un jour, eu le pouvoir. Ces corps qu'il caressait, Jacqueline surtout, brune, et cette poitrine douce, quand elle entrait dans l'appartement, vide, c'était ça l'acte, elle entrait, elle, et il déboutonnait son chemisier, dégageait ses seins nus. Il voulait la voir, ainsi, pénétrer dans le salon, chasser les cris des enfants, heureux, les regards et les silences de Cécile, jamais une remontrance. Comme la place d'Antioche est ronde et lisse.

Pantalon s'arrête, pattes tendues à l'oblique, tête baissée. Il interrompt Henri Prouillan dans sa marche et ses pensées. Pantalon veut faire ses besoins. Henri Prouillan le traîne de force, à bout de laisse et de collier, jusqu'au caniveau. Pantalon s'est fait un peu les ongles, sur le trottoir. Henri Prouillan tourne la tête. On ne regarde pas un chien qui chie. Henri Prouillan se sent jeté à ses pensées. N'aurait-il donc jamais aimé ? A-t-il été un moment, un seul moment de sa vie, aimable ? Lequel ? Ne l'a-t-on pas jugé, invariablement, méprisable, parce que trop recommandé par la vie ?

Ce n'est jamais qu'un monsieur qui passe avec un manteau, un chapeau, et un chien au bout d'une laisse. Un chien qui marche encore plus lentement que le monsieur. A la devanture d'un marchand de journaux, la presse du jour, les titres, le monsieur lit « *la mer en feu* », « *nouvel accord avec Israël* », « *la capsule K 2000 revient sur terre* », « *un maillot jaune inattendu* », « *comment maigrir en quelques jours* », « *Spécial jardinage : les tondeuses* », « *la colère des cam-*

peurs », « elle tue son amant devant sa rivale », « le droit
d'être riche », « le prix de la terre région par région »,
« Exclusif : Claudine Sperza et son troisième mari ! » Henri
Prouillan se demande qui est cette Claudine. Une speake-
rine ? Henri Prouillan regarde la télévision mais ne l'écoute
plus. Il se laisse bercer par les images brouillées du présent, et
ne pense qu'à tout ce qui, du passé, extrait, pourrait lui
inspirer un acte nouveau, au moins un.

Il y avait longtemps que Pantalon n'avait pas fait une aussi
longue promenade. De temps en temps, il veut s'arrêter,
comme un étonnement, une inquiétude ou une curiosité, mais
son maître tire sur la laisse. Voici l'odeur de berlingot à
l'entrée des Magasins réunis. Là, Cécile faisait tous ses achats.
Elle avait la carte de 10 % de remise pour famille nombreuse.
C'était son magasin préféré. Elle disait y trouver tout, y
compris de l'amitié chez les vendeuses. Et il y avait, au rayon
maison du troisième étage, ce modèle de table de bridge
qu'elle offrait en cadeau de mariage aux fils et filles des amis
et relations. C'était, disait-elle, « le cadeau idéal, utile et
beau, la première table pour un jeune couple ». Les habitudes
de Cécile n'étaient qu'attentions. D'autres les prenaient pour
des pingreries. Cette idée de table de bridge en cadeau de
mariage, c'était son idée, et à chaque fois, pour elle, comme
une surprise. Le cadeau était pratique, de qualité artisanale,
volumineux, faisait de l'effet et les Magasins réunis livraient à
domicile. Une fois l'an, avec l'argent de la remise de 10 %,
Cécile faisait des achats pour les enfants.

Pantalon s'arrête et se couche sur le trottoir. Henri Prouillan
se penche vers lui, essaie de le relever et de le prendre dans
ses bras pour traverser l'avenue des Ternes, mais il ne le peut
pas. Henri Prouillan n'a pas le souvenir d'avoir jamais porté
quelqu'un d'humain, ou d'animal, dans ses bras. Pas même

Luc, Sébastien, Claire ou Bertrand quand ils étaient petits.
Bertrand dont il ne faut plus prononcer le nom. Mais Henri
Prouillan vient de penser à son dernier fils. Alors, violence,
mal à l'aise dans son manteau, il force le chien à se redresser.
Son chapeau manque de tomber. Il le prend à l'autre main.
Feu rouge. Ils peuvent traverser. 11 heures du matin, ce
matin-là. Ils auront quelques minutes de retard. Mais on
attend toujours chez le docteur Bermann.

Luc, l'aîné ? Henri lui disait comme pour se débarrasser de lui
quand il posait une question incidente, provocation « dans le
doute, abstiens-toi ». Luc, sourire aux lèvres, répondait alors
« toi, dans le silence, tu ne fais que t'abstenir ». Sébastien et
Claire, solidaires, si souvent complices, avaient choisi de ne
parler que peu à leur père, revanche, comme un appel.
Parfois seulement, acte de présence, agression ou respect, ils
plaçaient un de ces mots d'auteur qu'ils jugeaient indigne de
l'oncle Jean, ce faiseur de 1 000ᵉ représentation, parce que
trop beau ou signifiant. Sébastien, jetant à la cantonade « on
ne peut pas être sincère et le paraître » et Claire, ajoutant en
post-scriptum dans une lettre adressée à son père « la pire des
jalousies, c'est l'indifférence ». Reste Bertrand dont il faut
taire et taire le nom et qui, l'année de son bac, peu après le
troisième mariage, le mariage de Claire, avait dit à table, à
tout le monde, réunion de famille, exigeant le silence « le
doute est tout ce qui me reste, seule et unique certitude.
Compris ? »

Henri Prouillan et son chien Pantalon passent devant la
vitrine de la maison Berthier fils, traiteur, qui fournissait
régulièrement la famille Prouillan, et à laquelle on avait
presque, par tradition déjà, confié le lunch et le buffet des
trois mariages tout comme ils furent responsables des
festivités, fiançailles et noces, de Cécile et d'Henri. Voici

Henri Prouillan ne s'arrêtant pas devant cette vitrine. Pourtant il pense à son histoire. Il se dit que rien n'a jamais commencé vraiment, la faute aux galoches de collégien et aux bottines du soir, la faute à la naissance de Suzy, la faute à personne et à tous, la faute dont on préfère ne pas parler et qui pourtant, sans origine avouée, gouverne tout de ces êtres et de ces vies. Pantalon tire la langue, bave un peu. Voici la rue des Acacias « dépêche-toi ». Pantalon ralentit. Il ne veut pas. Le collier l'étrangle un peu. Les coups de laisse sont de plus en plus répétés. Il voudrait être sous la console de marbre, de retour, entendre le bruit de l'assiette posée par terre, sur le carrelage de la cuisine, quand Bernadette lui sert sa pâtée passée à la moulinette. Il n'a plus de dents. Le maître insiste. Pantalon le suit en marchant de travers. Obstinément. C'est une trop grande promenade.

L'odeur particulière des salles d'attente chez le vétérinaire. Odeur de poil, de cuir et de désinfectant. Presque une odeur de ménagerie ou de cirque. Henri Prouillan a plié son manteau sur une chaise et a posé son chapeau dessus. Une dame attend, une panière sur les genoux et un chat dedans, qui bouge, tourne sur lui-même et miaule. La dame parle à son chat « tu sais très bien que ce n'est rien... » Henri Prouillan tient Pantalon devant lui, à hauteur de genoux, par le collier. De l'autre main, il lui caresse la tête, le peu de poil ras et frisé. La dame dit « il a quel âge, votre chien ? » Henri Prouillan sourit, comme pour cacher un sentiment qui vient de renaître, « il est très vieux, comme moi. Il n'en a plus pour très longtemps ». La dame murmure « faut pas parler comme ça, monsieur ». Et elle se remet à parler au chat. Henri Prouillan se penche et embrasse son chien sur la tête. La dame se dit que le monsieur va pleurer. Une porte s'ouvre. La dame se lève. Le chat gigote dans sa panière. Henri Prouillan se retrouve seul avec Pantalon et cette odeur de salle d'attente.

« Je... » Pantalon le regarde. Henri Prouillan répète « je... »
Mais il ne trouve pas les mots qu'il faut. Pantalon se couche,
en rond, à ses pieds, comme sous la console de marbre. Assis,
penché au-dessus du chien, les coudes sur les genoux, les
mains jointes puis doigts croisés, en poing, Henri Prouillan
regarde la bête. Pantalon III.

Bertrand disait « je ne nous aime que pour des détails,
parfois, et parfois seulement ». Bertrand avait une étrange
façon de dire « je ne nous », marquant bien, ainsi, qu'il
n'accusait ni le groupe ni personne précisément, mais la
famille entière et lui, dedans, partie prenante ou partie prise,
le fils, le dernier. Sujet de toutes les inquiétudes, scandale, il
imposait le silence « je veux parler. J'écoute, je nous écoute
tout le temps. Désormais, je sais que parler est une manière
d'écouter. Alors je parle ! » Il prenait alors les siens amusés,
surpris, touchés presque, en flagrant délit de convenances et
de principes « oui, je ne nous aime parfois seulement que
pour un détail, si peu un trait d'esprit, une belle formule ou
une idée joyeuse, mais pour un geste esquissé qui ne va pas
jusqu'au bout de sa course, pour un mot, avorté, un aveu, en
suspens, un regard de toi, Sébastien, ou toi, Luc, quand tu
baisses la tête, ou encore toi, maman, quand tu nous
demandes de ne pas critiquer nos parents, ou toi, Claire,
quand tu décides brusquement d'aider Bernadette à desservir
la table, ou toi, papa, quand nous parlons de vacances, de
voyages, et quand tu nous réponds que nous sommes libres de
faire ce que nous voulons. Mais nous ne sommes ni libres ni
volontaires. Alors en avant pour Moncrabeau. J'ai déjà trop
parlé. Je vous écoute trop ». La voix de Bertrand s'étranglant
sur le dernier mot et le dernier mot c'était toujours « trop ».
Sans exclamation. Henri Prouillan se le rappelle, mot pour
mot. C'était un peu avant la Cinquième République. L'ancien
état-major du RPF se réunissait de plus en plus souvent, avec

cette discrétion intense qui marque les veilles de prise de pouvoir. Ce qui, historiquement, devait constituer une surprise ne le fut pas vraiment, pour lui, dans le secret des ministrables de demain. Dans certains salons de certaines maisons, où régnait une poussière d'après-guerre, les Compagnons de la Libération faisaient les comptes de dix années de roueries et d'impuissance. Ils se comptaient aussi entre eux, compte rond des gouvernements à venir. Pantalon s'est endormi, aux pieds de son maître, langue pendante, hors la gueule, le sommeil plus fort que la soif. Henri Prouillan sait très bien qu'il a conduit Bertrand tout comme, aujourd'hui, il conduit son chien. Tout comme un peu, sourire, et même beaucoup, tout le temps, une envie de rire ou de crier, il a conduit sa vie. Sans doute, pour ce fait, ce matin, 11 h 30, salle d'attente carrelée, pas de fenêtre, lumière du jour plafonnière, cour couverte de verre dépoli, au bout de l'impasse des Acacias, se souvient-il de tant de faits, mot pour mot. Désormais il écoute. Une larme le sauverait. Mais il en est bien incapable depuis la naissance de Suzy. Un garçon ne pleure pas. Et un homme qui se croit fort ne pleure plus. Il ne faut surtout pas réveiller Pantalon. Fait-il semblant de dormir ?

Henri Prouillan se met à penser qu'il ne serait jamais d'aucun clan ni d'aucune caste. Sans doute est-ce là la raison d'absence de lien avec ses voisins d'immeuble de la place d'Antioche. Un détail, pour Bertrand, s'il était encore capable de parler pour écouter, d'imposer un silence pour s'exprimer. Sans doute est-ce là, aussi, l'explication de la pérennité d'un pouvoir de notable, du crédit porté invariablement, de République en République, de gouvernement en gouvernement, jusqu'au triomphe de la Résistance qui s'est mise à gouverner, jeu de mythologies, concours de médailles, exhibition de blessures et d'exploits pas toujours vérifiables.

Mais aujourd'hui, jour de juillet, début des années 80, temps
de crise, alors que les vassaux de tous bords ne font plus que
se narguer entre eux, rivaux, alors que nulle succession ne se
désigne d'elle-même, portant dans ce pays, au pouvoir ou à
l'opposition, tous deux désormais aussi conservateurs l'un que
l'autre, de pâles reproducteurs peureux d'un avenir trop
déterminé par ce passé, proche, 58, 39/45, 36, 29, 14/18 et,
pourquoi pas, la séparation de l'Eglise et de l'Etat. Henri
Prouillan se souvient d'une visite de l'ancien Premier ministre
Combes, à son père, un dimanche. Les deux hommes s'étaient
enfermés dans le petit salon qui sert de bibliothèque. C'était
un jour d'hiver. Il y avait de la neige place d'Antioche et les
rares voitures qui passaient laissaient des traces circulaires,
rails, de la boue dans ce qui était beau. Sur la vitre de la
porte-fenêtre centrale, Henri faisait de la buée, auréoles, et
écrivait du bout du doigt « non » puis « non » et « non ! » Il
venait d'entendre dire à son père, entre deux gorgées de café,
« mon cher Prouillan, l'ambition n'est que l'art de savoir dire
et redire non. Toujours non. Tout est très bien ainsi ».

La porte s'ouvre. La dame sort avec la panière. Elle a l'air
digne et ravi. Elle remercie le docteur Bermann. Par une
petite lucarne, les yeux grands ouverts, le chat guette. Henri
Prouillan redresse la tête et se lève. Pantalon s'étire, regarde
vaguement le chat, dans la panière, et les pieds de la dame, la
blouse du docteur. La dame sort, dernière salutation. Le
docteur Bermann s'approche de Pantalon, s'accroupit, le
caresse « alors, te revoilà ? Tout va très bien se passer, tu
sais ». Il ramasse la laisse, se relève, aide Pantalon à se
remettre sur pattes. Une tape amicale sur l'arrière-train du
chien. Le docteur Bermann regarde Henri Prouillan « vous
venez avec nous ? » Henri Prouillan fait signe que non. Il met
les mains dans les poches de sa veste. Bertrand disait à sa sœur
et à ses frères « quand papa serre les poings dans les poches,

c'est qu'il se sent gêné au point de trahir ». Le docteur Bermann entraîne Pantalon, Pantalon tourne la tête. Son maître ne le suit pas, comme d'habitude, pour les piqûres de sérum. Le docteur murmure « dites-lui au moins adieu... » Henri Prouillan répond d'une voix trop claire, la voix qui sait dire non, non, et non « c'est déjà fait ». Le docteur sort avec Pantalon, referme la porte, derrière lui. Henri Prouillan se retrouve seul. Sans même s'en rendre compte, il répète « déjà fait, depuis toujours ».

Alors, debout, poings serrés dans les poches, trois fils et une fille dans chaque poing, Cécile en travers du cœur, Jacqueline et les autres tout autour, Henri Prouillan tourne en rond dans la salle d'attente. Sur une pancarte il lit « *la clinique sera fermée du 13 juillet au 17 août* ». Sur une table basse, des revues écornées. Un téléphone se met à sonner. Personne ne répond. A Moncrabeau trois générations de Pantalon ont coursé les chats, les oiseaux et les lapins. Parfois le caniche retrouvait d'instinct son goût de la chasse au canard, et, à la première passée de septembre, se jetait, fou, dans l'étang, au bout du parc, clapotant, la gueule fière, hors de l'eau, et quand il ressortait, dégoulinant de vase, la population humaine s'écartait en riant. Le chien s'ébrouait. Le premier, le second et le troisième, près de cinquante ans d'histoire. Une image. Henri Prouillan vérifie s'il n'a pas oublié son portefeuille.

Bernadette n'est pas prévenue. Le rendez-vous à la clinique des Acacias a été pris en cachette et, précaution, Henri Prouillan a inscrit sur son carnet de rendez-vous le seul mot de « devoir ». Comme un devoir. L'obligation. Et la peur d'une surveillance qui, pour Bernadette, n'est qu'ordre et bienveillance. Elle fouille tout. Or, Henri Prouillan se rend compte qu'il n'a pas prévu le retour place d'Antioche et la suite de

l'histoire, seulement la suite, comme si les histoires pouvaient
avoir une fin. Plus que de s'émouvoir de ce qui se passe dans
la pièce à côté, le voici à s'inquiéter de son retour chez lui, des
questions de celle qui le gouverne en prétendant s'effacer
totalement, de celle qui décide de tout, désormais, en lui
soumettant, soumission de principe, toutes les décisions à
prendre. Et le déjeuner avec Suzy est important. Il doit être
réussi. Sur le terrain de ces rencontres rares, Henri veut
toujours tenir tête à sa sœur. Ou bien, s'inquiéter, là,
maintenant, est-ce une dérobade ? Henri Prouillan se dirige
vers la porte. Doucement, de la main gauche, il frappe comme
il n'a jamais frappé à aucune porte, et si maladroitement que
les coups ne peuvent pas être entendus. Mais il se sent en
règle, avec lui-même et avec Pantalon. Il frappe de nouveau,
renonce, recule, et va s'asseoir à côté du manteau et du
chapeau. Sitôt assis, la porte s'ouvre, le docteur Bermann
revient. Une assistante le suit, traverse la pièce sans rien dire,
et disparaît par une autre porte. Le téléphone sonne de
nouveau. Elle répond. Le docteur Bermann reste un moment,
muet, immobile, le collier et la laisse à la main, la laisse
toujours attachée au collier. Il sourit. Henri Prouillan pose les
coudes sur ses genoux, dodeline de la tête et se mord les
lèvres. Le chien n'est plus là couché, par terre, entre ses
jambes. Le grand vide d'entre les jambes. Tout s'est passé très
vite. Maintenant il faut payer et partir, rentrer et subir,
expliquer, continuer, faire semblant d'oublier. Il se souvient
de son père lui montrant comment il fallait nouer une cravate,
la plaçant autour du cou de son fils, geste bref, précis, presque
pressé, et son père tirant sur le tout, en riant. Henri Prouillan
avait onze ans. Ce jour-là, tenu à bout de cravate, Henri
regardait son père éclater de rire et ne comprenait pas le
pourquoi de cette joie subite. Vertige. Chaleur. Henri
Prouillan se lève, titube un peu, comme bu, ou bien n'est-ce
que l'odeur de la salle d'attente, l'absence de fenêtre ou le

sourire doux et convenu du docteur Bermann qui murmure
« il ne s'est rendu compte de rien. Je l'ai seulement
endormi ». Le docteur Bermann tend le collier et la laisse.
Henri Prouillan les prend, cuir lissé, usé, comme tiède, une
impression, et de l'autre main extrait son portefeuille de la
poche intérieure de sa veste. Le docteur Bermann esquisse un
geste de refus « vous réglerez le tout avec mon assistante, en
sortant ». Henri Prouillan ramasse son chapeau et son
manteau. Il se sent chargé, harnaché, le manteau sur
l'avant-bras, le chapeau, la laisse et le collier à la main
gauche. Le docteur Bermann dit « voulez-vous le voir une
dernière fois ? » « Non. » « Voulez-vous que nous vous
appelions un taxi ? » « Non. » « Vous avez tout fait pour
Watou. Il n'aurait pas passé l'été. Que puis-je vous dire
monsieur Prouillan ? Que votre chien, au dernier moment,
m'a demandé de vous dire merci pour tout ? » Sourire du
docteur Bermann. Henri Prouillan répète une troisième fois
« non ». Les deux hommes se serrent la main.

Payer pour la piqûre, payer pour l'incinération du corps,
payer encore, comme toujours, quand on a le principe et les
moyens, payer pour ne pas laisser de trace, secret des fortunes
intactes. L'assistante du docteur Bermann encaisse les billets,
rend une monnaie qu'Henri Prouillan trouve dérisoire, la
monnaie qu'on laisse en général, en guise de service, dans les
restaurants et qu'il faut reprendre, là, compte tenu de
l'événement. L'assistante essaie d'être aimable « vous n'avez
pas un fils de Watou ? » « Non » répond Henri Prouillan
« c'était le dernier ».

Impasse des Acacias, rue des Acacias, bientôt midi, les
Magasins réunis ferment leurs grilles, c'est l'heure du repas.
Une pause. Le manteau est lourd, sur l'avant-bras, et le
chapeau ne sert à rien. Le ciel s'est couvert. Il va pleuvoir. Il

n'y a plus d'été, à Paris. Tout juste un vague souvenir de printemps. Le collier et la laisse pendent au bout de la main gauche d'Henri Prouillan. Ils sont légers. Un vide dans le collier. Et par saccades, chaque fois qu'il faut traverser une rue, dans les clous, chaque fois qu'il faut regarder si le passage est libre, Henri Prouillan respire profondément comme s'il craignait une peine à venir ou un déchirement. Il n'a jamais pu, ou su, s'émouvoir au bon moment. Les douleurs de la vie se sont toujours éveillées en lui trop tard, quand personne d'autre, dans l'entourage, ne pouvait plus ni les expliquer ni les situer. C'est sans doute là un trait d'éducation, la marque véritable, tout ce qui dans un certain milieu ordonne un décalage entre la cause et l'effet, l'impression et l'émotion, le discours et l'écoute. Ne jamais rien laisser transparaître.

A la devanture du marchand de journaux, les présentoirs ont été placés sous des housses en plastique. Les titres du jour sont flous. Une fraction de seconde, Henri Prouillan a l'impression de ne plus y voir très bien. Il se sent cependant armé pour ce chemin de retour, retour de corvée. Il n'a pas voulu voir Pantalon s'endormir mais il a frappé à la porte. Henri Prouillan se veut terriblement en règle avec lui-même, et si fort qu'il sent naître en lui le doute, comme une certitude, message de Bertrand, l'indifférence comme une jalousie, message de Claire, la sincérité comme une transparence, aveu de Sébastien, et de Luc, cette idée d'abstention qui, pour avoir été reçue pendant tant et tant d'années pour une pure et simple idée, s'anime désormais au point de devenir contestable et sensuelle. Tout cela, inventaire, conduit Henri Prouillan. Il vient de trouver ses enfants. Il se dit à lui-même non pas « retrouver » mais « trouver », comme une première fois. Luc aura quarante-neuf ans cette année, Sébastien quarante-sept, Claire quarante-quatre et Bertrand trente-neuf ou quarante ? Tant d'anniversaires oubliés pour en arriver à ce compte-là, le compte du décalage entre le vécu et le vivant, le tout juste aimable et ce qui est aimant, ce qui rapproche, jeu de forces et de contraires, immanquablement. Henri Prouillan sent en lui ce regain extrême, cette santé de l'éclat qui souvent l'animait les veilles de grandes décisions ou de manœuvres audacieuses. Il se dit qu'il voit « tout très bien, désormais ». Et il entend Cécile répéter à ses enfants, par étourderie, ou par peur de ne pas les voir se révéler conformes à l'image que se faisait d'eux leur père, « et tout n'est jamais trop ». Tout n'est jamais trop. Merci Pantalon.

Bernadette surveille la cuisson du clafoutis. Elle démoule le canard en gelée, pare le plat d'argent d'olives et de rondelles de citron. L'horloge du couloir qui mène à l'office sonne deux fois la demie de midi. Deux coups à une minute d'intervalle, deux sonorités lourdes et prenantes. Mais l'horloge ne sonne plus comme avant. Elle traîne désormais les heures. Bernadette voudrait bien « arrêter cet engin » mais quand elle feint d'oublier d'en remonter le mécanisme, Monsieur, sans rien dire, remet le tout en marche « et c'est moi, aux premières loges, qui prends tous ces coups dans les oreilles ». La pâtée de Pantalon est prête. Une serviette non amidonnée, aussi, pour Suzy, coquetterie. Il faut préparer le plateau, pour le café. Et les sucrettes de Monsieur.

Place d'Antioche. Henri Prouillan a quelques minutes seulement pour se changer. Derrière la vitre de la loge de la concierge, il y a toujours, sur la pancarte « Monsieur et Madame H. Prouillan, 1er étage escalier principal » et les noms des autres voisins, croisés, salués, jamais reconnus. Depuis la mort de Cécile, sept ans, rien vraiment n'a changé. Démis petit à petit de toutes ses fonctions, académicien de hasard, contraint à toutes sortes de retraites, en cumul, Henri Prouillan n'a pas osé toucher à quoi que ce soit. Encore un décalage pour éviter une peine et même des peines. Et là, dans l'escalier, ce matin, débarrassé de Pantalon, mission accomplie, il se sent comme léger, prêt à tout. A tout reprendre au tout début de tout. Le sentiment est à la fois juvénile et de vengeance, amoureux et meurtrier. Produit, Henri Prouillan a reproduit. Il a produit et ils se sont reproduits. Où sont-ils ? Que font-ils ? Que reste-t-il de tout ce qui était construit quand il est né ? Quand ils sont nés ? Ses enfants ? Il voudrait tant hériter d'eux.

Henri Prouillan entre chez lui, suspend le collier et la laisse au vestiaire, dans le recoin, à gauche de la porte. Alertée, Bernadette prend le manteau et le chapeau de son patron. Collier accroché, laisse pendante. Henri Prouillan dit seulement « Pantalon était trop vieux ». Et il se dirige vers sa chambre en regardant sa montre. Plus que quelques minutes avant l'irruption de Suzy. Henri Prouillan vient de prendre une décision.

Bernadette vérifie si la porte est bien fermée. Elle range le manteau dans la penderie, et le chapeau sur le rebord de l'étagère du haut, à la place exacte, pour que Monsieur ne crie pas « Bernadette ! Où est mon chapeau ? » Comme les coups de l'horloge pour marquer les heures et les demies. Sous la console de marbre, il y a un grand vide. Bernadette voudrait caresser la laisse mais ces gestes-là lui sont interdits. Elle dit à mi-voix « et il t'a fait ça ! »

A l'office, Bernadette ramasse la pâtée de Pantalon et la jette dans la poubelle. Elle pleure ou bien elle rit. Parfois Pantalon venait dormir près de son lit, dans la chambre de Claire. Bernadette observait alors ce corps allongé, corps de bête domestique, tout secoué, dans le sommeil, par des rêves inconnus, inimaginables, aboiements avortés, brusques tensions des pattes. Et Bernadette se sentait très bien ainsi, avec Pantalon, ensemble. Tous les deux.

Henri Prouillan s'asperge d'eau de toilette, celle-là même que Suzy ne supporte pas, parce qu'elle la trouve « trop sèche et vraiment bon marché ». Dans le miroir, au-dessus du lavabo, il s'adresse un sourire. Il vient de prendre la décision de sa vie. Il enfile une chemise blanche et noue sa cravate.

Coup de sonnette. C'est Suzy. En avance. « J'adore le mois de juillet ! Il n'y a presque plus de voitures. On pourrait traverser sans regarder. Pantalon n'est pas là ? » Henri Prouillan embrasse sa sœur, sur les deux joues, comme autrefois quand ils se quittaient pour aller dormir, chacun dans sa chambre, dans ce même appartement, il y a plus de soixante ans. Suzy regarde son frère « tu as un drôle d'air et trop bonne mine ! » « Je viens de prendre une décision. » « Laquelle ? » Ils passent dans le salon. Henri Prouillan met les poings dans les poches de sa veste, sourit, évite le regard de sa sœur et dit, très distinctement, « une décision ! La seule chose dont nous ne parlerons pas aujourd'hui ».

Suzy s'assoit dans un fauteuil et croise les jambes. Elle montre ses jambes, tout ce qui lui reste de montrable. Elle murmure « c'est gai ». Henri Prouillan ouvre la porte-fenêtre du centre « oui, très ! » Dehors, une petite pluie chaude et criblante, un crépitement sur les feuilles de marronniers, et un vent qui se lève. Henri et Suzy pouffent de rire comme des enfants.

2

Deux Portugais et un Irlandais, pour l'entretien des machines, un Allemand qui fait office d'infirmier et de gestionnaire, deux Vénézuéliens qui se placent partout, ensemble, pour cause amoureuse, même cabine, ce sont aussi les deux seuls vrais marins, un Américain en rupture d'Alabama, radio, un Grec qui ne sait pas faire la cuisine, et René, le pilote de l'hélicoptère de surveillance, moyenne d'âge un peu plus de quarante ans, langue officielle un anglais qui ressemble à du pudding latino-américain. Sébastien quitte la table du mess. C'est le moment où ils commencent tous à écraser nerveusement leurs mégots dans les tasses à café. Le moment où l'on met un peu de musique d'ambiance. Le moment des rots, des pets, des rigolades et des parties de cartes dont les bénéfices vont depuis onze mois déjà à une cagnotte qui servira, le dernier jour, veille de la séparation, à faire la noce et tutti quanti, à Oslo. Dans le fjord d'Overfjellet, à 300 km au nord de la capitale, deux méthaniers et cinq pétroliers géants désarmés mouillent depuis deux ans bientôt. Sébastien est le patron de l'équipe de surveillance. Ils sont neuf, et lui le dixième, patron tout de même. Les contrats sont signés pour un an. L'hiver s'est passé dans la nuit, presque tout le temps dans la nuit, et sans incident. C'est l'été, maintenant, midi ou minuit, même soleil. Les hommes sont plus nerveux. Dans vingt-deux jours, l'équipe de relève arrivera. Dans vingt-neuf jours ils seront à Oslo. Dans trente jours, Sébastien sera à Paris, de retour, pour une durée indéterminée. Sans domicile et sans personne pour l'attendre vraiment. Pendant ce déjeuner, il s'est surpris à faire des boulettes de pain, pâle mie des pains du Grec, geste qui était interdit, donc fascinant, du temps de la place d'Antioche quand Claire, petite fille, disait à son frère « tu feras Navale, tu seras amiral et je t'épouserai ! » Un geste, un souvenir. Sébastien fait claquer la porte de sa cabine, prend une feuille blanche, décapuchonne son stylo, graffiti sur un coin de magazine pour faire venir l'encre et se met à écrire.

« Le 9 juillet. A bord du *Firebird,* quelque part entre Elseneur et le pôle. Mon cher papa, je t'écris du pays du slalom, un mot norvégien, de *sla* : pente, et *lom* : trace. C'est donc une pente qui me conduit vers toi (après un long silence) pour laisser peut-être une trace (on a toujours peur de mourir). Tu vois, je n'ai pas perdu mes mauvaises habitudes, celle notamment, et ce n'est que le début de ma lettre, des parenthèses dont tu me disais volontiers qu'elles étaient une entrave à la lecture qui se devait d'être claire et nette pour plus d'efficacité. Ce souci qui fut toujours le tien et qui, envers moi-même, est devenu mien dans l'exercice de ma profession (j'agis, ici, avec neuf hommes d'équipe en pater familias, c.à.d. que je ne dis rien, pour régner, comme toi) j'essaierai de l'oublier l'instant de cette lettre. Attention, il va

y avoir plein de parenthèses, et plein de boulettes de mie de
pain (je t'expliquerai pourquoi à mon retour à Paris, le
1er août, vol 713, via Amsterdam, je te téléphonerai à tout
hasard, mais je préfère coucher à l'hôtel. Merci).

« (2) Je t'ai donné peu de nouvelles depuis près de deux ans.
Peu, avec moi, c'est pas du tout. Où puiser la force de vie si ce
n'est dans l'aveu ? Je ne peux qu'avouer la cassure, fracture,
de nos rapports, et l'inévitable attachement qui procède de cet
échec, un creux, un vide, le vertige. Et voici que je me mets,
ici, à écrire comme nous parlions, Luc, Claire, Bertrand et
moi, à Moncrabeau, les soirs d'été, en promenade. Nous
aurions tant voulu rencontrer des voisins au bout de nos
chemins, propriété privée. Or jamais. Comment est-ce
possible ? Les cauchemars sont des rêves dont on ne se
souvient pas. Depuis des années, je ne rêve plus. Je ne me
souviens de rien. Je me sens très fort ancré et aussi à la dérive
(allusion à ce méthanier où nous vivons comme des chiens,
pardon Pantalon, et dans lequel je n'aurai vécu en onze mois
que des jours infinis, des nuits totales et des jours infinis de
nouveau, sans plus vraiment pouvoir faire la différence entre
la veillée et l'éveil, le sommeil et la vivacité). C'était une
parenthèse pour moins d'efficacité, donc plus de réelle clarté
et l'expression de la netteté de ton fils. Un fils qui n'a plus
l'âge de recommencer sa vie et qui se contente de la mater
dans l'instant, horaires, contrôles, repas, tenir le coup. Seuls
le désarroi ou les crises des autres, ici, me tiennent debout. Je
me suis laissé pousser une barbe de Viking. Je ne me suis pas
regardé dans un miroir depuis des mois. Je t'écris pour te dire
que je t'aime. Parce que je viens de penser à toi. Très fort.
Brusquement. Pourquoi ?

« (3) Oui, pourquoi ? Et si brusquement ? Des mois de métal
et de nuit, de granit et de neige, et là, maintenant, tu rentres

en scène (un vrai coup de théâtre, tout sauf une supercherie de l'oncle Jean, jeu de gonds et serrures huilées) et je me dis, tiens, je ne lui ai pas écrit depuis longtemps. Alors sache, de plume d'encre et d'origine, voie officielle, que Ruth vit toujours à Toronto avec Laura et Paul, qu'elle ne danse plus mais qu'elle enseigne la danse, que Laura est fiancée et que Paul se drogue comme on se drogue quand on va avoir vingt ans. Ainsi de suite ces malentendus que Bertrand appelait des malécoutés. Bertrand dont j'inscris ici le nom avec peur et par reproche. Ce devrait être la devise de notre famille. Je n'attaque pas, je t'écris. Les mots me jouent les bons tours des sonorités, des rires et des rythmes, tout ce qui nous restait, à nous, enfants, quand il fallait t'attendre, le soir, pour nous mettre à table (tu tenais à ce rituel, potage, tenez-vous droits) et tous réunis, nous n'avions plus qu'à nous taire. J'y pensais tout à l'heure à table, à cause des boulettes de mie de pain (encore une fois, je t'expliquerai, si je te rencontre, si je te revois, si je vais jusqu'au bout de cette lettre, si je l'envoie) mais aussi parce que le seul Français de l'équipe, René, originaire de Pau, pilote hors pair, en rupture de famille, lui aussi, venait de donner un coup de poing sur la table. Comme toi.

« (4) Mise au point. Tu me voulais brillant, faisant carrière dans la marine. Je ne suis désormais que gardien de cimetière au service de la marine marchande. Mais la mer est la même pour les marins de cœur. Elle est toujours, pour moi, telle qu'en mes rêves d'enfant quand je me disais, des ruisseaux de Moncrabeau, qu'ils se jetaient dans la Baïse, qui se jetait dans la Garonne, qui se faufilait dans le golfe de Gascogne. Ils allaient faire le tour du monde, eux, et moi pas. Même si je bouchonne (image double, triple, devine, il n'y a pas d'imagination, il n'y a que de l'écoute, il suffit d'écouter, c'est merveilleux) j'ai trouvé mon élément et mon continent. Je

suis. J'existe. Tu ne m'as pas eu. Tu as un second fils, mais tu
ne le possèdes pas. Je n'ai pas réussi. Mais je n'ai de comptes
à rendre à personne si ce n'est, à toi, le compte de vie.
Pourquoi ? Pourquoi notre arrière-grand-père est-il monté à
Paris, contre bonne fortune, mauvais cœur, disait Bertrand, le
passif parisien, disait Bertrand ? Mise au point. Pourquoi
avoir poursuivi Ruth de ton affectueuse haine ? Danseuse,
danseuse moderne, et protestante, et puis après ? Même
maman n'osait pas l'aimer de peur de te froisser. Froisser est
le verbe (Bernadette a-t-elle toujours aussi peur quand elle
repasse tes chemises ?). A la naissance de Laura, tu ne t'es
pas réjoui : tu voulais un petit-fils. A la naissance de Paul, tu
étais trop occupé pour la fête de baptême. Je ne suis pas fait
pour écrire, papa, encore moins pour t'écrire. Je ne
revendique qu'une chose. Je suis exemplaire en ceci que je ne
me suis jamais soumis à l'exemple.

« (5) Oui, je t'aime. L'amour déballe. Il faut éventrer les
bagages. Mise au point. Tu nous as voulus si fort conformes et
triomphants que nous ne sommes plus, çà et là, disséminés,
que le triomphe de la difformité. Luc s'en est sorti. Mais à
quel prix ? La dernière fois que je l'ai vu il ne me parlait que
d'ordinateur, de programmation. Il venait de calculer (en
horaires de nuit) la millionième décimale de pi, 3,1415926...
etc., un million de chiffres. A quoi bon ? Seul trait d'humour,
il se demandait s'il allait trouver un éditeur. Avec le fichier
des anciens élèves de Polytechnique, cela pouvait, selon lui,
avoir un succès de cadeau de chef d'entreprise. Je l'entends
me dire " entre camarades d'école, un peu de solidarité dans
le succès, le seul texte qui pourrait retenir notre attention ".
Luc s'en est sorti ? Comme moi ? Es-tu content ? Luc n'avait
pas vu son fils depuis sept ans. Ajoute à cela mes onze, et
bientôt douze, mois de fjord et cela fera huit. Anne-Marie a
l'air satisfaite de son second mariage. Son époux est

en poste à Buenos Aires et Pierre mon neveu, mon filleul, ne sait plus quel nom il doit porter. L'importance du nom, tu étais si jaloux, quand j'ai été choisi pour parrain, moi, et pas toi.

« (6) Oui, je t'aime. Allons, papa, lâche-nous un bon coup. Sur son lit de clinique, maman avait l'air tellement sereine, brusquement, jeune, belle, une vraie petite fiancée. L'an dernier, avant de partir pour Oslo, j'ai pris l'avion pour Marignane, j'ai loué une voiture, et je suis allé rendre visite à Claire, dans sa maison, au-dessus de Forcalquier. Carte en main, je me suis perdu. Je comptais arriver pour le repas de midi, sans prévenir, à tout hasard, une surprise c'est devenu tellement rare, et repartir en fin d'après-midi. J'ai enfin trouvé la maison. Trois jeunes, au bord de la route, me l'ont indiquée. C'étaient Loïc, Yves et Géraldine. Ils ne m'ont pas reconnu. Ils ne m'ont pas reconnu, papa. La maison est sur le haut d'une colline. Toutes les portes étaient ouvertes. Il faisait aussi chaud, dedans, à l'ombre, que dehors, au soleil. J'appelais Claire, Claire ! Dans une pièce, sa chambre qui lui sert aussi d'atelier, un matelas par terre, elle dormait, allongée sur le dos, nuque cambrée, bouche ouverte, un masque sur les yeux, des boules Quies dans les oreilles, les mains à plat sur le drap de chaque côté de ses hanches. Autour d'elle, des toiles blanches, vierges, des tubes de peinture trop bien rangés, et une palette neuve.

« (7) Elle était nue. Elle n'avait simplement pas retiré ses sandales en se jetant sur le matelas. Je ne sais toujours pas s'il s'agissait d'une mise en scène (théâtre !) mais à genoux, près d'elle, je l'ai appelée doucement, tout doucement, deux ou trois fois. J'ai attendu. J'ai renoncé. Je suis reparti. J'ai croisé Loïc, Yves et Géraldine. Dans le rétroviseur, j'ai vu Yves me regarder. Trop tard. Marignane, Paris, Oslo, le petit port de Dunn. Et le fjord, mon fjord. Mise au point : je veux savoir ce qui s'est passé avec Bertrand. Voilà, papa, ce que tu as fait de nous. Je me demande pourquoi je t'écris. Si, je sais ! Aujourd'hui, tu as pensé à nous ! Il n'y a pas d'autre explication. Arrachez une feuille encore verte et l'arbre tremble jusqu'à la racine. Et Bertrand, la vérité ? Notre famille n'est qu'un arbre pendu, suspendu, arraché et accroché. Cette lettre, je ne l'enverrai pas. Je t'embrasse. Ton fils qui t'adore. Sébastien. »

Sébastien plie les feuillets de la lettre en deux, en quatre et glisse le tout dans un enveloppe, pour le principe, la tentation, aussi, d'envoyer ce message désordonné, colère d'un enfant de quarante-sept ans. Il n'y a qu'un mensonge dans cette lettre. Il concerne le fiancé de Laura et la drogue de Paul. Hypothèses. Et ce n'est là qu'une emphase paternelle. Ruth écrit trois fois l'an, parfois quatre, à Sébastien, et en anglais pour bien marquer qu'elle est rentrée chez elle, une fois pour toutes, et qu'elle entend donner à ses enfants la religion de sa langue maternelle, revanche d'une autre guerre, ce mariage contesté, « œcuménique et un des premiers » disait Cécile avec fierté, dans une église, l'église Saint-Ferdinand, bourgeoisie oblige, et en présence d'un pasteur. Ruth et Sébastien se moquaient alors de cette comédie. Ils s'aimaient trop pour en souffrir, éperdus, conscients de la part de scandale que chacun représentait pour l'autre, tous deux cherchant à s'expatrier. Ils fonçaient. Tout cela n'était qu'une blague, un élan, une rencontre véridique. Tout, sauf une mésalliance. Bertrand, en page de garde du volumineux livre de cuisine qu'il leur avait offert en cadeau de mariage, avait écrit « pour le meilleur et le meilleur. L'amour n'a pas de recettes. La cuisine par contre ! » mais il n'avait signé que du point d'exclamation. Il disait que cela avait de l'importance. Les lettres de Ruth, désormais, vingt-deux ans plus tard, ne sont que des inventaires. Une partie du salaire de Sébastien est directement versée par la British Petroleum Company sur le compte de Ruth, à Toronto, pour les enfants. Les lettres coïncident avec les versements trimestriels. Le dernier dû. Accusés de réception que Ruth pare de commentaires, pour faire au moins deux pages. Laura a un fiancé ? Sébastien n'a-t-il pas épousé Ruth quand elle avait l'âge de Laura ? Paul a été pris, dans la rue, contrôle d'identité, avec deux joints de marijuana ? Combien de fois, au début des années 50, Luc, Sébastien et Claire, à Moncrabeau, ont-ils bu au point de ne plus trouver le chemin du retour, et de tomber, « ivres vivants » disaient-ils, dans un talus ou une meule de foin ? Bertrand, tôt le matin, les trouvait toujours et leur apportait un thermos de café noir et amer. Il avait des sucres plein les poches et disait à ses aînés « vous m'emmènerez, un jour ? Ne me laissez pas seul ! »

Luc a épousé Anne-Marie un an avant sa sortie de Polytechnique. Claire, enceinte de Loïc, a épousé Gérard, élève des Beaux-Arts, comme elle. Gérard est mort, dans un accident de voiture, peu après la naissance de Géraldine. Loïc avait trois ans, Yves deux. Tout va si vite. Les enfants Prouillan étaient pressés d'en finir. Avec quoi ? Et de partir. Pour où ? Ruth était belle quand Sébastien la vit pour la première fois, carrefour de l'Odéon, cheveux noués, dans une robe d'été, comme une grande chemise de voile. Elle sortait d'une répétition. En tournée avec la Compagnie Paul Stewart, Sébastien devait la revoir, le soir, en scène. Un spectacle de danse, sans musique, avec pour seuls rythmes ceux des pas et des éclairages. La salle sifflait, huait, rigolait. Mais la troupe dansait. Sébastien avait rendez-vous avec Ruth, après. Ces faits ne se décident, ni ne s'oublient vraiment. Dans les lettres obligées de Ruth, il y a parfois au niveau du mot, ou de la ponctuation, une hésitation, comme si elle allait de nouveau entrer en scène. C'est toujours le premier soir si on sait

attendre. Ruth désormais vit avec Ron. Sébastien ne
téléphone plus parce que Ron répond toujours en premier.
Les enfants sont à l'université, au ski, dans la région des Lacs,
ou bien « ils sont sortis ». Ron répond toujours en français.
Sébastien lui parle en anglais. Ruth n'est jamais là. Il ne faut
plus appeler. Le soir du jour de l'An, Sébastien a demandé à
Alabama, le radio du *Firebird*, d'envoyer un message à
Toronto. Mais le message n'est pas passé. Ce soir-là, tout le
monde appelait tout le monde. « Back luck, next time, may
be next year ! »

Sébastien recapuchonne le stylo, glisse la lettre qu'il n'enverra
pas à son père dans l'exemplaire des *Mémoires d'Hadrien* sur
lequel Bertrand a écrit, autre page de garde, « ce livre a été
volé à Bertrand Prouillan. Prière de le lui rendre »,
exemplaire que Sébastien pose toujours sur sa table de
chevet, où qu'il aille, souvenir, ou bien découverte à venir, à
venir en deux mots, le style de la famille. L'essentiel de sa
bibliothèque est là. Il y a une lettre, aussi, que Bertrand lui a
remise, le jour du mariage avec Ruth, et qu'il n'a jamais osé
ouvrir et lire. Au moment où Sébastien quitte sa cabine, René
allait frapper à la porte « nous allons être en retard ! » René
et Sébastien se vouvoient, parce qu'ils sont tous deux français.
Parce qu'ils ne veulent pas se raconter leurs histoires
respectives. Parce qu'il faut tenir le coup douze mois. Parce
que Sébastien est le patron. Mais Sébastien, sans René, n'est
rien. Avec lui, il vole, il s'envole. Il fait l'amour avec le fjord.

Il n'y a que trois places dans l'hélicoptère si on veut, au
retour, transporter des vivres, toutes sortes de paquets et le
courrier. Aujourd'hui, c'est le tour de Horst, le gestionnaire,
qui doit aussi rapporter des médicaments. Il se tient à
l'arrière, René et Sébastien à l'avant. Sifflement des hélices,
décollage à la verticale et le ballet commence, vagues, marée,

vent, soleil, et cette immense langue d'eau sombre et verte qui
plonge dans les montagnes et le roc. Jamais deux fois la même
lumière, la même vision et le même acte. Les hommes se
taisent, vrombissement de l'appareil, vue plongeante, la mer
se faufile, la terre s'écarte. Autour du *Firebird*, l'*Apollo VII*,
le *Septentrion*, le *Newton*, l'*Ambrasy*, le *Spirit II* et le
G.K. Hall, vidés de tout contenu, lignes de flottaison hautes,
sept îles abruptes et noires, les plus grands pétroliers du
monde sont là, inutilisés parce que désormais plus du tout
rentables. Un pilote et deux hommes de la première équipe
sont morts, coup de vent, ou mauvaise manœuvre. Leur
hélicoptère est entré de plein fouet à bâbord du *G.K. Hall*,
comme sur une falaise. Aucune recherche n'a été effectuée.
C'était l'hiver, un jour furtif, si vite la nuit, de nouveau, et
une tempête. L'équipe a été remplacée. Tout se paie, le
risque et la mort. Sébastien y pense chaque fois, chaque jour,
tout comme il pense à Ruth quand il voit le fjord, et
l'étourdissement de leurs étreintes quand elles furent premières, obstination, heurt et puis constat. Une séparation.

Le port de Dunn est de l'autre côté de la montagne, au sud.
Moncrabeau aussi était au sud de Paris. Pour rejoindre Dunn,
on survole d'abord des forêts, abruptes, flanquées, noires et
intactes. L'hélicoptère vibre, frémit. On s'y sent, à l'intérieur,
comme dans une feuille, au vent, pour un instant seulement.
Puis, point culminant, un col entre deux pics, et c'est la
descente, vertigineuse, en ripant de droite, de gauche,
l'appareil vrille l'air, l'espace et le ciel. Très vite, ce qui n'est
qu'un point, tout en bas, se dessine clairement. Des maisons,
des églises, des routes, des voitures, une jetée, un phare, des
bateaux, des êtres humains, le port d'attache. Sébastien pense
à la lettre, jetée sur le papier, pliée, cachetée, abandonnée. Il
n'a jamais envoyé sa nouvelle adresse à Claire. Ce n'est pas
un oubli. Il écrit mieux en n'écrivant pas. C'est sa manière de

penser aux autres plus souvent. Devant une lettre, intimidé, il se dit qu'il n'a jamais su tricher en temps voulu et qu'il ne le saurait jamais. Devant une lettre, fasciné par l'immensité de ce qu'il a vécu, privilèges, attentes, joies, dérisions, un vertige le saisit qui lui fait mesurer l'espace encore plus grand du désir, inassouvi, du rêve, qui ne se réalise pas, des rencontres qui se brisent aux trop grands hasards de la vie, de la famille, attachante, à laquelle on demeure attaché, totem, repas tribal, festin de tendresse, la fuite en avant, toute une vie, pour n'être que rattrapé, ligoté. L'hélicoptère se pose près du hangar des douanes. René regarde Sébastien « eh bien ! Vous rêvez ? »

Souvent, en novembre, décembre et janvier, après le dîner, Sébastien enfilait deux pull-overs, un parka, un ciré par-dessus, une paire de gants de laine et une autre de cuir, un bonnet en forme de cagoule et, armé contre le froid, sans prévenir les autres, en maître du *Firebird*, il se rendait au gaillard d'avant pour voir, voir de l'avant, rêver, rêver un peu. A — 20°, le froid, pour saisir, s'y prend chaudement. On n'y croit pas, mais il envahit, s'insère et coule vite dans les veines, glace de feu, si on ne bouge pas. Sébastien sentait la nuit scintiller de toutes parts, de chaque côté et au fond du fjord, la nuit de neige suspendue aux faîtes des sapins, la nuit d'encre blanche. Sous le *Firebird*, comme un mouvement, celui de la mer et du Gulf Stream, brassant les eaux, appelant sans cesse un printemps qui se ferait sous la menace de l'hiver, un été qui reviendrait, fugace, à peine perceptible, avec ce soleil accroché comme un lampion de la Saint-Jean. Et ainsi de suite, étrange pays, comme un rêve fixe. Et Sébastien, là, sur cette poubelle vide. La mer, les jours de tempête, cognait les parois et de grands bruits sourds se répercutaient dans les soutes des géants de la mer, roulis du vide, échos d'une grandeur perdue, siècle stupide. Sébastien, seul, se moquait

alors de lui-même au point de rire, rire aux éclats. Un rire
glacé, bouffées de froid dans la bouche. Un rire inutile,
perdu, inentendu. Forcément. Ce sentiment le faisait rire aux
éclats. Et il rentrait, secoué de froid, pour boire, avec les
autres, et parler de rien, avec eux, de rien, et cela lui faisait du
bien. René, dans son coin, curetant cette pipe qu'il ne fumait
jamais, mais qu'il accrochait à sa mâchoire pour se calmer et,
disait-il, s'empêcher de parler. Carlos et Juan, les deux
Vénézuéliens, penchés sur le jeu d'échecs, n'osaient pas se
regarder devant les autres, attitude discrète et tenace dont
personne n'était dupe, cachant leur lien pour mieux en jouir.
Alabama parfois chantait. C'était faux, mais c'était mieux que
la musique des disques. Stavros, le cuisinier, assis, cassé en
deux, dormait le front posé sur la table, comme un écolier
assassin d'un oiseau. Oswyn, l'Irlandais, les deux Portugais et
Horst jouaient au poker. Ce n'était ni beau, ni pittoresque, si
peu idéal, l'épaisseur du temps, c'est tout, de la vie quand elle
revendique, et du bonheur quand il se terre pour mieux
rebondir. Sébastien et ses hommes attendaient la fin de douze
mois de contrat. Sébastien se disait « c'est la même prison
partout ».

Horst, René et Sébastien se sont donné rendez-vous dans une
heure au Lillehammer Bar, le seul bar à marins du port. A la
poste, Sébastien prend le sac du courrier et les paquets. Il y a
un paquet pour René. Avec un tampon de Toulouse en date
du 2 juillet. C'est tout ce que Sébastien saura de René. Il a
quelqu'un, à Toulouse. Et Toulouse, ce n'est pas loin de Pau.

Tout cela est faux et tout cela est vrai. Tout ce qui n'est pas
dicté est devenu suspect. Sébastien a un peu de temps devant
lui. Les trottoirs l'étonnent, et les enfants qui jouent à la
balle, une petite fille qui le regarde, une femme à sa fenêtre
qui suspend du linge propre. Ils ont vécu le même hiver, eux

aussi. Brusque désir, sans l'avoir décidé, Sébastien entre chez
l'unique coiffeur de Dunn. Seul client. D'un geste il explique
qu'il ne veut plus de sa barbe. Un vieil homme le renverse
dans un fauteuil. Il ferme les yeux, jouissance. Il va retrouver
son visage, et son image, propre, nette, dans le miroir, dans
quelques minutes, bruits de ciseaux, puis mousse et coups de
rasoir.

Quand on le redresse, il hésite, se regarde. Il ne se reconnaît
pas. Il se reconnaît trop. Il ressemble de plus en plus à son
père. Le même nez, tarin gascon, le même pli au menton, et
les yeux, ni bleus ni noirs, ternis.

Au Lillehammer Bar, Sébastien attend avec le sac et les
paquets. Horst et René sont au premier étage. Ils en profitent
pour tirer leur coup. Quand René redescend, Sébastien
tourne la tête, courtoisie, discrétion. Il boit, pose les mains
sur la table, essaie de se distraire. Immanquablement il croise
le regard de René qui lui dit « vous savez, cette femme, je ne
fais que l'observer. Horst attendait son tour derrière la porte,
vous comprenez ? » puis, sourire « rasé de si près, vous avez
l'air d'un premier communiant » et encore « cette femme, je
ne fais que la regarder, comme vous me regardez maintenant.
La seule différence, c'est que c'est une femme, qu'elle est
nue, et je me dis un instant qu'elle m'aime, qu'elle
m'attend ». Sébastien ne répond pas. Il boit. René lui prend
le bock des mains « qu'avez-vous donc vécu de mieux que
moi, pour vous tenir comme ça, à l'écart ? » René pose le
bock, commande une autre tournée. Les coudes sur la table, il
se penche vers Sébastien et dit à mi-voix « moi non plus, je
n'ai vécu rien de mieux que vous. Je suis là, comme vous.
Nous n'avons pas le même salaire, c'est tout ». Les deux
hommes trinquent. René lève son bock vers le plafond
« évidemment, Horst, avec tous les médicaments qu'il a, peut

tremper son biscuit dans n'importe quelle outre à foutre ! »
René s'essuie les lèvres, rit de bon cœur et regarde Sébastien
« ça vous choque ? Mais nous sommes toujours les putes de
quelqu'un ». Sébastien tend à René le paquet de Toulouse.
René joue le surpris, l'étonné « des chaussettes qui arrivent
avec des mois de retard. Ma mère n'y voit plus très bien pour
tricoter ». Il pose le paquet sur une chaise, sans l'ouvrir
« nous nous parlons trop. Buvons ! » Il boit. Sébastien
caresse son bock du bout du doigt. Il se lève brusquement,
« je vous rejoins à l'hélico ».

Une vieille carte postale achetée aux Comptoirs de Dunn, et
des timbres, à la poste. Il colle les timbres. La carte
représente une forêt, la mer, et une montagne avec un soleil
de minuit. Les couleurs ne sont pas très naturelles mais la
réalité, en réalité, est encore plus belle, et n'a pas l'air si
naturelle que ça, alors ? Sébastien écrit d'abord les noms et
l'adresse « Laura et Paul Prouillan, 82 Amelia Street,
Toronto, Ontario, Canada M4XIE4 » puis le texte « dont
forget me. Daddy ». Ne m'oubliez pas. Papa. Cette fois,
Sébastien envoie le message. La carte postale fait un petit
bruit en tombant dans la boîte. Trop tard. C'est parti.

Pour le retour, Sébastien se place à l'arrière avec les sacs, les
paquets et les vivres. René regarde drôlement Horst.
Jalousie ? Décollage. Des enfants font des signes. La petite
fille regarde de loin. Un bateau de plaisance entre dans le
port. Et très vite, ascension, le ciel, comme s'ils allaient le
déchirer, le col, membrane de roc. René s'y reprend à deux
fois, un vent souffle du nord et il faut plus d'altitude.
Sébastien ferme les yeux. Comme dans une feuille au vent, et
dans la lettre à son père, l'image de la feuille arrachée à
l'arbre, l'arbre suspendu. La prochaine fois qu'ils iront à
Dunn, ce sera le départ, pour de bon. Ainsi de suite la vie.

3

« Sucrette ? » Henri Prouillan regarde sa sœur. Rituel du petit salon, à l'heure du café. Suzy sourit « il paraît que ces pastilles, pour donner l'impression de sucrer, n'en donnent pas moins aussi le cancer, un cancer, je ne sais plus très bien lequel. Mais on en meurt. Alors deux sucrettes, trois s'il te plaît ! » Suzy est contente. Son frère lui tend la tasse de café en détournant la tête. Elle murmure « tu ne changeras jamais. A quoi bon ? Le déjeuner était délicieux. Réussi. Vive la mort à petit feu. Lequel de nous deux partira le premier ? Nous sommes là encore pour vingt ans ! Parle-moi de ta décision, je te parlerai de la mienne ». Gorgée de café, du bout des doigts la tasse. Henri s'est approché de la porte-fenêtre du petit salon. Il ne pleut plus. Une ambulance passe, sans faire de bruit de sirène. Il se dit qu'il n'y a personne dedans, puis à voix haute « … retour de livraison ! » « Retour de quoi ? » demande Suzy.

Que se sont-ils dit pendant le déjeuner ? Ils ne le savent plus ni l'un ni l'autre. Une remarque, une seule, comme une réplique, de Suzy « mon pauvre Henri, nous ne savons même plus tuer le temps » puis « autrefois, nous savions le faire, mais ce n'était qu'une impression de canetons. Nous étions jeunes, d'âge. Tu ne m'écoutes pas ». Henri n'osait pas regarder Bernadette. Bernadette, en servant, ne voyait ni les plats ni les assiettes ni les mains qui se tendaient vers elle, poignets cassés, élégamment, couverts d'argent, souvenirs d'apparat, elle refoulait des larmes, celles-là même qu'on ne peut pas maîtriser, brûlantes, tout ça pour un chien. Il fallait servir, malgré tout et comme toujours. Henri se demandait qui terrorisait l'autre, quotidien feutré, pas étouffés par la moquette et le tapis, va-et-vient de la servante. Chaque fois qu'elle revenait à l'office, Bernadette en profitait pour se moucher, en curieuse cachette et sans faire trop de bruit. Dans le couloir, fin de repas, en apportant le gâteau glacé de chez Berthier fils, acheté en rentrant du dispensaire, le gâteau préféré de Suzy « je ne suis pas aidée comme toi, mon petit Henri », Bernadette avait donné un coup de pied dans l'horloge, coup de pied de rage. Pour la première fois dans cette maison, une rage « vous auriez pu me prévenir ! » Bernadette parle toujours à Monsieur, mais dans les couloirs seulement, quand Monsieur n'est pas là, quand Monsieur l'appelle ou quand Monsieur attend.

Suzy pose sa tasse vide sur le plateau. Henri n'a pas bu son café. Il se tient debout, près de la porte-fenêtre, il ne bouge pas. Il dit, comme s'il était seul, soliloque « je veux les revoir... », « je veux les réunir... », « ... je veux leur demander pourquoi ! » Suzy, amusée, attend la suite. Henri se tait. D'un geste de la main, il caresse ses cheveux blancs, fins, rares, coupés court. Un bref instant il se tient le menton

comme une interrogation et, ponctuation finale du geste
inconscient, se pince le nez. Suzy éclate de rire « tu n'as
vraiment pas changé » puis, se levant, se dirigeant vers son
frère, le prenant par le bras et le serrant contre elle « je te fais
peur parce que pour moi, tu es resté petit, peureux, terré. Qui
veux-tu réunir ? Tes enfants ? Pourquoi, quoi ? Tu veux les
achever ? Achever ta besogne de père ? Parle, Henri, je t'en
prie, sinon je m'en vais. Il ne pleut plus. Je n'ai rien à faire ?
Alors j'ai une raison de partir ! » Suzy répète très distinctement, souvenir de la mauvaise actrice qu'elle fut et de la
grande actrice qu'elle ne serait jamais, avec diction « nous
n'avons plus rien à faire ? Alors nous avons des raisons de
partir ! J'ai décidé de vendre le théâtre de Jean. C'est ça ou
reprendre *La Carambole* pour la sixième fois. On fêterait la
3 500ᵉ représentation. Il paraît qu'il y a encore un public.
Surtout au moment du Salon de l'auto ». Suzy se détache de
son frère, fait quelques pas, elle tourne sur elle-même. « Tu
ne m'écoutes pas. Je devais signer avant-hier. J'ai attendu ce
déjeuner pour t'en parler. Cette décision, je ne veux pas la
prendre sans toi. Surtout si cela t'indiffère. » Henri regarde sa
sœur « pourquoi me dis-tu toujours mon pauvre Henri, mon
petit Henri ? Crève avec ton théâtre, Suzy ! »

Bernadette entre dans le petit salon, prend le plateau du café
et ressort. Suzy cherche son sac, ses cigarettes. Henri la
surveille gentiment. Quand elle revient de la salle à manger, il
la prend dans ses bras « ta décision est prise. Tu ne te passeras
jamais du bruit des strapontins qui grincent. Comme tu le
disais à l'instant, il y a toujours un public. Nous sommes ce
public. *La Carambole*, c'est du théâtre. C'est bien fait. Et ça
marche. Je dirais même que chaque fois que j'écoute cette
pièce, je la trouve de plus en plus profonde et de plus en plus
vide, de plus en plus drôle et de plus en plus triste. Je trouve
en elle un écho ». Suzy allume une cigarette. Henri veut

l'embrasser. Elle recule d'un pas « je sais enfin ce que tu penses du théâtre de Jean ». Une bouffée, un jeu, elle sourit « je m'en doutais, mais je voulais te l'entendre dire ». Elle passe dans le salon, s'assoit dans le fauteuil de Cécile, les derniers mois, quand on était obligé de la transporter, et là, elle se tait. Suzy a choisi ce fauteuil pour se taire. Bernadette apporte un cendrier. 15 heures sonnent à la pendule. Bernadette disparaît. Suzy regarde son frère « Pantalon n'est plus là ? » Henri répond « exact. Depuis ce matin 11 heures. Et ça m'a coûté 260 francs ». Suzy pose sa cigarette dans le cendrier, croise les mains sous son menton, regard latéral « tu ne le penses pas, Henri ? » « Je le pense, Suzanne. »

1928. Bernadette avait vingt ans. Fille unique. Sa mère était morte en couches. Son père s'était pendu l'année précédente à la branche la plus basse de l'orme, devant leur ferme, à Auzan, près de Moncrabeau. Bernadette revoit son père, accroché, pieds tendus, la pointe des pieds presque à terre. L'homme avait bien calculé son coup. Cette histoire-là, Bernadette ne la raconte jamais car elle ne serait pas écoutée comme elle a été vécue, une délivrance, à la limite d'un bonheur, et le choix d'un homme, là, devant chez lui, devant sa ferme. C'était son orme. La suite de l'histoire ? Une mère qui meurt en couches, un père qui se pend de chagrin vingt ans plus tard, une ferme de pauvres, un orme gigantesque, et Lucien, journalier, qui passe pour les vendanges et disparaît début octobre 1928. Bernadette le jour du départ de Lucien fut prise de vomissements. A Auzan, les gens firent d'abord semblant de ne pas comprendre, mais les femmes, sitôt passé Noël, prirent le parti de Bernadette et de l'enfant des vendanges. Début mai 1929, Bernadette mit au monde un petit garçon, dans sa ferme et dans le lit de ses parents. Les femmes du village, autour d'elle, dans l'alcôve, se déplaçaient comme dans une église. Bernadette n'aimait pas ces ombreslà. Elle s'endormit, épuisée, inquiète, et ne se réveilla que très tard le lendemain. La nuit tombait. Le fait de se réveiller à la nuit tombante, présage, la tourmenta. Le médecin était là. Il lui fit une piqûre et de nouveau elle s'endormit. Le troisième jour, tante Augustine était assise à côté du lit et lui dit, en lui serrant trop fort la main, « ton petit Colas est mort ». Cette histoire-là, aussi, Bernadette ne la raconte jamais car elle ne serait pas écoutée comme elle a été reçue, une délivrance pour la famille proche ou lointaine et les gens du village, une délivrance à la limite d'un bonheur conforme. Il y eut le curé pour baptiser l'enfant, un homme et une femme pour parrain et marraine. Vu du lit, tout se passait simplement et sans drame. Jamais personne n'était venu chez eux. Le chagrin du père avait écarté tout le monde. Là, ça fourmillait. Ils pouvaient à peine se déplacer. Quel événement. Deux jours plus tard, ce fut l'enterrement. Les femmes levèrent Bernadette, l'habillèrent de noir et la hissèrent avec le petit cercueil blanc dans la même charrette. Les gens suivaient en marchant. Les fils des vendanges doivent mourir au printemps. A la sortie du cimetière, ce fut le défilé. Debout, de toutes ses forces, seule, car tante Augustine avait refusé de se tenir près d'elle, Bernadette eut à serrer des mains. Comme tout cela, rituel, était étrange. Bernadette, pour se défendre de cette comédie jouée par ceux qu'elle aurait désignés volontiers pour coupables, répéta en souriant à chacune et à chacun « mais vous savez, je ne l'ai pas connu », « vous savez, je ne l'ai pas connu », « vous savez, je... » On la prit pour folle.

Maintenant, Bernadette attend que la sœur de Monsieur s'en aille. Mais Suzy s'est mise à fumer. C'est mauvais signe. Elle va parler, parler encore, et ils vont se quereller en riant. Au bout du couloir, à l'entrée de l'office, il y a un banc sur lequel les enfants, le matin, venaient lacer leurs chaussures.

Bernadette s'est assise là. Elle se dit que la peine qu'elle n'a pas pu ressentir quand elle a perdu Colas, elle la ressent maintenant parce qu'elle aurait voulu accompagner le chien, elle, une dernière fois. Parce que c'était elle, et elle seule, qui sortait le chien régulièrement. Devant le 2, place d'Antioche, elle voudrait voir un orme. Début juillet 1931, une voiture vint stationner devant la ferme. Un jeune homme en descendit, Henri, accompagné d'une jeune femme, enceinte, Cécile. Ils venaient de la part d'Augustine et du curé. Bernadette fit ses bagages pour le soir et on revint la chercher. Si peu de choses dans ses bagages. On la prenait à l'essai. On lui donnerait une réponse définitive à la fin de l'été. Et à voix haute, sur son banc, parlant à elle-même, comme au sortir d'un cimetière, Bernadette répète en souriant « alors, c'est oui ou non ? » On ne le lui a jamais dit. Elle est restée. Elle a appris à lire avec Luc, à écrire avec Sébastien, à être mère avec Claire, ensuite, elle a tout enseigné à Bertrand qui lui disait « tu es l'autre maîtresse, la seule et la vraie ». En 1950, sur les conseils de Monsieur, Bernadette a vendu la ferme au maire du village. De cet argent placé, il ne reste rien que le faîte de l'orme, vu de loin, en passant en voiture. Bernadette tournait tout de même la tête. Comme elle la tourne, aujourd'hui, guettant les voix au bout du couloir.

« A la Libération, tu as tenu des gens en laisse, aussi, comme Pantalon. Cette besogne, vous prétendez que ce sont toujours les autres qui l'ont faite. Et Bertrand, comment t'y es-tu pris ? Avec quoi ? De force ? » Suzy remplit son verre d'armagnac, allume une autre cigarette et, d'une voix calme, cite Jean « je reconnais un snob en ceci qu'il prétend ne pas l'être. Je reconnais un assassin en cela qu'il n'en a pas l'apparence ». « Suzy, je t'en prie ! » « Non, Henri, parlons. C'est bon. Tu as peur ? »

Suzy attend que son frère prenne place dans un fauteuil.
Henri sait que Suzy ne partira pas tant qu'il ne se sera pas
assis, tant qu'elle n'aura pas parlé. Il y a, dans ce qu'elle dit,
aujourd'hui, 9 juillet, vingt ans jour pour jour après le retour
de Bertrand, de Barcelone, ce rien de cassé qui interroge, ce
début d'hésitation qui surprend, rupture d'habitude, inconve-
nance. Suzy lui tend un verre d'armagnac « de nous deux, le
seul vrai comédien, c'est toi. Tu peux moquer les pièces de
Jean. Elles n'ont pas fait de victimes. Grâce à elles on n'a pas
fermé un théâtre ou on ne le fermera pas. Ma décision est
prise. La tienne l'est aussi, hélas ». Henri boit une gorgée
d'armagnac et s'assoit dans un fauteuil, face à sa sœur, le
verre calé entre les paumes des mains, pour réchauffer
l'alcool, geste de son père et de son grand-père, les étés de
Moncrabeau, sous la glycine, bien avant la Grande Guerre. Il
écoutait ceux-là qu'il allait copier. Rien n'a changé, en
presque un siècle, dans ce pays, rien, hormis des idées,
agitées, cette extraordinaire intellectualité des rêveurs de
révolutions. Les gestes de base, eux, sont toujours les mêmes.
Et les silences, majorité silencieuse, protègent les fortunes de
pierre, d'or et d'actions et taisent toujours les mêmes
infortunes du cœur. Henri regarde son verre, sourit si
faiblement que Suzy n'ose pas parler. Elle dit « pardon » mais
si discrètement qu'Henri ne l'entend pas. Le voici perdu dans
des pensées dont il se demande bien si elles sont le trait d'une
famille ou de toutes les familles, le fait d'un genre humain
sans identité véritable qui se serait reproduit tout juste
identique à lui-même, héritier des drapiers et marchands d'un
Moyen Age tenace. Souvent, en passant près de l'Hôtel de
Ville de Paris, Henri regarde cette statue équestre d'Etienne
Marcel, étrange nom sans âge et sans siècle, statue que
personne ne remarque et qui pourtant, elle seule, gouverne
peut-être dans la réalité d'une société qui ne fait que semblant
de se modifier. « Henri ? »

Henri regarde sa sœur. Suzy murmure « tu ne vas tout de même pas te sentir coupable ? Songe à tes Air Liquide, tes Royal Dutch, tes Michelin, tes De Beers, tes rentes Pinay, tes Engins Matra, tes Elf-Aquitaine et tes Française des Pétroles. Tu vois, je connais ton portefeuille par cœur. Merci pour ton tuyau concernant les valeurs Crouzet de Valence. Une belle affaire, à terme. Je l'ai faite. Grâce à toi. Mais c'est quoi, Crouzet, qu'est-ce qu'ils fabriquent ? Oui, je me moque de toi, de moi, de nous. Dans ce fauteuil, ou avant, dans la vie, Cécile ne disait rien. Je parle à sa place. Nous ne connaissons que l'art de parler à la place des autres. C'est notre manière de nous aimer, et surtout de ne nous voir jamais tels que nous sommes. Je te crois, Henri, aujourd'hui, capable de tout. Je ne partirai d'ici que lorsque tu m'auras dit clairement ta décision. Il suffit parfois de dire ces décisions-là pour ne pas les mettre à exécution. Parle ».

Bernadette se dit « je ne vais plus jamais sortir. Avant, il y avait le chien, mais maintenant ? » Elle défait son chignon, cheveux gris, rebelles, épingles retirées une à une, puis elle secoue la tête comme une jeune fille, geste intact. Il n'y a, dans sa vie, eu personne d'autre que Julien, jamais, est-ce possible ? Elle en sourit, les épingles dans la bouche, et refait son chignon avec habileté comme Madame quand elle fixait ses chapeaux d'été à sa chevelure blonde. Bertrand disait « voici maman, sous son parasol ». Claire l'appelait « Lady Papillon ». Luc lançait à sa mère « tu fais de l'ombre autour de toi ». Sébastien donnait de petits coups gentils aux rebords des capelines, aux rubans ou aux ganses et Cécile agacée disait « arrête, tu me fais mal, tu vas me décoiffer ». Bernadette se souvient des sirops d'orgeat. C'était bien avant les alcools et les mariages. Quatre beaux enfants. Les Prouillan. Et elle, seconde mère. L'oncle Jean notait tout ce qu'elle disait, elle,

Bernadette. Résultat, en 1949, le lendemain de la création de *La Carambole,* Monsieur et Madame lui annoncèrent, devant les enfants, qu'elle avait « un rôle important dans cette pièce », que la critique du *Figaro* était « bonne » et qu'ils reviendraient avec elle. Puis un oubli. Elle était allée voir la pièce, seule, en fin de saison, en matinée. Un strapontin. Mais entre cette servante comique, en scène, qui savait tout de tous, qui ouvrait et claquait toutes les portes, et il y en avait beaucoup dans ce salon, décor unique, entre cette servante et elle, il n'y avait aucun rapport de voix et de vie. Bernadette venait de découvrir qu'elle serait toujours, pour eux, une étrangère dont ils avaient besoin, repère, servitude, renseignement ou proie, au choix, ou le tout à la fois.

Henri se tait. Il pare son silence de ce sourire avec apparence d'âme, presque une ironie, que Suzy lui connaît bien. Le sourire des certitudes, donc celui d'une terrible faiblesse. Suzy pense « terrible », pense « faiblesse » et se souvient de la théorie de Jean, au sujet des adjectifs et de leur emploi. « Ils plaquent du faux fort sur le vrai des mots et font fuir la vérité comme la vie. » Jean parlait aussi des verbes et des conjugaisons « le passé simple est compliqué, l'imparfait porte bien son nom. Il n'y a que le présent de l'indicatif pour inviter ». L'idée d'absence d'imagination pure, mais seulement, imagination vraie, l'écoute, et le regard, idée qui circule dans la famille et revient souvent en leitmotiv, est de lui également. Jean Martin avait des qualités pour lesquelles on ne l'a pas célébré. Ses premières pièces, ses pièces « d'avant-guerre », les critiques à bout de cartouches prétendaient que c'était 14/18, furent jouées, quelques-unes devant de parfaites salles vides, et la plupart oubliées dans des tiroirs dont Suzy n'ose même pas faire l'inventaire. Avec *Hôtel de la Gare, Céline* en 47 et 48 puis *La Carambole* en 49, le public décida d'un autre sort. Il fallait distraire. Et sans pour cela se soumettre vraiment à la dictée des succès prévisibles ou fabriqués, par subtile lassitude mêlée de désir d'audience, donc d'amour, Jean, pour l'amour de Suzy et pour gagner le respect de la famille Prouillan, Henri surtout, avait écrit ce qu'il fallait écrire pour que les regards ne se posent plus sur lui d'en haut, mais droits, convenus, mondains pourquoi pas ? Il connut alors sans transition ce succès qu'immédiatement on lui reproche. Il dira à Henri, le jour du mariage de Claire avec Gérard « avant, on ne parlait pas de moi parce que ça ne marchait pas. Maintenant, on ne parle plus de moi parce que ça marche trop. Dans notre pays, le succès est suspect ». Romain Leval venait de se suicider. Tout juste deux lignes dans les journaux du soir. Jean avait ajouté « pour Romain, ce fut pire encore. On lui prêtait des succès pour pouvoir les lui reprocher. Leur loi est meurtrière ».

Suzy écrase les trois premiers mégots dans le cendrier, bien proprement, au milieu. Le verre d'armagnac est vide. Henri, les mains à plat sur les accoudoirs de son fauteuil, nuque calée, comme au bord d'une sieste, regarde légèrement à côté de Suzy, vers la place, regard perdu, lointain. Jean disait des critiques de théâtre « ils sont sales, au sens propre du terme. On leur fait faire un métier de cochons. En cela seulement je les respecte, sauf s'ils jouissent des salissures qu'ils font, du succès qu'ils m'ont donné, comme ils me l'ont donné ». Jean aurait bien voulu mépriser ses succès sur un théâtre qui n'était plus le sien, mais bien celui, ludique, d'une bourgeoisie qui ne peut plus se reconnaître ou qui veut pouvoir se dire « ce n'est pas nous » et en rire. Jean, dans ses pièces, s'arrêtait aux aveux, avait découvert la puissance des formules. Son théâtre stoppait toujours « au concernable ». L'expression le faisait rire. Lui. Lui seul. Suzy aussi. Mais Suzy ne voulait pas de l'amertume de Jean. Et Jean n'avait plus le courage amoureux d'expliquer à sa femme que cette amertume était de bon aloi et saine. Seul, Bertrand, avant son accident de Barcelone, avait rencontré son oncle. Et Jean avait pu, un temps, se confier au jeune homme qui savait écouter, lui, et comprendre qu'un auteur à succès ne pouvait qu'être le raté de ce qu'il ne serait jamais plus, étiqueté, moqué, enfermé dans toutes sortes de boîtes à méprises. Henri, pour plaire à son beau-frère, plaçait souvent le mot du général de Gaulle « louange ou blâme, c'est toujours de la réclame ». Comme il avait raison, ce ministre-de-quoi-déjà que le pouvoir et le sens du vide respecté conduisaient à un succès de même nature, comme une distraction de n'avoir pas pris le temps de vivre, d'écouter, de regarder, imagination vraie. Et tout cela, vrac d'un troisième âge, calme d'un après-midi de juillet, Bernadette, lassée d'attendre, s'est mise à faire la vaisselle et à ranger l'argenterie, occupe l'esprit de Suzy et confond Henri. Jean disait souvent de son beau-frère « il n'y a que les silences pour le surprendre et le convaincre ».

Suzy voudrait bien retrouver Jean, son Jean, lui parler pour de franc, reprendre tout à zéro, ou bien pouvoir interroger Bertrand et savoir ce qu'ils se sont dit, en partage, tous deux en marge. Bertrand aurait voulu pouvoir aimer qui il aimait. Jean ne fut jamais aimé pour ce qu'il était. Ils ont tous deux perdu la parole. L'un, en vivant comme il vit désormais. L'autre, en mourant sans avoir pu devenir ce qu'il était. Suzy voudrait tant ne pas se sentir coupable de n'avoir jamais aidé ni l'un ni l'autre ni tous les autres de sa vie. Elle a joué si mal les premières pièces devant les salles vides, et n'a plus joué après, épouse de l'auteur en vue, les pièces des locations « trois mois à l'avance ». Aujourd'hui, elle se sent enfin disposée à parler de tout cela, mais les êtres concernés manquent. Il n'y a plus qu'Henri, et Jean disait « on ne peut avoir avec ton frère que des rapports de représentation. Il a tellement peur de lui-même qu'il ne soupire plus ». Suzy

sourit. Henri la regarde. Suzy murmure « tu te souviens de
Romain Leval ? » Henri répond « non ». Il fait semblant de
chercher, fronce les sourcils. Il y a dans son regard quelque
chose de noir et de déterminé qui échappe à la question et à la
réponse. Suzy ajoute « j'ai les lettres de Bertrand à Romain.
Tu devrais les lire, un jour. Tu serais fier de toi ». Suzy se
redresse dans son fauteuil, se souvient de Cécile, raide, à la
même place, chauve, ayant perdu tous ses cheveux à cause des
perfusions, refusant de porter une perruque, se sachant
perdue et souriant tout de même. Suzy dit à voix plus haute
« nous ne faisons que nous frôler, c'est sans doute ce qui nous
tient debout ». Elle a l'impression de citer Jean. Pourtant ces
paroles sont d'elle, nées en elle. Jean et elle ont tout fait pour
avoir un enfant. Henri regarde sa sœur « répète, s'il te plaît ».
Suzy se lève, s'approche d'Henri, se penche, face à lui, mains
sur les mains de son frère « tu joues, Riquet, avec l'idée de
tuer tes enfants. Je dis bien tu joues ». 16 heures sonnent à
l'horloge. « J'ai aussi le manuscrit d'une pièce que Jean a
écrite peu après le voyage de Bertrand, à Barcelone. La pièce
s'intitule *La Mainmorte*. Jean m'a demandé de ne pas la lire.
Je ne l'ai pas lue mais je l'ai ! Tu la veux ? »

Suzy se déplace, dans le salon, espace, scène, respiration.
« Le jour de tes seize ans, je t'ai juré de ne plus t'appeler
Riquet. J'avais huit ans et l'illusion d'un frère idéal.
Maintenant, le jeu des idéaux est révolu. La dernière des
révolutions. C'est ainsi qu'il faut te parler ? Tu permets ? »
Suzy ouvre les trois portes-fenêtres, une rumeur se répand, du
dehors, bruit sourd, continu et chaud. L'orage de nouveau se
prépare, odeur de feuillage et de macadam mouillé. La pierre
des immeubles de la place vire presque au rose. Paris, l'été, a
un air déguisé. On se prend à y parler faux. Suzy a pourtant
l'impression de ne s'être jamais exprimée aussi franchement,
même si les mots se martèlent, malgré elle, même si des rimes

et des cadences se glissent dans ce qu'elle lance, avec cœur et enfin. Henri se redresse dans son fauteuil. Il écoute. Bernadette vient prévenir qu'elle va se reposer dans sa chambre et qu'on peut l'appeler « en cas de besoin ». Elle aurait voulu faire remarquer qu'un jour normal, même à cette heure, elle aurait promené le chien. Elle attendait pour cela que Suzy lui dise du déjeuner son traditionnel « c'était délicieux » mais Suzy venait de ne lui adresser qu'un sourire neuf, dangereux, jamais vu. Les portes-fenêtres, habituelle-ment fermées, étaient là, ouvertes. Bernadette disparaît. Suzy est heureuse d'avoir ainsi, d'un regard, exprimé son bonheur du repas, en évitant un imparfait, « c'était », et un adjectif, « délicieux ». Suzy respire, sourit, caresse le dos des fauteuils, le dessus des guéridons, le manteau de la cheminée et se rapproche de son frère « je n'ai qu'un bon souvenir de toi, un seul. C'était la pêche au fouetté ! »

Suzy s'assoit sur un accoudoir du fauteuil dans lequel se tient Henri, un de ces fauteuils de style vaguement anglais, larges et confortables, que Cécile faisait recouvrir chaque décennie du même velours, « à peu près exactement » disait-elle, « pour le respect d'une harmonie ». Dans ce salon, bergères, sièges, chaises-lyres et tabourets ponctuent le décor, sont acceptés pour l'impression d'ensemble, mais tout porte à croire que jamais personne ne les a utilisés pour s'asseoir, même les jours de visites ou de fêtes. Jean disait en riant « les petits fours tiennent une inhumanité entière debout ». Il ajoutait « les méchancetés aussi, et pire encore les gentilles-ses. J'écoute, je regarde. Je suis terriblement comme eux, et je pense, comme chacun, que je suis mieux que l'autre, voisin, innocent, génie ou imbécile ». Henri regarde sa sœur « cette pêche au fouetté ! Tu as des absences ? » Un coude sur le dossier du fauteuil, Suzy caresse le front de son frère « non Riquet, j'ai des présences, une présence, je viens de retrouver

Jean ! » Elle pince la joue de son frère « et tu n'aimais pas
Jean parce qu'il était juif et que tu n'es pas antisémite, pas du
tout, avoue ! » Elle rit.

Entre les portes-fenêtres, deux commodes qui font la paire,
signées « Gaillard », mais jamais personne ne sut qui était ce
gaillard-là. Des commodes (d'époque ou de style ? Une des
parenthèses préférées de Sébastien) ventrues, dodues que Luc
traitait de « bedonnantes », que Claire appelait « les jumel-
les », Bertrand disait alors à Claire que ce détail la
« révélait », et Claire se fâchait gentiment, affection, deux
commodes identiques. Suzy va de l'une à l'autre, caressant le
bronze qui se trouve sur celle de gauche, Mercure, et le
bronze qui se trouve sur celle de droite, Jupiter. « Je t'aimais
à la pêche au fouetté. Et pour t'aimer encore, ou s'il le faut
m'inquiéter de toi, c'est la même chose, j'appelle ce souvenir,
plutôt qu'un autre. A moins que ce ne soit, ou fût, comment
dirais-tu, le sais-tu au moins, nous avons oublié l'emploi des
subjonctifs, nous avons vraiment quitté Moncrabeau, la seule
chose interdite que nous fîmes ensemble ? » Suzy sourit
comme si elle se moquait d'elle-même « je me sens bien,
brusquement. Je m'exprime, tu ne trouves pas ? Il fait bon. Je
respire. Tu me fais peur. Henri, regarde-moi ! » Silence.
« Comment as-tu pu dire de Jean qu'il était le mirador de la
famille ? » Silence. « Comment as-tu pu conduire Bertrand là
où tu l'as conduit ? Ça ne te suffit pas ? » Henri regarde sa
sœur, à contre-jour, debout, bras croisés. Il remarque alors
seulement la couleur de la robe, bleue, l'absence de port de
bijoux, bracelets, broche, collier, juste l'alliance et la bague
de fiançailles. Petit brillant, cadeau de Jean qui tenait à le
faire lui-même, car Jean était pauvre quand Suzy l'a épousé.
Les Prouillan épousent, on ne les épouse pas. Ils choisissent.
Petit brillant qui scintille. Henri défait le col de sa chemise
sans dénouer la cravate. Il se remet à pleuvoir. Un coup de

klaxon suivi d'un coup de frein. Suzy n'a pas bougé. Elle croise les bras, baisse un peu la tête, comme si elle allait se mettre à jouer, du bout du pied, avec les motifs du tapis, comme autrefois quand les réunions des grands l'ennuyaient. Elle rêvait de sa chambre. Suzy dit à mi-voix « tu venais me chercher en cachette, les jours où papa et maman allaient chez le notaire, à Lectoure, ou chez le sous-préfet, à Condom. Vite, vite, tu me disais ! Ce n'était jamais assez vite pour te suivre. Je n'avais même pas le droit d'emporter une de ces poupées que je n'aimais pas, elles ont pris leur revanche sur moi, même pas un objet, un chandail ou un bonbon. Si j'étais pieds nus, tu ne me laissais pas le temps d'enfiler des sandales. " Défais tes cheveux ", je les défaisais. En bordure de l'étang, le ponton, la prame et la coque de noix. Souvent maman disait aux amis en visite que ce n'était là qu'un décor inventé par notre grand-père et qu'il était " idiot de tourner en rond sur ce plan d'eau ". Mais chaque année, pour Pâques, les gardiens s'employaient à décaper, poncer et revernir nos deux petits bateaux. Aux premiers jours de juillet, ils étaient là, prêts, pour nous, pour les expéditions interdites. Pour tout te dire, Henri, puisque j'ai l'impression, ici, maintenant, de tout te dire, autre illusion, j'ai parfois pensé que papa et maman allaient à Lectoure, à Castelnau, à Larressingle ou à Condom pour nous laisser la possibilité de nous noyer. Maman, au retour, avait une curieuse manière de nous dire " vous êtes encore allés sur l'étang ? " Si peu une inquiétude, presque une déception. Je n'invente pas. L'enfant, en moi, invente encore. Je ne faisais aucune différence entre l'amour et la mort. Cette différence, je ne la fais toujours pas. Tu peux sourire. Je t'aime quand tu souris. Je me dis que tu partages un peu. Même si ce n'est pas vrai. Et cela me donne une force. La force de continuer ».

Suzy reprend place dans le fauteuil de Cécile. Elle fait face de nouveau à son frère. Les coudes sur les accoudoirs, les doigts croisés sous le menton, elle poursuit, avec diction, au présent « tu brandis les rames comme des armes de guerre. Tu poses le sion sur le rebord de l'embarcadère. Tu préfères la coque de noix car " c'est plus difficile et les poissons auront moins peur ". Tu te glisses dans le petit bateau. Tu fixes dames et rames et attention, précaution, tu me tends la main, c'est ma version, rien que ma version de l'histoire. Tu aimais cette coque de noix, en teck, piou-piou dérisoire dans lequel nous nous tenions à peine, moi, ramant, et toi, pêchant, mes genoux serrés dans tes genoux écartés, face à face, coupables d'interdit, parce que le moindre geste de l'un non balancé par un contre-geste de l'autre, nous nous serions retrouvés dans l'eau. Or nous n'avons jamais chaviré. Nous avons donc su, un temps, nous aimer au point de mesurer parfaitement les gestes de l'autre, jusqu'à ses intentions. Je t'aimais. Tu faisais semblant de ne pas t'en apercevoir. Tu pêchais, avec le sion, le fil et l'hameçon, sans appât, juste le scintillement de l'hameçon. C'était ça, le fouetté. Et là, maintenant, si je me rapprochais de toi, si j'encastrais mes genoux serrés dans les tiens écartés, tu ferais encore semblant. Tu ne souris plus, Riquet, pourquoi ? »

Sur le mur, derrière Henri, un cartel aux bronzes rutilants. Bruit de la pluie, au-dehors. Le cartel est arrêté depuis toujours à midi, ou minuit, la grande aiguille recouvrant la petite, curieuse verticale. Et « toujours », pour Suzy, commence au premier souvenir. Henri se penche, coudes sur les cuisses, et pose les mains sur les genoux de sa sœur « continue. Je sais où tu veux en venir ». Suzy sourit « le fait que tu me le dises ne me découragera pas. Tu parles comme en août 39 quand ton ami Coulondre, ton ambassadeur adoré, disais-tu, t'envoyait ces lettres à toi et à sa nièce Cécile, de Berlin, ces lettres alarmantes où les noms d'Hitler, de la

Wilhelmstrasse et de Dantzig revenaient, comme des coups de glas. Ces lettres, tu nous les lisais, calmement, à voix haute, à Moncrabeau. Tu savais où vous vouliez tous en venir. Et vous n'avez rien fait ». « Ne recommence pas. » « Cette guerre perdue vous a chargés d'honneurs dont vous vivez encore. Qu'est devenu Serrac qui t'apportait les messages de Coulondre ? N'ai-je pas vu son nom de condamné, à la Libération, sur une affiche, à la mairie du XVIIᵉ arrondissement ? Une affiche dont tu étais le signataire ? » Henri se lève « si nous nous quittions, Suzy, maintenant, sur une mauvaise impression, comme d'habitude ? » Henri défait le nœud et retire sa cravate « tu devrais rentrer chez toi. L'été, on cambriole surtout l'après-midi. Tu as des coups de téléphone à donner, pour le théâtre. Puisque tu le gardes. Grâce à moi, oui ou non ? Serrac est mort, mais j'ai blanchi Jean. Le tri ne s'est pas fait n'importe comment ».

Silence. Suzy murmure « je te parle d'aujourd'hui, Henri, tu le sais. Tu avais besoin de moi pour la pêche au fouetté. Tu avais besoin de moi pour maintenir, sans bruit, petits coups de rame, notre coque de noix, le plus près du bord. Là, tu faisais claquer le sion, sous les branches des arbres qui se penchaient, le tronc dans l'étang. Tu fouettais l'air. Le fil ne devait pas s'accrocher aux branches. Tu étais expert, et sitôt l'hameçon dans l'eau, tu recommençais au plus vif. Une fois sur vingt, ou trente, tu attrapais un gardon, ou une ablette. Fascinés, ils se jetaient sur l'hameçon, sans appât, pour le petit éclat du métal. Et tu jetais les prises dans le fond de la coque, sur mes pieds, c'était dégoûtant, frétillant, mais je ne devais ni parler ni me défendre. Nous aurions chaviré. Aujourd'hui, je parle. Je me suis souvenue de nos pêches au fouetté, pendant le repas, pour tes regards et les silences de Bernadette. Tout tangue de nouveau, ici. Tu veux pêcher une fois encore, " une fois dernière " comme tu dis si bien quand tu parles de manière empruntée pour dissimuler un doute qui pour moi devient évidence. Ou flagrance. Choisis ». Suzy se lève « seulement, cette fois, je ne ramerai pas ». Elle prend son sac, ramasse ses cigarettes « tu ne fais rien ce soir ? Moi non plus ! Alors je t'attends chez moi à 8 heures. C'est un ordre ». Elle embrasse son frère sur les deux joues « sinon tout chavirera, et je ne veux pas ». Elle se dirige vers l'entrée, manteau, parapluie. Elle rit « Moncrabeau n'est qu'une grande ferme avec de la terre autour et des racines en dessous. Les racines font mal ». Elle regarde la laisse et le collier suspendus. Puis elle se tourne vers son frère « réfléchis bien, d'ici ce soir. Nous sortirons en cachette. Ensemble. Nous fêterons l'anniversaire de Bertrand. Nous avons tant de choses à nous dire. Au fouetté ». Elle referme la porte derrière elle. Bernadette, dans la chambre de Claire, sur le lit de Claire, s'est endormie. Elle voit, dans son rêve, des trottoirs vides, Au milieu de Paris, un orme.

4

Claire aime le milieu de l'après-midi. Vers 4 heures moins le quart, chaque jour, elle quitte l'atelier qui lui sert de chambre, sort directement, par la porte arrière de cette ancienne grange rattachée à la maison qu'elle a aménagée pour elle, elle seule, son lieu, et, sur le terre-plein en surplomb de la vallée, transie l'hiver, affrontant les pluies de printemps, humant les senteurs de l'automne ou encore éblouie par l'été, le soleil, cette épée qui semble plonger là, causse ou montagne, terre aride, pelée, foulée par des siècles de guerres de religion, elle guette la 2 CV jaune du facteur. Elle connaît l'itinéraire de distribution du courrier par cœur. La petite voiture apparaît à quelques kilomètres à vol d'oiseau, dans la vallée, en contrebas, croisement des nationales qui conduisent à Digne et à Forcalquier. La 2 CV s'arrête presque partout, selon les jours, aux Gardioles, aux Cortasses, aux Vignasses, puis chez les Sandrini, hameaux, ou fermes. Le petit point jaune disparaît derrière un mur, un mamelon, un bosquet de chênes verts, dans un creux, ou le long du Calavon, rivière sèche qui s'est, dit-on, creusé un lit profond, rivière souterraine, secrète. Comme si Claire attendait encore une lettre de Gérard, mort bêtement au volant de sa voiture, sur une ligne droite, près d'Etampes, de retour d'une visite de chantier. C'était en 62. Soixante-deux. En chiffres et en toutes lettres. Comme sur un chèque que personne n'osera jamais toucher, chèque signé, paraphé, fini, foutu. L'assurance a payé la maison. Elle paye encore les frais de base et un peu les études de Loïc, d'Yves et de Géraldine qui, cette année, vient aussi de quitter Sauveterre pour rejoindre ses frères, en fac, à Aix-en-Provence. Gérard. La mort bête, ça existe. De plein fouet, entre chien et loup, quelqu'un qui dans le sens Paris-province doublait en ne respectant pas la ligne blanche et qui est mort aussi. Claire a rencontré, un jour, l'autre veuve. Elle se sentait coupable, pourquoi ? Cette autre mère ne sachant que dire, en souriant, sortie de procès, avait souligné le fait que son mari « heureusement, avait une assurance-vie, sinon... » Le sourire de cette femme s'était étrangement effacé. Deux hommes. De plein fouet. En 62. Près d'Etampes. Ligne droite et ligne blanche. La veille de l'accident, Gérard et Claire s'étaient querellés comme on se querelle pour mieux s'aimer, quête et recherche. Claire aurait voulu pouvoir au moins dire un mot à Gérard. C'est peut-être un peu pour ça qu'elle attend le courrier. Qu'elle attend toujours le courrier. Qu'elle l'attend de plus en plus.

Au début, en ce cas de malheur, on se dit, et surtout on entend dire, autour de soi, que rien n'est perdu. On entend des mots comme fatalité, destin, des verbes, surmonter, dominer, recommencer, ou ces expressions toutes faites, se refaire une vie, effacer sans oublier, se remettre sur les rails.

Pire encore, si on réagit sans trop montrer de peine, en se tenant à la vie et à ses enfants, avec juste joie et ce qu'il faut d'attention et de sourire, s'entendre dire, comme Claire, « c'est fou ce que vous êtes courageuse » ou « je ne sais pas si j'aurais eu autant de cran que vous ». Le courage et le cran ne sont pas de la nature de Claire. Ils sont le spectacle que les autres vous font jouer pour ne vous rendre aucun de ces services pratiques, de contact, strictement amicaux et sensuels, simples démarches, élans, présences, grâce auxquels on pourrait mieux faire face. Claire souvent pense « on » comme si cette histoire n'était pas uniquement la sienne, vie cassée, fracturée, il faut continuer. Et seule cette idée, vague, d'anonymat, lui donna la force des sourires et des gestes de la vie, gestes demandés et attendus par Loïc, Yves et la petite Géraldine. Loïc et Yves ont un vague souvenir de leur père. Géraldine pas. Ils sont blonds, tous les trois, comme leur papa. La vraie photo est là. Cette blondeur de blés qui avait surpris Claire, la première fois, rue des Beaux-Arts. Elle sortait d'une galerie. Il entrait. Et tous deux hésitant à laisser le passage, élan, s'étaient cognés. Ils se ressemblaient dans l'art de rompre toutes sortes de méfiances et ils s'étaient mariés, très vite, pour échapper plus vite encore, lui, à sa famille de Valence, elle, à cette place d'Antioche qui se désertait. Luc et Anne-Marie, Sébastien et Ruth, et Bertrand qui ne rentrait plus la nuit, ne passait plus, le jour, que pour prendre du linge propre et laisser des vêtements sales, parfois déchirés, ce qui inquiétait Bernadette. Bernadette le cachait à Madame. Et surtout pour Claire, le mariage de Sébastien et de Ruth. Claire aurait tant voulu ce jour-là s'habiller de noir et porter le deuil de son marin de frère. Claire admirait Ruth. C'était donc elle, celle-ci, la voici toujours, qu'elle aurait dû être, elle, Claire, pour plaire à son frère, l'épouser et partir, cachée, tapie, dans une cabine de bateau, rêve absurde de petite fille. Ruth avait choisi Claire pour témoin à l'église

Saint-Ferdinand. Claire avait porté la même robe rose que
pour le mariage de Luc. Un peu plus décolletée par les soins
de Bernadette, c'est tout. Le noir, en fait, on le porte en soi.
Pour certains, c'est une couleur vive.

Depuis quelques jours, Claire a oublié de compter les jours.
Place d'Antioche il y avait des calendriers partout. Des
éphémérides dans chaque chambre. Et même sur le bureau
d'Henri, près de la chambre des parents, cette pièce coincée
entre le petit salon et le boudoir qui faisait office de dressing.
Curieuse façade. La chambre d'Henri et de Cécile, le
boudoir, le bureau, le petit salon, le grand salon, et la salle à
manger, en quart de cercle, vue imprenable sur la place. Et
sur cour, les trois chambres des enfants, ce couloir anguleux,
dédale qui conduit, de l'autre côté de l'immeuble, à l'office, à
la cuisine et à l'escalier de service par lequel Bertrand, les
derniers temps, s'échappait. Temps des mariages et des fuites,
les éphémérides n'étaient plus à jour et, heureuse de tous ces
désordres du cœur, Bernadette, en faisant les chambres, ne
veillait même plus à en arracher les feuilles inutiles. Parfois,
Cécile le faisait à la place de Bernadette, jusqu'au jour où elle
les retira de partout, jour du retour de Bertrand, de
Barcelone. Et là, sur le terre-plein, comme un vent chaud,
pailleté, venant au sud, nue dans cette chemise blanche,
longue, boutonnée deux fois, en bas, Claire compte et
recompte les jours. La 2 CV s'est arrêtée chez les Schulterbrancks, ils vont arriver. Claire compte : c'est le 9 juillet. Les
enfants arriveront ce soir, tard. Ils ont réussi leurs examens.
Les garçons font du droit, et Géraldine une licence de lettres
modernes. Ils remontent « pour les vacances ». Géraldine, au
téléphone, a dit à sa mère « Loïc amène sa petite amie. Yves
et moi ne sommes pas d'accord. Mais comme c'est lui qui
conduit ! » La 2 CV s'approche de l'embranchement de
Sauveterre, c'est la côte, changement de vitesse, toujours le

même changement, au même endroit, même moment, la même émotion : va-t-il monter ? La 2 CV poursuit sa route. Il n'y a pas de courrier.

Le facteur s'appelle Michel. Il allait à l'école, avec les enfants. Il a l'accent. Comme les aînés. Géraldine, elle, parle comme sa mère. On se fait des racines comme on peut, ou bien fait-on avec celles que l'on a. C'est ainsi que Claire se le formule. Peu après la mort de Gérard, considérant que rester à Paris était la seule navrante fuite, fuite en rond sur une mort bête, elle avait choisi Sauveterre, pour son prix modique, prime d'assurance, et surtout pour le paysage, comme si à ce lieu, limite des Alpes-de-Haute-Provence, le ciel était plus immense qu'ailleurs et l'horizon presque totalement rond. Elle s'y était sentie, dès la première visite, conquise non par le territoire de caillasses, de restanques et de chênes centenaires, mais par le sentiment d'en haut, le plus à l'écart de ceux qui s'écartaient d'elle en la traitant de courageuse, d'admirable. C'était là. C'est là. Et ça s'appelle Sauveterre. Aujourd'hui, le facteur ne s'est pas arrêté. Et puis après ? Claire rentre. Elle va écrire.

Seule, dans la maison, pieds nus, Claire défait les boutons du bas de la chemise. Elle aime ainsi se sentir à la fois nue, de front, et habillée. Si ses enfants doivent garder une image d'elle, ce sera celle-là. Non pas la nudité de principe, le débraillé écologique, une misanthropie à la mode du début des années 70, mais simplement un état de corps comme un état d'esprit pour un ciel immense, à cet endroit-là. Forcalquier, un nom qui claque au vent. Claire n'a pas le sentiment d'avoir vieilli, tout comme, parfois, réfugiée dans son atelier, à peindre ces natures mortes à peine profilées qu'on croirait encore la toile vierge et que Loïc appelle « les natures vivantes de maman », elle se dit qu'elle n'a pas, non plus, l'impression d'avoir été vraiment jeune, jamais. Peut-être parce que dans sa famille la jeunesse était considérée comme un danger et que tout des préceptes et des habitudes avait pour objectif de faire grandir. Il fallait devenir grand, tout faire comme les grands, comme si eux, père et mère, oncle et tante, avaient acquis maîtrise de tous et de tout. Il est facile de s'insurger et de jeter ces anathèmes de la haine qui procèdent du même confort et conformisme. Cela plaît aux foules qui se disent cultivées car elles reconnaissent dans ces violences, ces condamnations, une nature identique à celle de leur silence hypocrite. Claire et ses frères, dans le secret de leurs regards, tous quatre, et parce que quatre, avaient choisi, eux, le seul véritable effort : celui-ci, direct, quotidien, de la mesure exacte d'un attachement aux parents, de la nature justement évaluée des principes qu'ils voulaient leur inculquer, et celui-là, profond, du rêve de fuite, le détachement réel n'étant guère possible qu'à celle ou celui qui se sait attaché, comment, par quoi, même s'il ne doit jamais savoir pourquoi. Pendant les premières heures de l'après-midi, Claire a essayé de chasser de son esprit l'image de son père, Henri. Il était revenu, brusquement, le matin, en mémoire du jour, comme en visite inopinée, s'imposant. Claire venait de se souvenir de l'équipée de Barcelone. Vingt ans, déjà. Vingt ans, brusque-ment. Tout un pan d'histoire inavouée. Claire avait pris son repas de principe, verre d'eau, tomates crues, un morceau de fromage et des fruits, sans avoir vraiment faim parce qu'il était là, lui, et que ce père ne pouvait revenir et s'imposer que pour le dénouement d'un drame que personne ne souhaitait ni ne souhaite. L'oncle Jean disait « il faut laisser le dernier acte à mes pièces. Elles seules ont un début et une fin. Ce que nous vivons ensemble n'a pas véritablement de début, et ne connaîtra jamais de fin. Surtout si les fabricants d'idées, les marchands d'idéologies nouvelles en parlent comme ils en parlent. Les uns théorisent. Les autres thésaurisent. Le jeu trop subtil des uns faisant la part pesante des autres. Il y a des monuments et des villes qu'on ne peut plus démolir ». Suzy disait à Jean « arrête, les enfants ne peuvent pas comprendre ». Cécile demandait « qui reprend du gâteau ? » Henri ajoutait en se servant une tranche « pour faire plaisir à Bernadette, et pour célébrer ton bon mot, Jean. Tu devrais le noter ! » Et Jean, reculant sa chaise, un coude sur la table, croisant le regard de Bertrand, disait à mi-voix « c'est déjà fait, Henri. Les évidences ne sont plus pour mes pièces. Mais les enfants ont compris ». Claire rougissait. Sébastien lui prenait la main sous la table. Luc riait.

Là, maintenant, Claire rougit à se souvenir des mots, seul véritable album, des paroles intactes de l'oncle Jean, de Cécile, de Suzy. La gourmandise d'Henri aussi quand il voulait et savait interrompre le discours dangereux de l'oncle, au moment du dessert. Le moment tant attendu. Plus encore attendu pour les piques de Jean que pour le gâteau de chez Berthier fils, ou bien celui, au chocolat, fait maison, de Bernadette, qui Dieu sait était bon. Bertrand disait « Diable sait qu'il est bon ! » Parfois, silence des repas chez elle, avec ses enfants, Claire observe Géraldine qui regarde Loïc qui regarde Yves. Et elle se dit qu'à son tour on l'exclut, la pire des violences. Elle se dit également, calmement, que Loïc parle comme Luc, Sébastien ou Bertrand. « Nature vivante » pour « nature morte » en est l'exemple le plus répété, quand des marchands allemands ou américains viennent à Sauveterre acheter les tableaux de sa mère. Rien ne change vraiment. Rien ne change encore plus évidemment s'il y a volonté de changement. Les voies des silences et des regards sont les seules à vraiment modifier un état de rang, de caste, ou d'esprit. L'esprit de toute une société immobile. Immobile et touchante. Et ce qui touche révolte. La peur de la modification inspire alors au critique l'accusation du sentimental.

Claire se dit que cela ne prendra même pas du temps, que cela échappe au temps humain. Les racines sont trop profondes. Sur la terre pelée autour de Sauveterre, rien ne pousse vraiment que ces quelques chênes, fauves l'hiver, souverains l'été, qui ont pour eux toute une éternité. Et elle n'est rien, qu'une mère qui est venue là, qui a vécu là des jours et des jours à conduire les enfants à l'école, à les reprendre le soir, à préparer les repas, à ranger, nettoyer, attendre, s'émerveiller avec eux quand il le fallait, leur offrir ce peu comme une richesse, ne jamais parler de Gérard et ne même pas se poser le problème de remplacer cet homme, époux, puisqu'il était là, multiplié, petites têtes blondes, bouches à nourrir, nudités observées par une mère à l'heure des douches. En regardant Loïc et Yves grandir, bras, hanches, cuisses, pieds, sexes, joues et dents, Claire a vécu son amour à l'envers. Elle voyait Gérard, avant, avant, et avant la rencontre rue des Beaux-Arts. Elle le voyait deux en leurs fils, ni vraiment l'un ni vraiment l'autre, se sculpter le corps d'une première étreinte, le regard de la première rencontre, l'une, Claire, ne donnant pas le passage à l'autre, Gérard, et inversement. Alors, souvent, émue, Claire se disait que ces visions dans le temps, croissances, différences des êtres, ses enfants, suffisaient. Que c'était même là le support véritable d'un drame qui ne se jouerait jamais comme un drame, un bonheur, donc. « Ce qu'il y a de bon et de beau dans le bonheur, c'est le heurt » disait Bertrand. Demain, les enfants seront là. Et la petite amie de Loïc. Claire boutonnera ses chemises de haut en bas. Le temps est passé. Il crée des pudeurs, impudiques et sensuelles. Et si parfois les aînés, tôt le matin, font irruption, nus, dans l'atelier, pour lui apporter un bol de thé, Claire ferme les yeux en souriant. Ravie. Elle l'a revu. L'unique.

Pas de lettres au courrier. 9 juillet. L'après-midi de Sauve-terre. Ces dernières années, un temps, un temps seulement,

court, Claire participa aux réunions de groupes féministes de
la région. On l'aimait pour sa manière de toujours parler avec
son cœur. Mais très vite elle se rendit compte que celles des
militantes qui n'étaient pas mères, battues de la vie, esprit de
dépit et de revanche, attachées à des hommes séparés d'elles,
étaient lesbiennes. Claire ne se sentait solidaire ni des unes ni
des autres. Au front de ces réunions, il n'y avait que celles
qu'elle ne voulait pas rencontrer. Leur discours, armé,
combattant, n'avait d'offensif que l'idée d'armure et de
combat. Combien de fois, au fond d'elle-même, prise du
doute, s'interrogeant sur l'urgence de ce militantisme,
s'est-elle dit « il n'y a de solidarité que dans l'anonymat ».
Elle ne citait plus personne. Une parole naissait en elle.
C'était bien. Et bon. Alors elle faisait acte de présence.
Jusqu'au jour où flanquée à une tribune, projecteurs, devant
une salle comble, elle dut parler de son « identité de femme ».
Assise, d'abord, le micro obscène devant la bouche, enten-
dant en écho une voix qu'elle ne reconnaissait plus, elle
expliqua « je n'ai rien préparé. Ce qui est préparé est mort.
Quand je peins un tableau, je ne fais pas d'esquisse » puis,
hésitation, sa voix tremblait « ce n'est pas forcément celle qui
est sur l'estrade qui a le pouvoir. Ce n'est pas celle qui a un
haut-parleur qui porte la parole. Je ne suis pas un porte-
parole. Je n'ai rien préparé qu'une idée, si peu une idée, bien
plus une invitation. Nous sommes ici, réunies, pour parler de
notre identité de femmes. Et mon identité de femme, c'est le
droit à l'émotion ». Silence. Claire s'était levée, la chaise était
tombée. Sans même prendre soin de la ramasser, hâte, elle
était passée devant la table et à voix nue, debout, bras croisés,
le cœur battant, comme au jour où l'oncle Jean l'avait
emmenée pour la première fois sur la scène du théâtre des
Champs, salle vide, et là salle comble, aucune différence,
vertige, elle avait répété « mon identité de femme, c'est le
droit à l'émotion » puis, sans hésiter, avec cette force

qu'inspire la peur de manquer de force, elle avait ajouté
« maintenant parlons. Parlons de ce droit ». Et ce fut un
échec. Les femmes se levaient, dans la salle, micro baladeur,
ballet confus. Toutes se mirent à attaquer Claire, et Claire ne
comprenait pas pourquoi.

Il y en a toujours un des trois, Yves, Géraldine ou Loïc, pour
dire à Claire « c'est formidable, maman, parce que tu ne nous
caches rien ». Pourtant, Claire leur cache tout, tout au fond
d'elle-même. Nul masque. Claire ne déguise pas la vérité,
mais la contient et la mate par peur de diriger ou déranger les
enfants de Gérard et surtout de décider à leur place, illusion
peut-être, mais cela vaut la peine d'être tenté. Seule,
Géraldine se demande pourquoi sa mère l'aime moins que ses
frères, mais elle se le demande de moins en moins parce
qu'elle grandit de plus en plus et lui ressemble tant.

Claire pose l'assiette, les couverts et le verre du repas de midi
dans l'évier. La cuisine sert de salle commune. Claire se
penche et boit au robinet. Son visage, éclaboussé, dégouline
un peu. Luxe, dans cette maison, l'eau courante, et le
branchement à la canalisation Durance-Ventoux. L'eau n'est
plus une rareté. Claire regagne l'atelier. Image du jour,
brusque, son père est là, devant elle, il se cache, il traque. Le
souvenir de Cécile, aussi, qui venait passer « quelques jours
seulement pour voir au moins les enfants », chaque année, la
dernière semaine de juin, « et pour les genêts en fleur ». Ils
sont là, lui et elle, père et mère, les géniteurs, et toutes ces
femmes aussi, dans cette salle des fêtes, près de Ruans,
brouhaha. Claire se le rappelle. Elle ne peut toujours pas
formuler le pourquoi du malentendu de ce soir-là. Elle venait
de parler avec son cœur. Cette expression n'était pas
conforme à l'attente d'une audience qui ne voulait s'entendre
répéter que le discours convenu, prévenu, prévisible et sans

aucune surprise, tir groupé de lieux communs vite forgés pour une cause désormais entièrement livrée à la seule idée de cause. Le droit à l'émotion était apparemment trop peu en regard du martèlement attendu des revendications. Et du général, que Claire souhaitait chaleureux, puisqu'on lui donnait la responsabilité d'animer ce débat, elle, veuve avec trois enfants, les femmes de l'assistance, toutes connues, souvent prises pour amies, firent tout pour qu'il verse au particulier. Elles se mirent à poser, fortes du groupe, puissance de la grappe, sécurité de l'essaim, les questions intimes tues à l'ordinaire des réunions plus restreintes. Les questions insidieuses fusèrent « votre père était ministre de quoi ? » ou bien « tu la payes combien ta femme de ménage ? » Applaudissements. Sans perdre calme, cette certitude du doute, souvenir vivant d'un frère, Claire souligne l'absurdité de cet enthousiasme. Elle dit « j'ai failli arriver en retard, parce que j'ai fait la vaisselle », nouveaux applaudissements, puis « n'y a-t-il donc que le spectacle, les pirouettes pour nous faire applaudir ce soir ? Et si certaines d'entre vous sourient parce que je dis " nous " faire applaudir, c'est parce que je crois que " nous " devons cesser de débattre en jouant avec les mots, en simulant des agressions, en parant au plus brillant, en accusant tout de bourgeoisie. Il n'y a plus de bourgeoisie au sens que vous lui donnez et plus de prolétariat au sens d'origine, mais simplement 70 millions de petits bourgeois. Vous ne comprenez pas ? Je ne veux pas avoir raison. La raison du cœur n'est pas affaire de volonté. Elle ne joue pas. Elle se donne. Mon identité est là. Parlons, je vous en prie. Essayons de parler de l'émotion, ma, et notre condition ». Claire se rendit compte alors, seulement, qu'elle parlait en public. Comment était-elle arrivée là, en haut de l'estrade ? Très vite, elle comprit un peu, juste de quoi se ressaisir et faire face, qu'elle avait commis l'acte sacrilège de ne pas jouer le jeu du convenu, de l'attente prévue, et du confort, refusant le micro, parlant à voix nue, ne tenant pas le discours déjà tenu, éveillant en ces femmes amies cet « esprit de réserve » ou « esprit de réticence » dont son père avait été tant le dénonciateur que l'habile meneur. Ce ne furent qu'injures, immanquablement rapportées aux ragots qui avaient circulé autour d'elle, sans qu'elle s'en soit jamais doutée, « il faisait quoi, ton oncle Martin, sinon du brillant, de la poubelle phallocratique de boulevard ? Tu peux nous parler de lui ? » ou encore « tes tableaux se vendent cher à l'étranger. Quand on a un compte à numéro en Suisse, on peut se permettre de parler d'émotion, ça ne coûte rien ! » Faux, tout cela était faux. « Tu as combien d'hectares autour de ta ferme ? Dis-nous ? Même en 62, ça valait pas mal d'argent ! » Et ainsi de suite. De temps en temps, Claire regardait ses amies les plus proches, Martine, ou Léa. Elles se contentaient de sourire et lui faisaient signe de continuer. Claire alors, observant un silence, mesurant le regard de la salle, se sentant néanmoins écoutée en chacune, par chacune, avait crié « bourgeoise, je le suis. Et je l'admets. Le combat commence là. Première admission. Je n'ai pas choisi de naître là où je suis née. Je n'en fais pas un reproche. Et je n'ai de cesse à en établir le constat. Le combat est là ». Silence, brusquement, on l'écoutait. Elle reprit à voix moins aiguë « n'ayez pas peur, mes tableaux se vendent mal. Ce n'est pas parce qu'ils se vendent à l'étranger qu'ils se vendent bien. Interrogez les marchands. Ils sont riches, eux, pas moi. Et les marchands français vont acheter à l'étranger parce qu'en France ils affirment que rien ne peut se créer de bien. Nous avons perdu confiance en nous-mêmes. J'ai acheté Sauveterre avec l'argent de la mort de mon mari. Je n'ai pas remplacé Gérard, et j'ai toujours besoin de lui. Ne me faites pas dire, comme vous le pensez déjà, que ma condition de veuve est un privilège. Il y a des gestes qui me manquent. Ils sont irremplaçables. Je ne veux ni ne peux les simuler avec qui que

ce soit d'autre. Je regarde mes enfants, mes fils surtout, et
cela suffit. Je ne vous dirai rien de ce que vous voulez me faire
dire, rien de tout ce qu'on nous fait dire, parce que c'est
" l'année de la femme ". Faire dire, c'est le fascisme qui nous
reste, ordinaire, quotidien, qui n'en a pas l'air. On ne
bâillonne plus, mais on fait dire. Je sais que vous m'écoutez.
Nous ne parlons que de censure, tout le temps. La censure
n'est plus de retirer la parole mais de la donner comme on la
donne, de préférence à celles qui vont dire ce qu'il est
convenu de dire. Pourquoi notre réserve et notre réticence,
là, maintenant ? L'affrontement, ce n'est pas l'affront.
Pourquoi me traquer de questions inutiles ? Ma proposition
d'identité n'est pas conforme au discours préétabli ? Je ne
veux rien répéter de ce que nous répétons ensemble depuis
des mois et des mois sans autre effet que de nous flatter dans
un malheur que je refuse, ailleurs, profondément, en moi.
C'est sur vous que vous crachez. Pas sur moi. Moi, je suis ici
en train de vivre une émotion de plus. Ce n'est pas un échec.
C'est une expérience. Je n'avais jamais entendu ma voix. Je
l'entends maintenant. La seule véritable politique se joue à ce
ton-là, sonorité, si peu à celui de la thèse et du haut-parleur.
Non. Je vous dis non. Je vous aime. Et je vais arrêter. On ne
combat pas une intolérance par une intolérance de même
nature. On ne brise pas un pouvoir dominant par un pouvoir
dominateur. J'ai choisi de me faire toute petite, toute petite
bourgeoise, je le suis de fait, inévitablement, parce que j'ai
appris à lire, à regarder et à vivre comme je l'ai appris, là où je
l'ai appris. Et toute petite, petite, j'ai choisi de me tenir
entière au niveau du verbe et du mot, du geste et du
quotidien. Là est mon émotion, mon identité, mon effort. Là,
je me bats. Chaque jour, pour des petits riens, dont j'ai
l'audace de dire qu'ils sont l'essentiel. C'est ça l'émotion. Ma
condition féminine. Cette condition que nous mettons sans
cesse en douloureuse équation et en slogans radicaux, en fait,

nous l'aimons. Nous avons grandi avec. Gérard, je l'aime, parce qu'il est en moi et qu'il s'est multiplié. Rien ne compte que cette multiplication. Oui, j'aimais le caca de mes gosses dans leurs couches. J'aimais torcher, veiller, m'inquiéter. J'aimais et j'aime être la domestique de mes enfants. Et mes enfants me payent en retour parce qu'ils sont là, quand ils sont là, parce qu'ils me parlent, quand ils me parlent, parce qu'ils sont lui, et lui, mon mec. Un seul mec. Je suis encore en dessous de lui, lui, Gérard. Et quand je dis " je ", je ne me sens pas coupée en deux, " j " barre " e ", comme vous me l'avez fait dire, les premiers temps avec vous. L'idée était faite pour me séduire. Séduire seulement. Une mode. Un passage. Je suis en fait tout entière dans mon " je ". Quand je saigne, je n'ai pas honte, je vis, je ne me sens pas menacée, blessée, butée. Non. C'est mon rythme de vie. Et quand je ne saignerai plus, mes enfants commenceront à vivre une vie qu'ils croiront autre. Et ainsi de suite. Je dis " je ". Je dis " moi je ". J'avais un frère qui s'appelait Bertrand et qui était homosexuel. Quand je lui disais " moi je ceci " ou " moi je cela " il m'arrêtait, me pinçait le bras et m'expliquait " je suffit, n'aie pas peur ". Voilà. Merci Martine, merci Léa, merci à toutes. Je vous laisse l'estrade et le micro. Ce n'était pas un discours politique. Ce n'était pas un plaidoyer. Ce n'était pas pour faire pleurer Margot. C'était moi. Pour la première fois. En public ».

Claire, se caressant le bras instinctivement, là où Bertrand la pinçait, autrefois, était descendue de l'estrade, bouche sèche, se mettant brusquement à trembler, ramassant son sac de toile, se dirigeant vers la sortie, vite, avant les larmes, avait entendu cette voix « t'es contente ? T'as fait ton numéro ? » puis une autre voix « laisse-la. Elle a le droit de parler, elle aussi » puis une rumeur, dans la salle, comme un vrombisse-ment, et au moment de sortir, juste à ce moment-là, une

bouffée, comme une odeur, une odeur stagnante de femmes
en colère. Quelle colère ? Et de quelle nature ? Claire n'eut
brusquement plus envie ou besoin de pleurer. Elle se sentait
calme. Léa la suivait en disant « tu ne vas pas rentrer chez toi
dans cet état-là. Passe la nuit chez moi. Les enfants sont assez
grands ». Claire avait embrassé Léa, comme si de rien. Une
autre expression de Bertrand, « comme si de rien ». Bertrand, alors, se dirigeait vers la cuisine et l'office, pour sortir
par la porte de service, et rejoindre Romain Leval, son
Romain. Ou un autre. Histoires parallèles. Histoires identiques. Une seule racine, humaine.

Pas de courrier, aujourd'hui, 9 juillet. Claire entend la 2 CV
de Michel, retour de distribution. Peut-être demain, une
lettre, mais de qui ? L'époque où Claire s'abonnait à des
revues pour recevoir au moins quelque chose, régulièrement,
est révolue. Révolue depuis le soir de Rians. Claire se
souvient de la brusque attention de l'audience quand elle avait
dit « mec » et quand elle avait dit « caca ». C'est tout. Il y eut
quelques visites, Martine, Léa, « tu devrais revenir ». Claire
se contentait, armée d'un sourire qui ne signifiait ni défense ni
calcul, de leur servir à boire, de mettre de la musique, de ne
jamais dire non, de ne jamais dire oui, de les laisser à leur
discours, et peut-être ainsi, à la longue, de les troubler au
point de doute. Martine, Léa et les autres ne revinrent plus.
Claire vit à Sauveterre depuis dix-sept ans. Elle n'est pas allée
à Paris depuis cinq ans. Depuis Rians. Depuis « l'année de la
femme ». Paris est une habitude qui se perd vite si on admet
que ceux qui y accusent d'agression ne sont en fait que des
agressés, si on reconnaît enfin que la liberté c'est aimer ce que
l'on aime, rien de plus, et rien d'autre. Paris est une habitude
qui se perd vite, si on sent qu'on ne la perdra jamais. Il suffit
de la placer en soi, piédestal, et de ne plus la regarder,
monument aux morts. Il suffit de comprendre que l'isolement

n'est pas le risque de la solitude, mais la solitude le couronnement de tout isolement. Cela fait beaucoup pour un seul jour. Sous le pommeau de la douche, Claire éclate de rire. En rentrant de Rians, elle n'aime pas conduire la nuit, la ligne blanche, centrale, parfois la guidait. Ce sentiment était de présent et même d'à venir. Claire, toute mouillée, laisse des traces de pas derrière elle, sur le carrelage de l'atelier. Des traces qui sèchent et s'effacent presque instantanément. Cheveux courts, corps brun, elle entend comme une voix, celle de Sébastien l'appelant. Mais ce jour-là, n'attendant plus qui que ce soit, le masque sur les yeux, des boules Quies dans les oreilles parce que Loïc et Yves avaient écouté de la musique pop et qu'elle n'avait pas osé le leur interdire, Claire avait cru à un rêve. Yves, le soir, au dîner, avait dit « je crois que c'était l'oncle Sébastien. Qu'est-ce qu'il a vieilli ».

Claire retourne ses tableaux contre le mur, un à un, précautionneusement. Elle ne veut pas les voir, pour écrire. Elle ne peut pas se sentir regardée par eux. Une table près de la fenêtre, vue imprenable sur le Lubéron, une chaise un peu dure, le stylo offert par Bertrand, son dernier cadeau, avant Barcelone, Claire s'installe. Son père est là. Il faut lui parler. Si peu un compte à régler. Une histoire. Rien qu'une histoire. Elle va écrire. Elle écrit. Ça ne se peint pas. Ça s'écrit. On ne décide pas d'écrire. On écrit. Pour crier et pour rire.

Titre *Le Rendez-vous de Barcelone*. Claire biffe le titre et recommence *Ce jour-là !* avec un point d'exclamation. Hommage à Bertrand. Elle biffe de nouveau, froisse la page et recommence, sans titre.

« Cette histoire me brûle les doigts. Non parce que je l'ai vécue, mais parce que je la vis encore, de si près, sans savoir, sans le vouloir. Je veux d'entrée de texte lui ôter ce relief

apparent qui surprend, épate, retient l'attention et fait que
l'on peut se dire c'est beau, insoutenable, mais ce n'est pas
vrai. Je veux ici une vérité, la mienne, ma version des
événements survenus dans ma famille il y a très exactement
vingt ans, jour pour jour, puisque Bertrand rentrait de
Barcelone et que nous étions réunis ce soir-là, 9 juillet, Luc et
Anne-Marie, Sébastien et Ruth, Suzy et Jean, Pantalon,
Bernadette, mes parents, Gérard et moi, pour fêter le retour
de mon frère et son anniversaire, vingt ans. Et deux fois 20,
40. Nous étions tous inquiets. Heureux, aussi. Dans les
chambres, les petits dormaient. Anne-Marie avait couché
Pierre, trois ans, dans le lit d'enfant de son père. Ruth avait
couché Laura, deux ans, dans le lit d'enfant de son père.
J'étais enceinte de Loïc. Il est né quelques jours plus tard.
Mes deux belles-sœurs ne s'aimaient pas beaucoup. Je n'ai
jamais vu deux femmes alliées s'embrasser d'aussi loin et se
regarder aussi peu. De ses origines lyonnaises, plus passives
encore que les parisiennes, Anne-Marie tenait un maintien
des épaules et des bras, une crispation de la mâchoire, lèvres
fines et volontaires, qui l'auraient rendue laide si elle n'avait
pas été belle. Ruth avait, elle, seulement et surtout, selon
l'amour qu'on lui portait, une grâce qui passait, frôlait. Jamais
la même, toujours changeante Ruth étonnait, dans l'instant,
fragile et déterminée. Et si je m'arrête au portrait de ces très
belles sœurs c'est qu'elles auraient dû être les sœurs que je
n'ai pas eues. Quand Cécile, ma mère, attendait son
quatrième bébé, j'avais quatre ans, je comprenais tout.
L'histoire de la poupée dans le ventre de maman, je savais
qu'elle était fausse. Une poupée, c'est du chiffon, rien de
plus. Je regardais Bernadette trier, classer, repasser ce qui
avait été ma layette, une layette rose, et tenir à l'écart, dans
les tiroirs du bas, à ma hauteur, la layette bleue de mes frères
aînés qui allaient entrer, en octobre, tous deux au collège
Sainte-Croix. Comme papa. Cette layette rose que je

regardais, entre les doigts de Bernadette, inspectée, était bien
la preuve de l'arrivée prochaine d'une petite sœur. Or ce fut
un garçon, Bertrand. Notre départ pour Moncrabeau, cette
année-là, fut retardé, et le voyage silencieux. C'était aussi la
défaite et l'exode. Rien en regard de la mauvaise surprise de
l'arrivée d'un garçon. Ils étaient tous déçus, pourquoi ?
Bertrand, bébé, ne criait pas. Ne pleurait jamais. De lui je
tiens l'expression " je n'ai pas crié parce que je n'étais pas né
là où je voulais. Là où je voulais, on devait m'attendre. Vous
attendiez quelqu'un d'autre ". J'ai aimé Bertrand tout de
suite et trop. Je l'aimais comme on aime à quatre ans,
totalement. Et parce que inattendu, je sentais sur lui se poser
des regards moins amoureux que ceux qui avaient été posés
sur moi, tendres soins " qu'elle est mignonne " " c'est notre
fille " " allons, Claire, un sourire ? " Ils me demandaient des
sourires. Je les leur offrais. Sébastien était toujours là à
l'heure de mon bain. Parfois Bernadette lui passait le gant. Il
voulait voir, frôler. C'était bon. A mon tour, j'assistais à la
toilette de Bertrand. Bernadette me disait en riant " tu veux
le gant, toi aussi ? Tous les mêmes ! " La guerre et un garçon
de plus. Layette bleue nettoyée et repassée à la hâte. L'odeur
de naphtaline s'était incrustée. Ces détails importent. Le
voyage à Barcelone commence là.

« Je n'accuse pas, je constate. Je ne compose pas, j'inter-
prète. L'interprétation exige un oubli total de la personne au
bénéfice de l'œuvre. Or l'œuvre, notre œuvre, fut meurtrière.
Le trop d'amour que je portais à Bertrand, bébé, enfant,
toujours plus jeune que moi de presque quatre ans, n'était
que peu, le peu du peu de ce qu'il attendait ailleurs, là où on
l'attendait, comme si on pouvait choisir. Mes attentions le
fâchaient. Il me rejetait. Alors, obstinée, je m'associais à tout
ce qui se jouait d'actions autour de lui, biberons, couches,
pot, mise au berceau. J'étais là, à son réveil, avant

Bernadette, comme une petite maman. Mais Bertrand avait
déjà les yeux ouverts. Il attendait sans rien dire et sans jamais
sourire. J'aurais tant voulu le surprendre endormi. Mais
quand il dormait, je dormais. Nous avions les mêmes
horaires. Il s'éveillait avant moi, c'est tout. Bertrand est né
autre. Ou bien l'avons-nous accueilli en étranger, nos silences
et notre déception le rendant plus étrange, le contraignant à
une différence. Me voici à prendre toutes sortes de précautions comme si je me sentais coupable, comme si je voulais
rejeter sur les autres membres de la famille la responsabilité
d'un acte criminel. Il n'en est rien. Bertrand est toujours
vivant, il vit comme il vit et où il vit. Mais est-ce cela vivre ?

« Dans le salon, ce soir-là, Ruth tenait mon neveu, Paul,
quatre mois, dans ses bras. Alors que nous conversions de
tout et surtout de rien, Anne-Marie et Cécile jouant les
parfaites, Henri, Jean et Luc parlant d'avenir, Gérard,
Sébastien et Suzy, sur le balconnet, porte-fenêtre centrale, se
racontant de bonnes histoires en guettant l'arrivée du taxi de
Bertrand, Ruth donna le sein à son fils. Un petit sein rose et
mordillé. Un sein dont on se demande comment il peut
contenir du lait. On n'avait jamais vu ça, dans le salon, chez
les Prouillan. Emue, je me suis approchée de Ruth et je lui ai
caressé la nuque, main perdue dans sa chevelure. Ce fut un
beau moment pour moi. J'avais un enfant, moi aussi, dans
mon ventre. Ces petits humains nous dévoraient. C'était
tellement plus beau que tout ce qui pouvait se dire, tout ce
que nous nous disions. Tant de bébés, dans nos chambres
respectives, au sommeil, et dans nos bras ou ventre, à
l'ouvrage. Le vrai repas était là, plein d'anniversaires à venir.
Alors, j'ai remarqué que mon père n'écoutait plus ce que Luc
lui disait de l'offre qu'on venait de lui faire d'un poste
important, dans l'informatique. Mon père regardait la place
d'Antioche, furtivement. Comme pour quelqu'un qui se met à

cligner des yeux, on compte les mouvements de paupières en se demandant d'où vient cette nervosité. On murmurait dans la presse depuis quelques semaines qu'il y aurait un remaniement ministériel avant la fin du mois de juillet. Et notre père, seul des signataires du préambule à la Constitution de la Cinquième République à ne pas avoir encore eu de portefeuille, était bien placé, cette fois, pour ravir un ministère. Lors de la formation du premier gouvernement, fin 58, un ministère avait été prévu, dit de l'Action, et mon père devait avoir celui de l'Education nationale. Le Général ayant renoncé à l'Action, par peur sans doute de se voir accusé de réaction au sens justement moqué par les éternels opposants de tous les pouvoirs, avait donné l'Education nationale à qui devait avoir l'Action. Mon père s'était retrouvé avec une belle lettre de son patron du RPF, qui lui disait " attendre, c'est aussi entreprendre ". Et là, deux ans plus tard, cette fois, c'était sûr. On ne savait pas encore quel portefeuille, mais il y en aurait un pour Prouillan. Mon père regardait la place d'Antioche. Luc s'écarta de lui en haussant les épaules. La nuit tombait. Gérard et moi avions proposé d'aller chercher Bertrand à Orly. Mais mon père avait dit " non, il faut qu'il rentre seul. Il est guéri ! " Nous attendions. Paul s'était endormi, repu, dans les bras de Ruth et d'un geste pudique Sébastien recouvrit le sein de sa femme, glissant sa main dans la chevelure, attrapant la mienne. Il nous embrassa, elle comme moi.

« Quelqu'un dit " l'avion a peut-être du retard ". Il n'y avait plus que Pantalon, le second, à la porte-fenêtre. Cécile chargea Anne-Marie de demander à Bernadette d'arrêter les fourneaux. Mon père dit " Bertrand a eu affaire au meilleur chirurgien. Il y en avait un autre à Genève. Bertrand a choisi ". Luc, Sébastien, Ruth, Gérard et moi nous sommes regardés. Cécile baissait les yeux. Suzy allumait une cigarette.

Jean se tenait à l'écart, contre la bibliothèque, le regard dans
son verre de porto. Mon père venait de mettre les poings dans
les poches de sa veste. Anne-Marie revint de l'office et
murmura " qu'est-ce qui se passe ? " Nulle réponse. Nous
venions de comprendre que, dans la vie de nos couples
respectifs, nous avions abandonné Bertrand à notre père.
Henri venait de condamner notre frère. Gérard murmura " ce
n'est pas possible ". Puis Luc " enfin, on a opéré Bertrand
d'une tumeur au cerveau, oui ou non ?" Et Sébastien " c'est
ce que tu nous as dit, papa, redis-le maintenant, si tu le peux.
Pour nous. J'ai peur ". Cécile s'est levée, petit salon, bureau,
elle a disparu. L'oncle Jean s'est tourné contre la bibliothèque, le front contre des livres. Suzy a écrasé sa cigarette. Ruth
a embrassé le front de Paul. Henri a rejoint Pantalon sur le
balconnet. Bernadette attendait dans l'entrée. Coup de frein
devant l'immeuble. Un taxi. Nous sommes là, debout,
derrière les portes-fenêtres, à guetter. Le chauffeur du taxi
sort, ouvre le coffre de la voiture, en extrait une valise qu'il
pose sur le trottoir, face à la grille d'entrée de l'immeuble,
près du marronnier. Pantalon, du balconnet, la gueule basse,
entre deux barreaux, reconnaît Bertrand, remue la queue. Le
chauffeur ouvre la portière arrière et aide Bertrand à sortir de
la voiture. Bertrand, le regard hébété, chemise blanche, col
ouvert, manches retroussées, manque de trébucher sur le
rebord du trottoir, se rattrape à la valise, se tient droit, perdu,
et se laisse faire. Instinctivement, il tend au chauffeur des
billets et le chauffeur lui rend la monnaie, ramasse un sac, une
veste, une cravate, sur la banquette arrière, donne le tout à
Bertrand, fait claquer la portière, tour de voiture, au volant,
démarrage, il s'en va. Nous n'avons pas bougé. La cravate est
tombée sur le trottoir. Bertrand tenait le sac et la veste à bout
de bras. Il tournait la tête, vers un immeuble, l'autre, le
troisième, tour de place, comme un enfant sur un manège
vide. Il ne savait plus. Mais il était là. Ruth l'a appelé, en

premier. Bertrand cherchait d'où venaient ces voix pourtant distinctes, les nôtres, et regardait le milieu de la place. Nous ne bougions pas. Les derniers arrivés sont les premiers capables d'élan. Ils ne connaissent pas l'histoire en cours. Ils croient pouvoir en modifier la trame. Ils appellent, comme Ruth et Anne-Marie, sans retour.

« Alors, Sébastien, Luc et moi nous sommes précipités dans l'escalier. Pantalon nous suivait en aboyant. Sur le trottoir, nous entourions notre frère. " Eh bien, disait Luc, faut pas nous faire des coups comme ça ", puis Sébastien " viens, ce n'est rien. Nous sommes tous là. Papa est un salaud. Tu aurais dû nous en parler ! " Mais quand j'ai embrassé Bertrand, j'ai compris que c'était fini, pour lui. Il avait les joues froides. Il n'avait plus de regard et fronçait les sourcils. Pantalon venait de pisser sur la valise. Luc lui a donné un coup de pied. Au premier étage, la porte-fenêtre du balcon était fermée. Il y avait de la lumière dans la chambre des parents. Instinctive-ment, j'ai regardé tout autour de la place d'Antioche pour savoir si " on " nous avait vus. Et pour ce regard-là, sans doute, aussi, plus tard, ayant perdu Gérard, j'ai décidé de quitter Paris. Paris se met à regarder dès qu'on fait un faux pas. Ce soir-là était bien le dernier de nos noces, Luc, Sébastien et moi. Quand on part, on part tous. Or nous avions laissé Bertrand en otage. Et Bertrand, paradoxe, faiblesse, était plus fort que nous. Alors ? Je me revois avec la veste, le sac, dans l'escalier. Luc portait la valise. Sébastien aidait Bertrand à gravir les marches. Pantalon le second attendait sur le palier mais il ne remuait plus la queue. Bernadette tendait un verre d'eau et derrière elle, Suzy, Jean, Ruth, Anne-Marie. Les parents étaient dans leur chambre. Je revois Bertrand, assis dans le fauteuil, près de la cheminée. Il regarde les aiguilles du cartel, l'une sur l'autre, à la verticale. On croit qu'il essaie de sourire. Il n'y voit seulement plus très bien. Sébastien se donne des coups de poing alternativement dans la paume de chaque main. Luc se mord les lèvres. Il tend les clés de sa voiture et ordonne à Anne-Marie de rentrer tout de suite chez eux, avec Pierre " sans le réveiller ". Gérard à genoux devant Bertrand essaie de lui faire boire un peu d'eau. Mais, d'un coup de tête, Bertrand renverse le verre tout comme il refusait le biberon, quand moi je jouais à la petite maman. Moi je ! Et je n'aime pas ces lignes. J'y reconnais encore et immanquablement le style de la famille. Bertrand disait en regardant les commodes du salon " nous ne sommes pas d'époque, mais de style, comme elles. Nous n'aurons jamais la possibilité d'être autre chose que ce que nous sommes ". L'oncle Jean raccompagna Ruth, Laura et le petit Paul. Ruth ne savait pas conduire. Sébastien ne voulait pas que " sa famille " reste là. Suzy est allée à la cuisine, avec Bernadette. Les deux femmes passèrent à plusieurs reprises dans l'entrée avec les paquets-cadeaux, les cadeaux d'anniversaire, qu'il fallait cacher. Etrange silence dans la chambre des parents.

« Je revois Bertrand, plus tard, ce soir-là, cette nuit-là, couché par mes frères, nu, sur son lit, dans sa chambre, comme un mort, mais il était vivant et regardait le plafond. Luc, d'un geste bref, plaqua la photo de Romain Leval sur la table de chevet. Sébastien, quelques minutes plus tard, remit en place le petit cadre d'argent. Bertrand, alors, tourna légèrement la tête. C'était tout ce qui lui restait. L'oncle Jean entra dans la chambre, rendit à Sébastien les clés de la voiture. Suzy se tenait derrière lui, dans l'embrasure. Jean murmura " j'en parlerai à votre père, demain. Mais à quoi bon ? Vous devriez rentrer chez vous. C'est ce que Suzy et moi allons faire ". Gérard m'attendait dans l'entrée. Il souriait faiblement comme on sourit pour ne pas rager. Nous partions tous. Bernadette répétait " ne vous en faites pas "

" ne vous en faites pas " " je suis sûre que " mais elle aussi savait que c'en était fini d'un frère. Pantalon se tenait, tout ramassé, sous la console de marbre de l'entrée, les yeux levés vers nous. Nous nous sommes réunis le lendemain. Jamais le mot d'assassin ne fut prononcé quand nous l'avions tous au bord des lèvres. Jamais un mot plus haut que l'autre. C'était trop tard. Le mélodrame tel qu'il a été vécu. Une manière, au-delà, de jouer un drame qui en fait s'est joué de lui-même. Nulle parade. Je sais aujourd'hui que le bonheur n'est qu'un heurt. Bertrand avait raison. La raison du cœur. En cela, plus encore qu'en sa sensualité, l'appel de son sexe vers son sexe, il était inacceptable. Livrés à nos bonheurs respectifs, mariages, grossesses, naissances, premières voitures, appartements, vacances, nos vies, ces vies que nous avions crues détachées, nous venions d'abandonner Bertrand à son père, notre père, comme dans la prière du même nom, famille athée qui allait et mariait à l'église. Je ne sais pas écrire. Je ne sais pas peindre. Je ne le saurai jamais. Ceux qui le savent un jour ne savent plus rien que reproduire un savoir.

« Dans les jours qui suivirent, Bertrand assista, demeuré, à nos réunions de famille. Henri ne dit rien. Le téléphone sonnait continuellement. On appelait le ministrable. Cécile proposa, donc décida, d'emmener Bertrand à Moncrabeau et de l'installer là-bas. " Il aura tout. Et il aime bien cette maison. " Bertrand la regardait sans vraiment l'entendre parler. Profitant d'une absence de son époux, Cécile dit " je ne le savais pas " " votre père me cache tout " " il croyait faire bien " " je ne le savais pas ! " Le 16 juillet au matin, Cécile emmena notre frère. Dans ses bagages, au dernier moment, j'ai glissé la photo de Romain Leval, des cahiers, des lettres, des livres et le numéro du *Monde*, en date du lendemain, dans lequel figurait son nom, Bertrand Prouillan, dans la liste d'admission à l'Ecole normale supérieure. 73e.

Gare d'Austerlitz, nous étions là, tous trois, mutilés, Luc,
Sébastien et moi, à saluer le départ d'un frère. Nous ne nous
sommes jamais revus tous ensemble. Jamais. Pour l'enterrement de Gérard, Sébastien était en mer et Luc aux
Etats-Unis, stage de formation. Nous ne sommes jamais
revenus à Moncrabeau. Cécile est enterrée selon sa dernière volonté, dans le caveau de sa famille, à Lectoure. Le
17 juillet, la composition du nouveau gouvernement fut
annoncée. Il y eut une photo sur le perron de l'Elysée. Notre
père y figurait, au second rang, entre deux têtes, le regard
tourné vers l'objectif, comme s'il nous regardait, ou regardait
Bertrand. Il fut ministre dix-sept mois. »

Claire pose le stylo sur ce qu'elle vient d'écrire. Elle se lève,
sort, terre-plein, la vallée, le Lubéron, le soleil a une oblique
déjà. Elle fait le tour de la maison une fois dans un sens, une
fois dans l'autre. Elle vient de s'écrire une lettre. Elle vient
d'écrire. Mais à quoi bon ? Elle est nue. Elle a oublié la
chemise. Une dernière fois, nue, avant le retour des enfants.
A chaque coin de la maison, elle touche les pierres d'angle,
comme si elle voulait délimiter le territoire, son territoire de
Sauveterre. Elle vient d'écrire comme elle a parlé le soir de
Rians. Et c'est toujours comme une parole qui naît en elle, un
langage nouveau qui se forge, même si le style est d'Antioche
et pas d'ailleurs. Seule compte l'expression, ce plongeon. En
faisant le tour de la maison, elle cherche aussi l'ombre portée
de son père et ne la trouve plus. Il se cache, de nouveau,
comme il se cachait le soir du retour de Bertrand. Alors,
désir, bouleversement, sourire ou éclat de rire, Claire revient
vers la petite table, dans son atelier, glisse les feuilles écrites
dans le tiroir qu'elle ouvre, qu'elle tient ouvert contre son
ventre, ventre plat. Un instant, en écrivant, elle s'était sentie
de nouveau enceinte de Loïc et, prenant une feuille vierge,
décidée, se disant que l'écriture n'est qu'un assaut, elle

revient à la page, à l'encre et au mot, pour écrire, et avouer.

« Meurtre ? Il n'y a pas de prescription pour les meurtres, en famille. Henri P. sachant qu'il allait devenir ministre ne voulait pas que son fils lui crée un scandale, rencontre un autre Romain Leval. Ce fils, fort, intelligent, athlète, mon frère, se fit prendre au piège du père et à la complicité de nombreux médecins. Il n'a jamais eu de tumeur au cerveau. Il a accepté d'aller se faire opérer à Barcelone. La lobotomie qu'on lui fit avait pour but, en fait, de le rendre sain à son père. Sain, donc plus homosexuel. Il rentra chez lui à moitié sourd, à moitié aveugle, et vide. Vidé. Il venait d'être reçu à Normale supérieure. Cette histoire est vraie. Des dizaines de garçons et de filles, orgueil et peur de certaines familles, ont fait les frais de ces expériences, à Genève et à Barcelone. Cette prouesse médicale ne dura qu'un temps. Mais ce temps, c'est déjà trop. J'écris ces quelques lignes pour toi Géraldine, toi Loïc, ou toi Yves, si vous les trouvez un jour. Au hasard. Sachez que tout peut arriver. Et que je ne vous ai rien dit en vous donnant l'impression de ne rien vous cacher. Bertrand est toujours à Moncrabeau. Je vous aime. A Sauveterre, le 9 juillet. Je vous attends. Claire. »

Dans la pièce du bas, Claire met la table pour cinq. Elle met toujours la table avant de préparer le repas. Puis elle épluche les légumes, nettoie la salade, met un poulet au four. Et elle va s'habiller. Dans l'atelier, sur la table, plus rien. Elle a tout rangé dans le tiroir, et le stylo aussi. Elle respire.

Puis, sandales à la main, elle branche la musique, sort, laisse la maison portes et fenêtres ouvertes. Elle marchera jusqu'au croisement des deux nationales. Là, elle attendra. Quand elle verra la 4L des enfants, elle fera le geste de l'auto-stop. Et les enfants la ramèneront chez elle, chez eux, en riant. Eux aussi sont reçus à leurs examens.

Bertrand disait « il n'y a qu'une seule littérature d'entre-deux-guerres, celle d'entre la guerre d'aujourd'hui et la guerre de demain ». Qu'elle est douce la pente qui conduit au croisement des nationales. Sept kilomètres, une heure. Et les genêts en fleur. Claire va encore faire une surprise à ses enfants. « Elle a de l'humour, ma mère, vous ne trouvez pas ? »

5

Sur le bureau de Jean Martin, calligraphiée sur un bout de
parchemin, à la plume et à l'encre violette, pleins et déliés, le
tout encadré, fine baguette noire, posé comme une photo de
première communion, il y a cette phrase de Flaubert écrivant
à son ami Ernest Feydeau, en 1839 « *Les bourgeois ne se
doutent guère que nous leur servons notre cœur. La race des
gladiateurs n'est pas morte, tout artiste en est un. Il amuse le
public avec ses agonies* ». Souvent, Suzy se tient là, à cette
place, bureau tourné vers le mur, sans autre horizon apparent
que la citation et le papier mural, beige, virant au terne de
toutes les poussières, qu'elle n'eut et qu'elle n'aura jamais le
courage de remplacer. Il y a des désordres qu'il faut laisser à
leur ordre et à leur vie. Si peu un soupir du passé, la
respiration du jour venu, qui vient. Sur le bureau, il y a aussi
des dossiers, des dictionnaires, des manuscrits inachevés, et

ces tas de feuilles tenues par des élastiques, feuilles sur
lesquelles Jean prenait des notes, sans jamais laisser de
marge, de son écriture tassée, continue, comme si le papier
était resté pour lui une rareté première, pas de blancs, et
élastiques que Suzy remplace quand ils sont secs et se cassent
d'eux-mêmes, las de se tendre pour réunir. Sur un buvard,
Jean, peu avant sa mort, a écrit au crayon « *W.A.M. Je
voudrais tant que ceux qui me connaissent, me connaissent* ».
Il notait, parfois, ainsi, pour pouvoir recopier, gommer
ensuite, par peur d'oublier quand sur l'instant une phrase lue
éveillait en lui ce sentiment d'entente qu'il qualifiait d'irremplaçable. « Le temps » disait-il alors « n'existe pas. Je ne
connais que l'instant, cette certitude, brève, qui relève,
exhorte et invite. »

Jean n'aimait pas vraiment les citations. Il les trouvait sans
prix uniquement si elles ne devaient que passer et ne pas
s'inscrire dans une mémoire ou un savoir. Et s'il se citait
lui-même, c'était pour se narguer. Jean se moquait de la
« culture cultivée ». Pourtant, le texte calligraphié est là,
exception confirmant le sentiment, et sur le buvard, cette
phrase de Wolfgang Amadeus Mozart adressée à sa sœur, de
Paris, comme par hasard, que Jean n'a pas eu le temps de
recopier, emporté comme il le fut, en quelques minutes, dans
le ventre du théâtre, cet escalier étroit et tordu qui conduit
aux loges des « seconds rôles ». Rupture d'anévrisme. Peu
après l'entracte. Le spectacle continuait. Jean venait de
distribuer les cachets. La jauge ce soir-là, mardi de février,
était d'un tiers de salle, avec comités d'entreprise. Le plateau
n'était remboursé qu'à moitié. Dans cette pièce il y avait trop
de personnages. Alertée par le concierge du théâtre, Suzy
était venue en courant, du boulevard Haussmann. L'ambulance était là. Un docteur aussi. Sur une civière, en bas de
l'escalier, Jean, les yeux mi-clos, avait faiblement levé une

main que Suzy avait attrapée, en répétant « non ». Jean lui
avait dit en lui pinçant, de l'autre main, tout doucement la
joue « reprends ton souffle. Tu vas en avoir besoin. Les
acteurs sont payés. Je m'en vais. C'est tout ». Et comme Suzy
se penchait pour embrasser son mari, Jean lui avait dit à
l'oreille « c'est bon, merci... » Il venait de fermer les yeux.
Dans les journaux du lendemain il fut écrit qu'il était mort
quelques heures plus tard, à l'hôpital Beaujon. Mais Suzy
savait qu'il était en fait parti au moment de lui dire « merci »
et surtout « c'est bon ». Jusqu'au dernier moment, Jean avait
évité l'imparfait. Non par jeu, mais par élan. Jean n'aimait
pas non plus dire « mais ». Il préférait dire « et ». Ainsi ne
disait-il jamais de la phrase de Flaubert, bien en vue sur son
bureau, « c'est inutile mais touchant », mais clairement,
comme un sourire, « c'est inutile et touchant ». Quelques
jours plus tard, s'excusant de ne pouvoir se rendre à l'office
funèbre, un ministre de la Culture, mais lequel, Malraux était
mort, ils changeaient toujours au moment où on commençait
à connaître au moins leur nom, avait adressé à la veuve de
Jean Martin un télégramme ainsi libellé « vous prie chère
Madame d'excuser mon absence due aux multiples activités
relevant d'une fonction que votre frère a connue. Serai
représenté par mon chef de cabinet, Hubert Potron. Vous
prie d'accepter mes condoléances ainsi que le respect
qu'inspire la perte de l'inoubliable auteur du *Bal de minuit* et
de *La Carambole*. Votre obligé... » et un nom, rien qu'un
nom, qu'on devait oublier quelques mois plus tard au bénéfice
d'un autre nom de passage. La Culture ne peut avoir que des
ministres éphémères. Suzy, en lisant le télégramme, avait
éclaté de rire, ou de douleur. Comme Jean l'eût fait. Comme
Jean le faisait en se plaisant à imaginer sa propre oraison
funèbre, ou en rédigeant, les lendemains de mauvaises
critiques, lendemains de générales de ses pièces, ses propres
nécrologies qu'il déchirait, amusé, aux éclats, à première

lecture. Quelques jours après la nomination au poste de
« ministre de quoi déjà » Jean avait eu pour projet d'adresser
à son beau-frère un télégramme dont il avait soumis le texte à
Suzy « bravo. Stop. Tu as acquis le droit de te taire. Stop ».
Mais Bertrand venait de partir pour Moncrabeau, flanqué de
Cécile. Jean n'avait pas rendu la visite promise à ses neveux et
à sa nièce. Un acte s'était joué, malgré eux, tous. Bernadette
avait dit à Suzy, au téléphone « Monsieur ne rentre plus que
pour se coucher et ne se lève le matin que pour partir ».

Une autre fois, Suzy le comprit vite, Bernadette, n'ayant pas
reconnu la voix de la sœur de Monsieur, avait demandé « c'est
Mademoiselle Jacqueline ? Monsieur m'a chargé de vous
laisser un message ». Il y avait dans la voix de Bernadette un
peu de mépris que Suzy ne lui avait jamais connu. Suzy avait
raccroché. Aujourd'hui, de retour chez elle, dans le petit
appartement du boulevard Haussmann, tout encombré d'objets qui refusent le souvenir, de cette poussière vivante qui dit
l'absence comme une présence, Suzy va s'asseoir au bureau de
son mari. Le téléphone est là. Elle veut réfléchir. Avant de
prendre place, elle saisit le coussin du fauteuil, le bouffe à
petites tapes, le retourne, le pose et prend place, les coudes
sur le bureau, les poings joints sous le menton, le regard à
l'horizon du papier jauni. Elle n'a plus d'argent. Il va falloir
en trouver pour la reprise de *La Carambole*.

Cela fait des années qu'elle se rend chez son frère et plus
régulièrement depuis la mort de Cécile. Henri ne vient, lui, en
retour, presque jamais boulevard Haussmann. Tout juste
alors se tient-il quelques minutes dans l'entrée. Il vient
« prendre » sa sœur pour aller dans d'autres théâtres, autres
générales, autres pièces, autres auteurs, être encore « vu », la
veuve et l'ancien ministre. Il y a toujours un « taxi qui attend
en bas » ou «on va être en retard ». Henri ne veut peut-être

pas non plus lire ce qu'il y a d'abandonné, de décrépi petit à petit, dans cet appartement qui n'eut de lustre que du vivant de ce beau-frère qui ne s'appelait pas Martin, pseudonyme, nom de plume, mais Lehmann et ce n'était pas un Lehmann alsacien. Il lui avait fallu sauver l'homme deux fois pendant la guerre. Une première fois des wagons, une seconde de collaboration flagrante. Les Allemands, aux pièces de Jean, remplissaient les salles vides d'avant la guerre. Et Suzy avait fait devant eux ses adieux à la scène. Personne n'est dupe. Pourtant il y eut un Jean Lehmann, auteur jusqu'en 39, un Jean Moncrabeau, Suzy avait dit à Henri « cette maison est autant à nous qu'à toi », de 40 à 46, et Jean Martin né, identité nouvelle, dès 47 avec les nouveaux succès. Dans le télégramme du ministre, subtilité ou insulte de couloir de ministère, raison ainsi avouée de l'impossible élection à l'Académie française, mention avait été faite de *La Carambole* bien sûr, mais aussi du *Bal de minuit* joué, justement, pendant la guerre, et qui avait fait rire, à ce temps. Jean, qui se moquait bien d'entrer dans cette Académie, entendait dire, régulièrement, les dernières années de sa vie, qu'il posait sa candidature alors qu'il ne la posait pas. On voulait, ainsi, entretenir un grief, sauvegarder une mémoire, mais quelle mémoire ? Dans sa salle du *Bal de minuit* il y avait aussi des Français. Suzy sourit dans le vide du mur. Elle a vendu ses bracelets, au poids, ses colliers, pierre par pierre, ses boucles, montres et broches. Le théâtre des Champs est toujours ouvert. Il y fait bon même si les autres méprisent. La représentation a toujours lieu. Olga, la doyenne des ouvreuses, a pris le vestiaire parce qu'elle ne peut plus marcher. Et quand le théâtre s'allume, rumeur des spectateurs de l'arrivée, « demandez le programme », Suzy instinctivement caresse la petite bague de fiançailles, le brillant de rien du tout acheté chez le cousin David Stein qui répétait « il fous portera bonheur » puis, aux vingt ans de mariage, succès de *La*

Carambole, sourire « fous foyez, il fous a porté bonheur ».
Jean disait à Suzy « mon cousin est fou ».

Suzy, aujourd'hui, n'a que peu de temps pour se préparer. Sur
le bureau, il y a un paquet et dedans une robe qu'elle vient
d'acheter, faubourg Saint-Honoré, un modèle qu'elle voyait
depuis trois ans déjà, en vitrine, chaque année, à l'époque des
soldes. Une robe mi-longue, blanche, en mousseline plissée,
le bustier constellé de pierres du Tyrol comme des diamants,
deux bretelles de strass et, à la ceinture, une rose. Une robe
du soir courte. Suzy pourra montrer ses jambes. La robe est
là, enfin. C'est bon de se faire un cadeau, surtout quand on a
peur. La vendeuse a reconnu Suzy quand elle est entrée dans
le magasin et lui a dit « la robe est toujours au même prix.
Mais je peux vous la faire à 800 F. C'est rien pour une robe
faite main ». C'est le « faite main » qui a décidé Suzy. Elle a
griffonné un chèque « Paris le 11 juillet ». « Nous sommes le
9, madame, mais ça ne fait rien. » Chèque sans provision.
Suzy venait de gagner deux jours et le frère serait épaté. La
robe est là, sur le bureau. Suzy est heureuse. La mémoire de
chaque jour est totale et souveraine. Elle se veut belle, tout à
l'heure. Henri retiendra une table chez Taillevent. Avant, elle
veut l'emmener au théâtre, tout allumer, et de la scène vide
lui montrer ce qui avait ému Claire, un jour, salle vide, et
aussi d'où Romain Leval vit pour la première fois un jeune qui
venait d'avoir son bac à quinze ans et qui s'appelait Bertrand
Prouillan. Suzy décroche le téléphone.

« David ? » Le cousin bijoutier est devenu administrateur du
théâtre des Champs. Souvent Suzy se dit qu'il la vole parce
qu'elle n'est pas de la famille tout comme Jean ne fut jamais
vraiment de la sienne. Pourtant il y avait lien, amour et
confiance entre Jean et elle, trente-neuf ans de mariage et des
dettes, rien que des dettes. « David ? Je garde le théâtre.

Nous recommençons. Il faut signer demain avec les acteurs. Je trouverai l'argent pour un décor neuf. Pour la mise en scène, Ferrier fera l'affaire. Générale le 13 octobre. Le 13, j'y tiens. » David éclate de rire « et l'argent, ma bonne Suzy ? » Suzy répond « j'aurai l'argent demain. Je ne suis pas dupe de ton jeu. Tu veux racheter le théâtre. Je le sais. Content ? Tu peux prévenir ta banque, qu'elle ne fasse plus de mystères. Je préfère tout perdre que de me retrouver ex, et veuve à la fois ». Suzy respire « tu vois, je suis en pleine forme. Je pourrais même, pour un regard, devenir amoureuse. Je ne viendrai pas dîner chez toi, ce soir, comme convenu. Embrasse Luce et dis-lui que j'ai acheté la robe. Elle comprendra ». David murmure « tu es sûre que, demain, tu ne vas pas me dire le contraire ? Si je venais maintenant, nous pourrions parler calmement ». David ne dit plus « fous ceci » « fous cela ». Suzy, la voix haute, se calant dans le fauteuil de Jean, retirant ses chaussures, sous le bureau, lance « l'argent, c'est toi qui l'as, David. Je t'ai donné une bonne information avec les valeurs Crouzet, de Valence. Tu en as tiré profit ». « Mais... » « Je t'interdis de dire mais. Je ne te demande rien. Cet argent, je le trouverai, de mon côté, comme d'habitude. Donne les coups de téléphone qu'il faut. Du théâtre, si tu le souhaites, pour ne pas payer les communications. Signe les contrats. A demain. Je t'embrasse. » « Moi aussi. » « Plus fort. » « Moi aussi. » Suzy raccroche, respire, sourit, se penche et ramasse ses chaussures. Il lui en faut des neuves pour porter avec la nouvelle robe, sinon toutes celles qu'elle a feront vieilles. Elle ne veut éveiller aucun doute. Elle sera parfaite. Ce soir.

Le drame, c'est quand les gens qui ne doivent pas se rencontrer se rencontrent. Version célébrée et admise. Salles combles. Recettes. Le vrai drame, c'est quand ceux qui devraient se rencontrer ne se rencontrent pas. Seules vraies

réunions de famille. Les salles alors se vident. Souvent, Jean
moquait les panurgies de notre société. Suzy s'est vite rendue
chez ce marchand de chaussures de la rue de Miromesnil qui
affiche, lui aussi, des soldes. Elle essaie, elle choisit, elle
hésite, elle pose les chaussures sur la robe, elle cherche le
coloris, la forme, le confort. En fait, elle pense à Pantalon, à
Bernadette, au repas, au col défait de son frère Henri, à
toutes sortes de décisions de malheur, à Sébastien qui ne
donne plus de nouvelles, à Luc qui ne vient jamais voir sa
tante et qui pourtant habite à deux pas, à Claire qui envoie
chaque année une carte de vœux « pensées affectueuses » et à
Bertrand qui fait quoi, à Moncrabeau, sous la surveillance du
fils de Merced et de Lucio, Juan, qui paraît-il s'est marié et a
des enfants ? Suzy pense à l'argent et au second chèque sans
provision, qu'elle va signer avant de quitter le magasin, pour
ses escarpins de luxe. Suzy pense « tout est au clou ». Elle
sourit. La vendeuse est contente « celles-là vous plaisent ? »
Suzy fait signe que oui. Elle n'a même pas regardé le modèle
choisi. Elle se sent bien dedans. C'est tout. Le blanc du cuir
est à peu près celui de la robe. 370 F. David Stein disait à son
cousin Jean « tu ne seras riche que si tu as des dettes ». Jean
disait de lui « il a le sommeil des lingots ». Jean, alors,
embrassait Suzy et murmurait « tiens-moi en éveil. A l'écart
des tiens, tout comme je veux te tenir à l'écart des miens. Il
n'y a qu'une seule histoire, immobile, répétée, celle de leur
confort et conflit. Pas la nôtre. Tu comprends ? » Suzy n'a
compris que le jour du retour de Bertrand, un peu, révélation,
et après la mort de Jean, totalement. Elle revient chez elle
avec la robe et les chaussures. Le chauffe-eau ne fonctionne
plus depuis quelques jours. Elle se douchera à l'eau froide.

En automne et en hiver, Suzy se rend, le mercredi après-midi,
à la piscine de Saint-Ouen, près de l'embranchement de
l'autoroute du Nord. Ce jour-là de la semaine, les enfants

affluent et surtout les adolescents. Elle arrive avant eux, à l'heure de midi, et dans le bassin désert elle nage, une longueur, deux, trois, jusqu'à ne plus compter, jusqu'à se sentir fatiguée, ou transie, quand elle sort de l'eau. Elle s'enroule alors dans un drap de bain, près d'un radiateur, à la porte de la salle des douches et elle attend que la piscine couverte s'emplisse de cris et d'échos, que les enfants, jouant, se jettent dans le petit bain ou le grand, éclaboussant, fassent des vagues, frémissement désordonné de l'eau bleue ou verte, selon le jour diffusé par la verrière, odeur de chlore qui brusquement se lève, avec les cris des jeux, forte et enivrante. Elle n'est qu'une vieille dame qui se tient assise par terre, sur sa serviette, toujours près du radiateur, presque contre, et qui, genoux repliés, bras enserrant les jambes, cassée en deux sur elle-même, maillot noir une pièce, et bonnet de caout-chouc pour ne pas mouiller les cheveux et assourdir le bruit ambiant, tam-tam qui va s'amplifiant, mercredi des enfants, elle regarde. Elle oublie, le temps d'un après-midi, qu'elle n'a plus le même âge qu'elles ou qu'eux, jeunes filles dont elle admire le galbe, la poitrine naissante, la longue chevelure et jeunes gens aux poils rares tout occupés à faire claquer les élastiques de leurs maillots, à plonger en chandelle, sauts périlleux, bombes pour éclabousser, le grand jeu étant de pousser les filles à l'eau et pour les filles de se laisser faire. Alors Suzy scrute, observe, gobe du regard, tout cela désordonné qui s'ordonne à deux, parfois dans les coins, derrière les colonnes de ciment, sur les banquettes carrelées ou aux balcons des étages, devant les portes des cabines, gestes furtifs, émus, que tel garçon échange avec telle fille, ou tel garçon avec tel garçon. Suzy essaie alors de se souvenir de pareils émois comme si tout un pan de sa vie lui avait été soustrait, soustraction de certaines familles, pouvoir d'un frère dont elle se croyait amoureuse et qui la tenait à l'écart de tout. Le métro est direct de Saint-Lazare à la porte de

Saint-Ouen. Les mercredis de l'hiver, le maître nageur de la
piscine salue la dame, habituée, qui se tient des heures durant
à regarder, et jamais personne ne lui parle. Il se dit d'elle
qu'elle est professeur, qu'elle n'a donc pas cours, elle non
plus, et sportive, puisqu'elle nage avant l'arrivée de tout le
monde. Une femme de cet âge n'est pas un voyeur. Pourtant
Suzy adore cet endroit et ces êtres. Elle se bouleverse, corps
ruisselants des jeunes garçons quand ils surgissent du bassin,
saisissent l'échelle, bondissent pour mieux replonger, hasard
des maillots, plis fessiers, chutes de reins, port des épaules
quand, petits animaux des cabines, ils les font rouler pour
avoir l'air mâle. Les filles minaudent ou intriguent, parlent
entre elles, et en fait choisissent, décident ou de l'un, ou de
l'autre, moquant les garçons qui ne veulent pas d'elles en les
traitant de pédés. Et ainsi de suite les jeux. Jusqu'à 4 heures
de l'après-midi quand, sous prétexte de fumer une cigarette,
tel garçon au premier ou au second balcon se tient devant la
porte entrouverte de sa cabine et attend qu'on le rejoigne.
Beau ballet. Il leur faut éviter l'employé qui ouvre et ferme les
portes, passe et repasse, bruits de soques, rythmant sourde-
ment le brouhaha, sous la verrière. La nuit tombe vite.
Rampes au néon. Suzy sait que derrière telle porte il y a tel
garçon et telle fille, ensemble. Cela lui plaît. Non tant pour
elle, mais pour eux. Elle imagine l'étreinte. Elle les a vus de
près, autour du bassin. Elle les voit d'encore plus près, en
pensée, en haut, derrière leur porte et elle se dit qu'il n'y a
rien de plus beau que cela, quand tout des gestes est à
apprendre, quand l'élan a encore le goût de l'instinct. Elle se
dit qu'après, plus tard, personne n'aime personne, on ne peut
que se retrouver de plus en plus seul dans des jouissances de
plus en plus élaborées, des expériences de plus en plus
cassées, pensées. Suzy va là, les mercredis après-midi, pour le
tout début d'une émotion qu'elle n'a pas connue en temps
voulu et pour retrouver Jean, multiples maillots, multiples

corps, son Jean multiplié, acharné à lui faire un enfant qu'elle n'a jamais pu avoir. Suzy voudrait tout recommencer. C'est impossible. Mais elle regarde. Et vers 17 heures, elle rentre chez elle, les yeux rougis, à cause du chlore, la tête vide. Elle se sent propre, décapée. Elle se prépare alors un thé amer, noir et sans sucre, ce thé fumé dont elle a le secret du mélange, et pendant que l'eau chauffe, elle téléphone à la caisse du théâtre et s'informe du nombre de locations pour la soirée. Elle redevient madame Lehmann, madame Jean Martin. Mais dans sa tête il y a des prénoms : Christian, Jean-Luc, Josyane, Bob, Martine, Luc, Pilou, les prénoms de ses enfants du mercredi. Et elle, mère amoureuse. D'une année sur l'autre, parfois, elle les revoit les mêmes. Elle les appelle tous Jean. Elle va les chercher à Saint-Ouen, au nord de Paris. Dans les piscines des beaux quartiers, elle ne veut pas se revoir.

Sous la douche froide, elle se dit que la rentrée des classes, cette année, est le 11 septembre, et le premier mercredi, le 19. Elle sera au rendez-vous. D'ici là, plage morte, Paris l'été, dont Jean disait « c'est notre résidence secondaire ». Et ces enfants qu'elle n'a pas eus et qu'elle veut voir vivre, Henri les a, et veut les tuer. La bourgeoisie n'est bourgeoise que par contrariété. Si elle se reconnaît, produite, elle tue. Si elle peut faire semblant, elle épargne, s'épargne et subsiste. Cette bourgeoisie devenue petite excelle à faire parler les morts et n'écoute pas les vivants. Jean n'aimait pas citer, mais Suzy, elle, cite continuellement son mari, comme un appel au secours. Elle voudrait ne plus être ce qu'elle est, et ce qu'elle fut comme ce qu'elle est. Elle voudrait qu'on la pousse dans l'eau du grand bassin et qu'on la cogne contre les parois d'une cabine, des bleus aux genoux, maillots arrachés, jouir trop vite et très mal.

Un collier pendu à un vestiaire, une laisse accrochée au
collier, une place vide sous une console de marbre, un
cendrier plein de mégots sur un guéridon, un frère de
soixante-quatorze ans dont le regard, brusquement, n'est plus
transparent, opacité des desseins affectueux quand ils rede-
viennent meurtriers, meurtre, l'idée de meurtre, dans toute
cette poussière, et le pas de Bernadette, sur ces tapis du
couloir qu'il faut toujours remettre en place, parallèles aux
murs, Bernadette va se reposer dans la chambre de Claire, et
ce sera toujours la chambre de Claire, le gâteau préféré de
chez Berthier fils, images qui se superposent, paroles de Jean
et stupeur de son cousin David, l'acheteur, complicité des
fondés de pouvoir d'une banque, sourire de la vendeuse de
cette boutique du faubourg Saint-Honoré, elle est heureuse,
elle a vendu la robe invendable, démodée, la robe jolie
madame, chèques sans provision, mais cela fait des années
que Suzanne-Lehmann-Prouillan signe des chèques en bois,
roulement de trésorerie du théâtre des Champs, acheté par
Jean, au nom de sa femme, avec l'argent du succès de *La
Carambole*, roulement tragique, plus il rentre d'argent, plus il
en sort, l'écart des dettes se creuse, menace, autre écart, et ce
médecin qui a dit à Suzy, peu après la mort de Jean, « vous
avez besoin de vous dépenser, marchez, promenez-vous,
faites de la natation. Savez-vous nager ? Aux heures creuses,
les piscines de Paris sont désertes », étranges paroles, heures
creuses, heures battantes, bataillons de corps, de cris,
d'enfants, d'amis, amants, Suzy se sent si peu vieille dame
indigne, à soixante-sept ans, tout recommence, tout commence toujours quand on sait ne plus calculer, compter,
amasser, et aujourd'hui, 9 juillet, toute fin d'après-midi, Suzy
sort de la douche, retire le bonnet de caoutchouc, images du
jour, une image, une seule : Bertrand gravissant péniblement
les marches de l'escalier, place d'Antioche, eux tous autour de

lui, la victime, et Jean murmurant à Suzy, bras dessus bras dessous, trottoir de l'avenue Niel, ils avaient décidé de rentrer à pied « ton frère n'y est pas allé de main morte » puis « c'est la mainmorte, ce droit pour le seigneur de disposer des biens laissés par son vassal à sa mort ! »

Cette pièce, *La Mainmorte,* Jean l'écrivit dans les mois qui suivirent. Il se cachait de Suzy et ne répondait pas aux questions de sa femme « quel en est le sujet ? » « tu es sûr que tu ne veux pas me la lire ? » Suzy savait que Jean écrivait la visite qu'il n'avait pas eu le courage, ou la lâcheté, de rendre à son beau-frère, écrivait Bertrand et la famille, écrivait Barcelone et souffrait d'en faire inévitablement une comédie de mœurs. Jean, la pièce achevée, fin de novembre, avait dit à sa femme « je viens de me coincer les doigts dans une porte qui ne claque pas » puis « pardon. Je ne peux que parler ainsi. Sache que *La Mainmorte* est injouable, véritable, insoutenable, tout ce que tu veux en able, haïssable, méprisable, tellement aimable. Je ne sais plus. C'est raté. Tiens, tu peux la lire ». Suzy avait refusé. Jean, en reprenant le cahier, avait dit « tu as raison. Dans cette pièce, il n'y a que des mauvais rôles. Surtout celui de Bertrand ». Jean venait d'avouer. Suzy l'avait embrassé. Jean, glissant le cahier sous une pile de manuscrits, avait murmuré « faut plus toucher à la vie ».

Suzy s'habille, culotte, panty, soutien-gorge, non, elle ôte le soutien-gorge, enfile la robe, maintien du bustier, comme un charme, puis les chaussures, et assise devant ce qui fut sa coiffeuse et qui n'est plus qu'un reposoir de factures, papiers, lettres, relevés de banque, coupures de presse, cartons d'invitation, couvrant des peignes, brosses, recouvrant les houppes, boîtes de poudre et de fard à joues, flacons de parfum presque vides, elle se coiffe. Nerveusement d'abord, doucement ensuite, cheveux mi-longs, fragiles, qui se bou-

claient autrefois, et il n'y a pas si longtemps que ça, à hauteur
de nuque. Suzy va sortir, elle « sort ». Les bretelles de strass
et le bustier scintillent faiblement. Grace Parker aurait dit, du
temps des week-ends à Londres, création et échec de *The
Cannon*, version anglaise de *La Carambole*, de ce scintillement qu'il était « glittering ». Ou bien, en montant dans sa
Bentley, en retard, le soir de la générale, au chauffeur « have
a regard to my poor nerves ». Ménagez-moi, s'il vous plaît.
Jean s'était dit que si rien de ces futilités anglo-saxonnes ne
pouvait se traduire par des mots, en français, rien des
tendresses habilement placées dans le texte de sa pièce
française ne pourrait surgir en anglais. Suzy se regarde une
dernière fois dans le miroir couronné de toutes sortes de
« pour mémoire », certains vieux de plusieurs années. Elle
s'adresse à David « tu n'auras pas le théâtre », à Henri « tu
crèveras dans ton argent », à Bertrand « j'aurai ta revanche »
et à Jean « comment me trouves-tu ? » Elle se lève, tourne
sur elle-même, les chaussures à talons, une altitude, la
mousseline plissée souffle ou caresse, celle de l'eau de la
piscine déserte avant l'arrivée des enfants. Suzy a l'impression
de troubler une surface plane, de faire ses propres vagues.
Elle se sourit, bonne journée et fière soirée en perspective.
Par la fenêtre de sa chambre, elle voit le musée Jacquemart-
André, volets clos. Des trésors, là aussi, dorment. Dans un
tiroir du bureau de Jean, il y a le manuscrit de *La Mainmorte*.
Suzy n'a jamais osé le lire. Elle le lira en rentrant.

Suzy met bien en place la rose, à la taille. Rose de tissu pour
tant de roses reçues. Et les bouquets venaient toujours de
Jean, petit carton « ton éternel amant ». On sonne à la porte.
Henri.

6

Luc est arrivé le 29 juin, à Exoudun, dans les Deux-Sèvres. Il
loge chez ses amis Eliane et Antoine Duperin. Eliane était
une amie de Claire au collège de la rue de Lübeck. Antoine,
camarade de promotion de Luc, se targue d'être sorti
avant-dernier, lui, promo 57. La maison d'Exoudun, sur une
hauteur, au-dessus de la Sèvre Niortaise, n'a jamais été
vraiment aménagée. Les enfants d'Eliane et d'Antoine sont
partis pour l'Angleterre. Luc est venu passer quinze jours,
comme chaque année, chez ses amis, et cette fois accompagné
de Christine, Christine Eulard, de vingt ans sa cadette. Elle
pourrait être la fiancée de son fils Pierre, et Luc se demande
parfois comment et pourquoi Christine, depuis janvier, a pu
s'attacher à lui, et surtout quand tout cela a commencé.
Christine a conservé son studio dans le même immeuble que
ses parents, et n'a jamais apporté chez Luc, rue de Téhéran,

presque au coin du boulevard Haussmann, le moindre effet
personnel. Elle se brosse les dents avec la brosse de Luc. Elle
ne veut pas s'installer. Ou bien Luc n'a-t-il pas fait ce qu'il
fallait faire, geste, signe, parole, pour l'inviter à le rejoindre
et à vivre avec lui, double peur, de part et d'autre. Chez
Christine, une peur qui ressemble à de l'indifférence. Elle
aime, en Luc, le silence, une apparence de l'anodin qui la
calme, et une représentation du père, qui serait devenu
amant. Chez Luc, cette peur de l'âge, quarante-sept ans, qui,
dit-il, « ne se met plus sur l'ordinateur du cœur ». Mais il ne le
confie qu'à ceux qui ne peuvent ni entendre ni être concernés,
et il ne l'a jamais dit à Christine. Il se demande, chaque jour,
à l'éveil, comment cette jeune femme au corps de toujours
jeune fille, agrégée de sciences économiques, chargée de
cours à Paris VII, séduisante, secrète, indépendante donc
subtilement dépendante, peut l'aimer, et aimer est un bien
grand verbe, alors, tout simplement, peut « rester avec lui ».
Une histoire de brosse à dents pas apportée.

En partant pour Exoudun, Christine n'a emporté qu'un petit
sac de toile qui avait l'air vide. Luc lui a dit « c'est tout ? »
Christine a répondu « ça suffira ». Ils n'ont l'un pour l'autre
les gestes de l'attachement que dans le silence des nuits. Ils se
disent « vous » même devant le public restreint d'Eliane et
d'Antoine. Ce matin, 9 juillet, au petit déjeuner, Luc faisait
griller le pain, Eliane mettait en place les bols, Antoine
ouvrait un pot de confitures « faites l'été dernier », Christine
balayait les miettes du dîner de la veille sous la table et entre
les chaises, Christine avait dit, en souriant, s'adressant à Luc,
mais aussi à leurs hôtes, effet inhabituel, première impudeur,
« cette nuit, Luc, vous avez appelé plusieurs fois Bertrand. Je
me suis sentie trois avec vous. C'est un de vos frères ? »
Eliane avait regardé Luc. Luc avait oublié de retourner le
pain sur le gril. Antoine avait fait couler l'eau bouillante du

café, goutte à goutte, dans le filtre, bon parfum des matins. Christine avait vidé la pelle dans la poubelle sous l'évier, toute proche de Luc, le regardant de biais, murmurant « pardon ». Luc s'était dit que Christine venait de prendre la décision de le quitter. Depuis le départ d'Anne-Marie, divorce, adieux, Luc se trouve de plus en plus vieux, et ses amies, liaisons d'un jour ou de six mois, de plus en plus jeunes, comme si le destin des rencontres décidait, à sa place, de le confondre ou pire encore de l'humilier. Christine est trop belle. A la fin du petit déjeuner, Antoine avait dit « dépêchons-nous, c'est le grand jour. Faut voir ça ! »

L'idée même d'humiliation est liée, « ligotée » disait Bertrand, à celle d'éducation, « d'éducation selon saint Henri, pater familias, coïtus tragicus ! » Luc n'aimait pas l'humour de son plus jeune frère. Il aurait volontiers, en aîné, opté pour une tranquillité, choix du modèle paternel pour, peut-être, en son for intérieur, trouver plus de latitude, amplitude, aptitude à réagir ou simplement agir, découvrir et vivre pleinement en cachette des autres. Luc aimait alors les mots en « ude », habitude surtout, servitude parfois, quand Bertrand fredonnait les mots en « isme », mode de la rue d'Ulm où il rêvait d'entrer, communisme, stalinisme, immobilisme, crétinisme, romantisme. Il dévorait Nizan. L'oncle Jean se faisait, lui, le héros de tout ce qui s'achevait en « able », affable, comptable, honorable, ou bien table, cette table dont il devenait, à chaque réunion de famille, le héros. Luc se l'est rappelé, toute la journée. Au sommeil de la nuit précédente, agité par le retour impromptu de Bertrand, se mêle, de jour, le surgissement, mémoire du père. Que fait-il à Paris ? Qu'a-t-il fait depuis la dernière rencontre de février, Christine attendait dans la voiture, en bas, place d'Antioche, en écoutant de la musique ?

A Moncrabeau, les étés de l'adolescence, parfois Bertrand laissait un mot, toujours le même, formule, sur la porte, alors que chacun était allé chercher un vêtement de laine pour la promenade du soir. Ce mot était ainsi libellé « je pars devant vous, car je veux me promener et rencontrer quelqu'un ».

Aujourd'hui, grand jour, ils sont plus de deux cents sur le site du tumulus de Bougon, hommes et femmes, venus de tous les coins de France et d'Allemagne, géologues, archéologues, astrophysiciens, curieux, ou voisins, comme Eliane, Antoine, Christine et Luc. A ce lieu, furent trouvés, dès 1840, de nombreux vestiges de civilisations néolithiques et notamment des dolmens, qui ont, depuis, fantaisies ou fantasmes d'un xxe siècle plus tourné vers l'espace et sa conquête qu'attaché à la quête de l'origine, donné naissance à toutes sortes d'explications, champs magnétiques, extra-terrestres, virtualités de toutes sortes. Depuis deux semaines, en groupe, presque un clan, tribalement, ils ont confectionné des pics en bois de cerfs et extrait des pierres de la veine rocheuse avec ces pics rudimentaires. Depuis deux semaines, par équipes, sous la direction du conservateur du musée national de Saint-Germain-en-Laye, ils ont confectionné des cordes faites de lianes tressées et de racines de lierre, en riant, plaisantant, en y croyant fort, chacune, chacun. Il ne s'agissait pas de jouer au scout, mais, plus gravement, de prouver, agir, comme d'autres, humains, premiers, avaient pu entreprendre il y a plus de cinq mille ans. Certains parlaient, heureux de leur moquerie, se sentant sur le point de prouver le contraire, de cette « profusion de bobards » au sujet de la présence des mégalithes de Bougon. Les hommes du néolithique étaient parfaitement en mesure d'ériger de tels monuments eux-mêmes. Pour le prouver, cent soixante-treize hommes et femmes, chiffres exacts que notaient les journalistes de télévision venus sur place pour filmer l'événement, venaient de déplacer, sur plusieurs dizaines de mètres, un bloc de béton de 32 tonnes, copie conforme d'une table de dolmen trouvée sur le site du tumulus, l'énorme masse placée sur des rondins, découpés dans des arbres, eux-mêmes abattus avec de simples haches de silex. 18 heures. C'est fait. Prouvé. Quelques dizaines de mètres, un exploit comme une retrouvaille, et le groupe plus silencieux que criant victoire, ronron des caméras de télévision, visages exténués, ciel gris, orageux, une première tombée de nuit.

Eliane, Antoine, Christine et Luc ne se sont pas parlé de la journée. Ils ont porté, glissé, tiré, hissé. Ils se sont mêlés au groupe, parce que voisins d'Exoudun. Antoine, à Paris, avant le départ, avait dit à Luc « tu vas voir ce qui va se passer cet été. Tant pis pour les parties de bridge. Pour une fois que tu viens avec une quatrième qui ne se contente pas de faire le mort. Christine est bien. Garde-la. Fais pas le con ». On se dit « con », entre camarades de promotion, ça fait jeune. Eliane avait dit « ce sera mieux que ta millionième décimale de pi. Tu l'as trouvé, ton éditeur ? »

Eliane s'approche d'Antoine et le prend par la main, geste de petite fille. Christine regarde Luc, furtivement, mais comme Luc baisse les yeux, puis la tête, se pinçant le menton, elle ne va pas vers lui comme elle l'aurait souhaité, élan, brusquement, presque un aveu. On veut partir, et on reste. Luc pense à autre chose. Christine vient de revoir Luc, sortant de chez son père, flanqué de ce père que Luc lui cachait, et qui sans doute, soir de février, tard dans la nuit, en profitait, raccompagnant son fils, pour promener ce vieux caniche, ou bien inversement, excuse du chien à promener, prétexte à rester plus longtemps avec son aîné. Luc avait fait semblant de partir, seul, en marchant, dans la rue. Monsieur Prouillan était passé devant la voiture, en stationnement interdit sur la place, « mais le soir, nous prenons la permission », et il était rentré, tirant le chien par la laisse. Luc, comme un voleur, était revenu, portière claquée, clé, moteur, démarrage, « désolé, avec mon père, c'est toujours trop longtemps », bise furtive, puis « le chien s'appelle Pantalon, heureusement qu'il était là » et premier feu rouge, rue de Courcelles, « chaque fois que nous avions besoin de dire quelque chose d'important, en famille, nous le disions au chien. Personne ne se fâchait. Tout le monde était informé. Mon frère Bertrand appelait ça la fonction Pantalon. Mais pardon, tu ne peux pas comprendre. Tu le peux, mais il faudrait du temps ». Seconde bise, moins furtive.

Eliane n'a jamais vraiment été l'amie de Claire. Elles se connaissaient parce qu'elles faisaient le chemin ensemble pour aller le matin, rue de Lübeck, uniformes bleus, soquettes blanches, cheveux décents, nattés ou en queue de cheval, obligatoirement, et pour revenir le soir. Claire ne faisait jamais de confidences. Aussi Eliane avait-elle choisi de ne jamais rien dire, en retour. Et si parfois elle brûlait de raconter à Claire une histoire qui lui était arrivée, elle le faisait à la tierce personne. Claire écoutait alors, distante, faisant semblant de ne pas comprendre. Elle ne voulait pas avoir d'amie. Elle ne voulait pas se lier. En cela, Eliane la trouvait attachante. Elles ne pourraient donc, toutes deux, jamais se fâcher. Depuis elles se sont perdues de vue. Parfois Eliane demande à Luc des nouvelles de sa sœur et Luc invariablement répond « je ne sais rien d'elle. Nous avons cessé de nous voir mais pas de nous aimer. C'est notre pacte depuis le départ de Bertrand ». « Pourquoi le départ ? » Luc fait alors un geste d'impuissance, ou bien simple geste nerveux marquant qu'il n'a rien à expliquer. Une fois seulement, Antoine l'a aussi très bien entendu « ce sera toujours trop tôt pour expliquer le départ de mon plus jeune frère ». Eliane n'aime Luc que parce qu'il est l'ami d'Antoine.

Antoine, lui, ne sait toujours pas ce qui le retient auprès de Luc si ce n'est le fait qu'il lui doive son job. Lorsque Luc prit la direction générale de cette filiale de Control Data, la SFIA, Société française d'informatique appliquée, 49 % de capitaux américains, et 51 % de capitaux de l'Etat, l'Etat majoritaire, chauvinisme, nationalisme, enfin « une société française » ! Luc l'avait appelé auprès de lui en tant que directeur général adjoint. Les polytechniciens font toujours de petites grappes. Antoine, au lieu de prendre ses distances, et d'en vouloir à Luc de lui avoir rendu ce service, habituel scénario de la reconnaissance, s'était contenté et se contente de remplir servilement son rôle d'adjoint. C'est son côté avant-dernier de la promo. Adjoint, il se sent fort de sa connaissance de Luc. Luc est incapable de concevoir la vie des autres hors de sa propre vie. Luc est incapable d'écouter qui que ce soit. Le début d'une phrase, et tout de suite son regard bascule, perdu, ailleurs, dans des calculs, son travail, des projets, la recherche. Luc s'est totalement livré aux bénéfices de la SFIA. Et chaque fois qu'Antoine observe son ami, consciemment ou inconsciemment, il pense à Anne-Marie que Luc tourmentait à silences répétés et au sujet de laquelle Luc s'était forgé une jalousie étrange et injustifiée jusqu'au jour où, acculée, malheureuse, Anne-Marie avait cherché un bonheur, ailleurs, bien-fondant la jalousie diffuse et harcelante, confondant Luc, rupture. Or Luc traite Christine depuis six mois comme il a traité Anne-Marie et les autres. Seulement Christine, attachée au « vous », image première de leur relation, se plaçant habilement à non-portée de jalousie, tient Luc dans ses rets. Et Antoine pense, comme Eliane, que Christine va gagner la partie du cœur. Tout comme au bridge elle joue merveilleusement la carte, a le sens des impasses, des appels, et remplit ses contrats.

Christine est descendue près du bloc de béton, faux dolmen, pour poser, avec les autres, photo du souvenir de ce jour, comme un portrait de classe avec rien que des adultes. Brusquement, à travers les nuages, un début de coucher de soleil. Christine a noué sa chemise, sous sa poitrine. Elle est en jean. Elle a retiré ses chaussures et les a lacées autour de son cou, pendentif. Il y a cet homme qui lui sourit continuellement, cet autre qui vient de lui offrir à boire. Eliane s'approche d'elle et lui dit « c'est la plus belle journée de ma vie. Et toi ? » Les deux femmes se regardent. Elles sentent que Luc les observe, de loin. Christine remercie l'homme qui vient de lui offrir à boire et murmure à Eliane « chaque fois que j'ai rendez-vous avec Luc, je me dis c'est la dernière fois. Et à chaque fois, un petit rien me retient. Je me dis qu'il a besoin de moi, même s'il n'a aucune connaissance de ce besoin. Je suis bien avec lui, la nuit. Oui, ce fut une belle journée ».

Christine sourit, entraîne Eliane et toutes deux, accroupies au premier rang, se tiennent, pour la photo de groupe, aux pieds d'Antoine qui fait signe à Luc de les rejoindre. Luc s'est assis sur un talus, à distance. Il boude comme on boude à quarante-sept ans. On a l'air, alors, de penser intensément. Luc veut un drame, mais il ne l'aura pas. Christine dit à l'oreille d'Eliane « je resterai avec lui ». Le photographe crie « silence », puis « ne bougez plus ! » Les caméras de télévision filment la photo du groupe en train de se faire. Antoine se dit que tous ceux qui ne sont pas du groupe moqueront le groupe. Si on l'interroge pour la télé, il répondra « il est aussi important de savoir comment nous vivions il y a cinq mille ans que d'aller sur la lune. C'est la

même conquête. Et si vous insistez... » Antoine imagine le
reporter en train de tendre le micro « si vous insistez, je vous
dirai qu'il est désormais plus important de savoir d'où nous
venons que de nous perdre dans les voies sans issue de
l'espace. Même si le progrès technologique qui en découle est
un acquis réel pour la vie quotidienne, et une meilleure
communication. Croyez-moi, je suis bien placé pour vous en
parler ! » Eliane se tourne vers Antoine « tu parles tout
seul ? » Antoine pose les mains sur la tête de sa femme, force
Eliane à regarder l'objectif de l'appareil photographique à
plaques et sur pied derrière lequel, sous une couverture noire,
un homme s'agite, levant le bras gauche, brandissant une
poire en caoutchouc et criant « tous ensemble ! Un sourire s'il
vous plaît ! Encore une fois ! » Antoine dit à Eliane « oui, je
parle seul. Je suis fatigué. Une vraie fatigue ». Eliane lève les
yeux au ciel « une vraie fatigue ? » Christine regarde Luc.
Luc, toujours à l'écart, tête baissée, accroupi, le front sur les
genoux, les mains de chaque côté de ses pieds, pétrit la terre
et la griffe, coups d'ongles. Christine se dit « il pleure, mais ce
n'est pas possible » puis elle sourit pour la photo, dressant le
buste, frôlant le bras d'Eliane, frisson, petit bonheur d'une
mission accomplie, quatorze jours d'efforts et en groupe.
Christine se dit encore « et s'il pleure, tant mieux ». Christine
voudrait se moquer de cette idée de larmes qui ressemble
étrangement à celle de jalousie, cette jalousie qui passe
continuellement dans le regard de Luc. Elle ressemble à Luc.
Ils se ressemblent tous. Tous taillés dans un même roc.
Nouveau sourire. Photo.

« S'il vous plaît ? » Luc lève la tête, un homme, agenouillé
près de lui, magnétophone en bandoulière, micro tendu, et un
cameraman, à deux mètres de là, se penche, réglant l'objectif,
caméra à l'épaule, curieusement armé. « Pouvez-vous nous
dire ce qui vous a conduit à participer à cette expérience de

Bougon ? » Pris de court, flatté, Luc répond « je ne suis ici
qu'en spectateur ». Il sourit nerveusement « j'ai participé à
ces travaux, mais en spectateur ». Il s'anime, traqué par le
micro, visé par la caméra « je me demande si nous n'avons pas
tous été de simples spectateurs. Même si nous avons agi en
acteurs ». Le reporter regarde le cameraman, lui fait signe de
ne pas arrêter et s'assoit par terre, presque contre Luc
« pouvez-vous préciser votre pensée ? » Et Luc, en riant,
lance « il n'y a plus de pensée. Comment vous dire les choses
simplement ? Je suis venu en voisin, et en vacancier. Je me
suis dit : c'est inutile. Je crois que nous le pensions tous, plus
ou moins. Nous l'avons fait par jeu. Par défi. Je ne sais pas.
Chacun a peut-être des raisons personnelles, ou les a
découvertes ces derniers jours. Maintenant, nous l'avons fait.
Il n'y a plus ni spectateurs ni acteurs, mais une évidence, un
fait, une preuve, une expérience, à vous de choisir. Et puisque
vous me demandez mon avis... » Luc regarde droit l'objectif
de la caméra « je vous dirai que notre humanité souffre plus
de ne pas savoir d'où elle vient que de ne pas savoir où elle va.
Nous avons aussi perdu le goût de l'effort. De l'effort tourné
vers la racine. Là d'où viennent la sève et l'esprit ». Luc
regarde le reporter, sourit, soupire comme s'il se moquait de
lui-même « à quoi bon enregistrer, vous couperez au
montage. Comment voulez-vous que je précise une pensée
dont nous avons perdu le goût à force de faire semblant de
penser ? J'arrête ? » « Continuez, s'il vous plaît. » Luc hausse
les épaules, se distrait en regardant le groupe d'après la
photo, tous levés, mêlés, et Christine perdue dedans, où est
Eliane, où est Antoine ? Luc dit à la cantonade « ce qui me
gêne, c'est que tout cela constitue un événement. Que vous le
filmiez en tant que tel, et que vous vouliez me faire dire des
choses que je n'ai peut-être pas encore osé me dire. Nous
avons seulement fait rouler une pierre sur des rondins pour
prouver que nos grands-pères les singes, saisis d'esprit,

LE JARDIN D'ACCLIMATATION 109

avaient pu faire la même chose. Et cette table de dolmen, je voudrais bien savoir ce qu'elle signifie, tout comme la table de famille, en famille, quand j'étais petit. La réponse à votre question n'est qu'une question. Je me suis dit, ces jours-ci, en faisant ce que j'ai fait, que j'avais, dans ma vie, oublié l'essentiel, l'effort, le groupe. Mais chacun s'en va... » Phrase en suspens. Ronronnement de la caméra. Le cameraman fait signe qu'il n'y a plus que deux minutes, doigts tendus, majeur et index, comme un V de victoire. Le reporter demande à Luc « que faites-vous dans la vie ? » « Je suis ingénieur. » « Peut-on connaître votre spécialité ? » « Je suis directeur de société. » « Plus précisément ? » « Cela n'a aucune importance. » Luc se frotte les mains, terre, poussière, ongles noircis. Le reporter dit « merci ». Il range le micro, claque des mains devant la caméra, bruit de bobine, fin de séquence. Luc se lève. Le sourire du reporter est ironique ou comblé, comment savoir ? Le reporter lui serre la main « très bien. Nous taillerons dedans. Ça passera au début de l'année prochaine, sur TF1. Si vous voulez vous voir ». Luc pense « certainement pas » mais ne le dit pas. Il veut retrouver Christine, Eliane, Antoine, et rentrer. Il y a vingt ans, c'était il y a vingt ans. Bertrand. C'était le jour des vingt ans de Bertrand. En disant « je suis ingénieur », instinctivement, Luc a regardé sa montre, l'heure, 18 h 13, et la date, 9 juillet. Cette date d'anniversaire, il ne l'a pas oubliée. Anne-Marie c'est le 22 février, Pierre le 7 novembre, et Cécile ? Sébastien ? Claire ? Le 9 juillet, c'est Bertrand, un temps qui s'arrête, temps arrêté. Quel âge a Suzy, si lui, Luc, a quarante-sept ans ? Quel âge avait l'oncle Jean quand il est mort ? L'oncle Jean qui disait des conjugaisons qu'on ne savait plus utiliser « le passé composé pour le passé récent et le passé simple pour le passé lointain ». Aussi, pour rire, faire rire, fin de repas, se mettait-il à ne plus parler qu'au passé simple et tout de la vie de cette famille à laquelle il aurait tant voulu appartenir devenait révolu, fini, coupé « nous nous mîmes à parler sous la tonnelle et nous nous vîmes comme nous n'avions jamais été, beaux et désirables ». Encore un mot en « able ». Le cercle riait, sauf lui, Luc, parce que son père ne riait pas et que, sous la tonnelle et les glycines, ils se frôlaient tous mais ne se rencontraient pas. A la première occasion, chacun prendrait la fuite en oubliant l'un d'eux, condamnés à vivre qui s'échappent. Christine prend la main de Luc « eh bien, je suis là. Tu es pâle. » « Je veux rentrer ! »

Luc conduit la voiture. Il n'aime pas se faire conduire, même pour quelques kilomètres. Il chausse alors ses lunettes de P.D.G. et regarde si droit la route qu'on le croirait volontiers totalement indifférent à ce qui se passe autour de lui, passagers ou pas, qu'ils parlent ou non. Christine se tient à côté de lui. Elle a dénoué son chemisier et l'a reboutonné par-dessus son jean. Souvent Christine moque Luc en position de conducteur « vous êtes en méditation ? Plus je vous observe, de l'avant, tendu, plus je me dis que vous fomentez, décidez, jugez. C'est de la préméditation ». Christine n'aime pas jouer avec les mots, mais elle sait, dans son rapport à Luc, que seul ce jeu lui permet d'exprimer ce qu'elle pense ou ressent, sans que Luc se fâche. Un jour, en réponse, Luc lui a parlé de la pêche au fouetté, enseignée par son père. « Ça dégoûtait Bertrand. Claire cassait les sions. Sébastien comme un fou prenait une embarcation pour lui tout seul et ramait en rond sur l'étang, bruyamment, pour alerter les poissons. Je fus le seul véritable élève de mon père. Le coup de l'hameçon qui miroite. Tant que ce que vous me direz aura l'excuse de la brillance, je vous écouterai, Christine. »

Christine se tient droite, les mains sur les genoux. Elle regarde la route. Sur la banquette arrière, Eliane a chaviré sur Antoine qui a baissé la vitre, coude à la portière. Il prend l'air en plein visage. Luc les observe dans le rétroviseur, regarde furtivement Christine et se dit en pensant aux quinze jours écoulés avec l'équipe, jeu de bonne ou mauvaise conscience, jeu de conscience tout court « une fois de plus, nous nous sommes menti ». Il fixe la route. Virage. Entrée du village, ligne blanche continue, limitation de vitesse à 40. Luc, depuis la mort de Gérard, a peur du surgissement des autres, dans l'autre sens et de plein fouet. Le deuil de sa sœur a réveillé en lui ce goût du conforme, instinct, nostalgie, qui lui fait se dire comme s'il se moquait de lui-même, arbre, tronc, souche, branches, feuilles et racines « tiens bien ta droite ». Antoine se penche, Eliane se redresse, Christine sourit à ses trois amis, étrangers, et elle étrangère, autant de familles, autant de boulets et de sagas, autant d'espoirs comblés que d'espoirs déçus, tous de même nature, puisque la nature même de l'espoir selon les familles, ces familles, est suspecte. Antoine demande à Luc de stationner devant le bar-tabac « deux minutes seulement. Pour les cigarettes et ton journal. Je leur ai demandé de te garder *Le Monde* ». Luc sera toujours le patron d'Antoine. Antoine a besoin d'avoir un patron. Christine regarde Eliane « tout est pour le mieux dans le pire des mondes ». Eliane sourit. Christine regarde Luc « vous ne trouvez pas ? » Antoine a laissé la portière entrouverte. Bruit de métronome du clignotant, stationnement interdit. Antoine fait vite, ressort en courant, une cartouche de gauloises dans la main gauche, le journal dans la main droite. Eliane murmure « il n'y a plus rien à manger. On se débrouillera ». Antoine se fourgue dans la voiture « j'ai fait vite ? » Démarrage. La maison des Duperin est à la sortie du village, après le monument aux morts, 14/18, 39/45, Indochine et Algérie, le tout en lettres de bronze qui luisent, de nuit, au moment de tourner, sous les faisceaux des phares. Au bout du chemin, une maison qu'Eliane et Antoine n'ont jamais arrangée, broussailles tout autour, lits-cages, douche unique et chaises dépareillées dedans. Chaque année, en arrivant, Eliane dit à Luc, et devant Antoine, « cette maison, nous ne l'arrangerons que lorsque nous serons sûrs de vraiment nous aimer ». Antoine répond, pointant du doigt son épouse « alors, jamais ! » Puis se tournant vers Luc « tu as des nouvelles d'Anne-Marie ? »

Sous la porte, une carte postale envoyée d'Angleterre. Eliane la ramasse, la lit et la tend à son mari « les enfants nous embrassent ». Antoine regarde Luc « et ton fils ? Il ne vient pas cette année ? » Luc répond « non pas cette année ». Pierre a vingt-trois ans et n'a pas écrit depuis l'été dernier. Anne-Marie n'écrit plus, non plus. Parfois Luc a des nouvelles de Buenos Aires, par des clients argentins, qui fréquentent l'ambassade de France. Anne-Marie, dans son rôle d'épouse d'éternel premier secrétaire, excelle dans l'art de recevoir et de réussir un second mariage, coupable d'avoir laissé rater le premier, tout entière dévouée aux jalousies fictives de son polytechnicien. Et nul n'est dupe. Luc se dit qu'il veut quitter Exoudun, rentrer à Paris, en profiter pour ranger l'appartement, classer aussi, au bureau, les dossiers en souffrance, lire un peu quelques livres, qui sait, il ne lit plus, et surtout abandonner Christine, abandonner encore une femme comme il sait si bien le faire, sans raison invoquée, sans aucune explication et le plus brusquement possible. Luc n'aime que l'état de rupture, prélude à celui d'isolement. Il n'aime, dans toute compagnie, que la perspective de la séparation quand chacun reprend sa voie et, selon son expression, « s'y planque ». Une fois, coup de cœur, aveu, ou sincérité dont il avait été le premier surpris, il avait dit aux Duperin « ce que je respecte en vous, c'est la durée ». Mais le seul respect dont Luc se sente capable, quand il s'agit de décider de sa propre vie, est celui, discontinu, du refus de tout autre être. La brosse à dents partagée l'agace. Et ce sac de toile, dans lequel

Christine n'a emporté qu'une paire de jeans, des sous-vêtements qu'elle appelle en riant « vêtements de contact » et deux chemisiers, aussi.

Alors, seul, ayant provoqué la rupture, Luc jouit de se sentir abandonné. Cela le rapproche du souvenir d'Anne-Marie, image fixe, film, d'un mariage qu'il passe et repasse, qu'il connaît par cœur, metteur en scène coupable de montage trop habile, film truqué. Cette jalousie que Luc a vécue, créée malgré lui, constituait un appel, une invitation au conflit passionnel. Luc avait attendu d'Anne-Marie une réponse violente qui ne lui avait été donnée que trop tard. Pierre avait treize ans. Anne-Marie, s'asseyant sur le rebord du lit conjugal, avait dit « voilà, je pars ce soir. Pierre est déjà parti. Il dort chez tes parents. J'irai le chercher demain. Tes parents sont au courant. Ton père a souri. Cécile n'a rien dit. Ils ont compris, eux, que c'était trop jouer avec moi ».

Eliane et Christine prennent leur douche ensemble. Il faut économiser l'eau du puits. Antoine, en slip, attend, debout, près de la fenêtre de la cuisine. Il regarde Luc « toi, tu veux encore partir ». Sans même s'en rendre compte Luc murmure « oui, je pars devant vous, car je veux me promener et rencontrer quelqu'un ». Antoine hausse les épaules, croise les bras, dodeline de la tête « ce que tu viens de dire n'est pas de toi ». Luc se lève, se déshabille et répond « c'est de Bertrand. Tout ce qui est beau est de Bertrand ». Les femmes sortent de la douche, nues, Eliane se cachant un peu derrière Christine. Christine embrasse Luc « à vous », regarde Antoine « à vous deux ». Eliane dit « et nous allons préparer le dîner, comme d'habitude ». Antoine retire son slip et le jette par terre « c'est un reproche ? » Christine répond à la place d'Eliane « non, une constatation ».

Pendant le dîner, plat de nouilles, gruyère râpé, le reste de gruyère, salade tout juste assaisonnée, fond de bouteille d'huile, et fruits, chacun se réjouit un peu, en silence. Ou l'un « on a bien fait de ne pas aller à ce banquet », ou l'autre « finalement cette histoire de dolmen nous a changé les idées », chacun se sent incapable de dire les mots qu'il faut. Il est même question de faire un bridge mais rien de la conversation ne se lance vraiment et, petit à petit, les regards convergent vers Luc, les hommes d'un côté de la table et les femmes de l'autre. La carte postale d'Angleterre traîne avec la cartouche de gauloises et le numéro du *Monde,* sur la table, près du pain. Christine, pour rompre le silence, ou par élan, elle ne sait plus très bien, pose une main sur la main gauche de Luc, en se penchant au-dessus de la table, manquant de renverser un verre et lui dit « je t'aime. Je veux vivre avec toi. Fais-moi aussi confiance ». Alors, Luc embrasse la main de Christine « pardonnez-moi. J'étais ailleurs. J'ai besoin de vous le dire. A tous les trois. Il y a vingt ans, j'ai participé au meurtre de mon frère. J'étais le seul prévenu par mon père. Bertrand avait de très fortes migraines depuis qu'il était enfant et surtout depuis la mort d'un de ses amis. Nous avons utilisé le prétexte d'une tumeur bénigne pour lui faire faire une lobotomie du cerveau qui en principe devait nous le rendre conforme à nos mariages respectifs et, surtout, conforme à un non-scandale dont mon père avait besoin pour devenir ce qu'il rêvait d'être. C'était le 9 juillet, il y a vingt ans. Le retour de Bertrand. Je voudrais bien savoir ce que nous en pensons tous, aujourd'hui. Mon père en premier. Bertrand croyait à une lésion et avait choisi lui-même la date, surlendemain des examens de la rue d'Ulm. C'est tout. C'est comme le dolmen, faut être nombreux ».

Silence. Antoine dessert la table, les femmes font la vaisselle.

Antoine revient, s'assoit, déplie *Le Monde* et le feuillette. En page 7, il s'arrête, liste des promotions à la chevalerie de la Légion d'honneur, au titre des services rendus à l'industrie « dis donc, Luc, tu aurais pu nous prévenir ! » Mais comment se réjouir ? Et de quoi ?

7

Henri, costume, gilet, cravate, boutons de manchettes, eau de toilette du Mont-Saint-Michel, rasé de près, tient la porte d'entrée entrouverte et de l'autre main tend un exemplaire du *Monde* à Suzy « tiens. Tu peux le garder. J'en ai acheté plusieurs en sortant de chez le coiffeur. Regarde en page 7. Tu verras que ton frère n'a pas totalement oublié ses enfants. Au moins un ». Suzy prend le journal, le tient à bout de doigts. Elle veut refermer la porte. Son frère lui dit « non, le taxi attend. Nous avons rendez-vous avec une de mes amies. Nous irons ensuite chez Taillevent ». Suzy regarde son frère « mademoiselle Jacqueline ? » « Comment le sais-tu ? » « Bernadette m'a prise pour elle, une fois, au téléphone. » Henri relève la tête, petit claquement de lèvres et de langue, bruit sec, comme un reproche, début de sourire, crâneur, que Suzy ne lui avait pas vu depuis longtemps. Henri, épinglé, dit

« tu ne vas tout de même pas… » Suzy claque la porte « le taxi attendra ! » Henri a tout juste eu le temps de retirer sa main. La brusquerie de sa sœur l'amuse. Suzy pose *Le Monde* sur une chaise de l'entrée « donne-moi le numéro de téléphone de ton amie ». Henri secoue la tête, fait quelques pas. Pour la première fois, depuis longtemps, il entre dans le salon, cherche la lumière, tâtonne. Suzy lui dit « c'est à gauche. Une habitude à prendre. Les volets sont fermés pour la fraîcheur. Peut-être, aussi, parce que tout ici est défraîchi. Tu vois, je suis en forme ». Suzy allume elle-même la lumière des appliques de chaque côté de la cheminée, et celle du lampadaire près du grand fauteuil de cuir où Jean s'installait, une planche sur les genoux, pour corriger ses pièces et corriger seulement. La correction, c'était là. Henri murmure « rien n'a changé ». Suzy sourit « exact. Rien. Le numéro de cette femme, s'il te plaît ». Henri s'est arrêté au milieu du salon sous le lustre que Suzy n'allume plus parce que neuf des quatorze lampes sont mortes, et qu'elle a le vertige en haut de l'escabeau. Henri murmure « Maillot 53.39 ».

Suzy passe dans sa chambre, laisse ouverte, derrière elle, la porte de communication avec le salon pour qu'Henri entende. Elle saisit le téléphone, fil noué, tordu, le pose sur le lit, s'assoit en prenant garde de ne pas faire de plis à sa robe et compose le 624.53.39, sonneries. Henri apparaît dans l'embrasure de la porte et s'y tient, les poings dans les poches de sa veste. Suzy le regarde, regard d'affection, puis « allô ? Bonjour mademoiselle. Je suis la sœur d'Henri. Henri Prouillan, Suzanne Lehmann ». Silence. Une voix, au bout du fil, bruit indistinct qu'Henri guette et reconnaît. Il voudrait bien savoir ce que Jacqueline dit. Suzy calmement reprend « oui, je suis la femme de Jean Martin. Lehmann est mon vrai nom. Et Suzy, le petit. Je vous appelle pour annuler le dîner de ce soir. Je n'ai pas d'autre excuse à invoquer que celle de la

vérité. Mon frère vient d'arriver chez moi. Je voudrais passer
la soirée avec lui, et lui seul. Tout comme vous le souhaitiez
depuis longtemps, j'en suis sûre. Je fais erreur ? » Bruit
effacé, voix douce de Jacqueline, et celle, douce aussi, de
Suzy, mais la douceur est violente, virulente, s'il le faut. Henri
revient dans le salon. Il entend Suzy reprendre la parole « je
savais que vous le comprendriez très bien. Nous n'avons
aucune raison de nous rencontrer. C'est ce que je peux vous
dire de plus aimable ». Suzy écoute Jacqueline. Henri a envie
de fuir au plus vite, mais l'exemplaire du *Monde* l'arrête, dans
l'entrée, sur la chaise, et il entend « Henri me charge de vous
dire qu'il vous appellera demain. Je ne vous le passe pas,
parce qu'il se cache dans une autre pièce. Il a envie de
s'échapper. Depuis combien de temps ne vous avait-il pas
donné signe de vie ? » Silence. Réponse. « Et il vous a
appelée, seulement aujourd'hui ? » Silence. Réponse. « Il ne
vous a jamais menti, évidemment ? Moi non plus. Nous
aurions peut-être gagné, à nous rencontrer, depuis tant de
temps. » Silence. Jacqueline parle longuement. Henri revient
dans le salon. Près du fauteuil de cuir, table basse, il reconnaît
l'écriture de Jean, sur la couverture d'un cahier « *La
Mainmorte,* pièce en deux actes. Jean Martin ». Il prend le
manuscrit, l'ouvre au hasard, mais Suzy reprend la parole, et
Henri l'écoute. « Merci mademoiselle. Je peux vous appeler
Jacqueline ? Je suis très heureuse de vous avoir parlé. Nous
aurons toujours le premier mot. Une réplique de mon mari. Si
Henri ne vous appelle pas demain, pour la deuxième fois en
sept ans, alors n'attendez plus. C'est la seule manière d'entrer
en communication avec lui. » Petit rire de Suzy. Elle écoute à
son tour puis elle dit « merci Jacqueline. Je vous embrasse ».

Suzy raccroche, laisse le téléphone sur le lit, se lève, regard
furtif dans le miroir au-dessus de la coiffeuse, elle se sent belle
et bien. Elle revient dans le salon, s'approche de son frère,

l'embrasse sur la joue, et lui glisse à l'oreille « on ne peut aimer qu'une personne à la fois. Ce soir, je veux que tu m'aimes ». Elle prend le manuscrit de *La Mainmorte*, le remet à sa place, sur la table basse « ce texte m'appartient. Compris ? Allons, viens. Je t'emmène d'abord dans mon théâtre. J'ai quelque chose à te montrer ». Dans l'entrée, Suzy vérifie si elle n'oublie pas les clés de son appartement, son sac, et de l'argent. Elle ouvre la porte, regarde le numéro du *Monde* « qu'y a-t-il donc de si important en page 7 pour que tu achètes ce journal en plusieurs exemplaires ? » Henri dit « rien », la voix un peu trop nette.

Devant l'immeuble, Suzy va droit au taxi qui attend en double file, paie ce qu'il y a au compteur, en présentant ses excuses au chauffeur « nous voulons marcher, il fait si beau ». Le taxi s'en va. Suzy prend Henri par le bras « nous avons tout notre temps. Tu pourrais me dire que ma robe est belle ». Elle murmure « un peu d'amour, ça ne fait pas de mal ». Henri prend un air habitué, détaché. Ils marchent, en direction du théâtre.

Suzy se revoit, courant, le soir de la mort de Jean, même itinéraire. Le concierge du théâtre lui avait dit au téléphone « venez vite madame, monsieur Jean s'est fait mal ». Au bras de son frère, Suzy se dit que les roues tournent dans tous les sens et s'arrêtent, ou l'une ou l'autre, un hasard, vraiment n'importe comment et qu'elle aurait voulu « rajeunir chaque année d'un an » comme Jean le lui disait à chaque anniversaire. Suzy aurait tant voulu vieillir avec lui. Elle s'accroche au bras d'Henri, mais c'est en fait elle qui guide son frère. Elle lui dit « tu ne trouves pas que nous faisons couple de vieux touristes américains ? » Henri, comme d'habitude, répond « ne me parle pas d'eux ». Suzy alors se tait. Henri lui demande « tu te moques de moi ? »

Ils débouchent place Saint-Augustin, passent devant la vitrine du magasin Berteil, le chapelier des chapeaux feutres d'Henri. Suzy répond « non, je suis heureuse ». Les voici bras dessus, bras dessous, le frère et la sœur, qui le croirait, un miracle du troisième âge ? Le ciel s'est découvert. Un ciel de carte postale et de soleil couchant. Suzy pense aux mercredis de la piscine de Saint-Ouen quand le maître nageur va chercher dans son placard métallique cette pancarte qu'il fixe aux deux rampes de l'escalier qui donne accès au plongeoir, ficelles nouées de part et d'autre, et sur laquelle on peut lire « PLONGEONS INTERDITS POUR CAUSE D'AF-FLUENCE ». C'est en général vers 15 h 30, quand le gros de la troupe est là, les petits comme les grands, se pressant au plongeoir pour sauter, en se bouchant le nez, ou la tête la première, suivant l'âge ou le courage, les plus grands risquant de sauter sur les plus petits. Suzy vit, un mercredi de janvier, une petite fille qu'on réanimait sur le carrelage, bouche à bouche. Et ces enfants qui font la queue au plongeoir, se poussent, grelottent, éclatent de rire, ils ont de si belles dents, jusqu'à ce que, cote d'alerte, le maître nageur mette en place la pancarte. Il lui faut alors faire la chasse aux resquilleurs. L'autre jeu commence. Celui de l'interdit. Suzy se dit « comme aujourd'hui ». Suzy regarde son frère « tu ne sais rien de moi ». Henri ne répond pas.

Alors, le long du boulevard Malesherbes, beau quartier mort, comme la promenade d'un propriétaire et d'une éternelle locataire, Suzy pense à Pilou. C'est son surnom « Pilou » ! Elle se demande s'il reviendra en septembre, avec ce maillot vert amande, impudique, début de triangle des poils pubi-ques, cette manière que le jeune homme, de seize ans à peine, a eue de ne jamais la regarder une vingtaine de mercredis de suite quand elle, Suzy, le regardait lui, Pilou. C'est quoi, son vrai nom ? Pilou sait que Suzy l'observe. Il plonge, sort de l'eau, plonge de nouveau, ressort et ainsi de suite. Il n'arrête pas. Et quand Suzy, comme une petite fille, tourne la tête pour ne pas trop charger le jeune homme de son regard, c'est une charge encore plus lourde, car non seulement elle se refuse un plaisir, mais aussi inquiète le jeune guetté, petit être massif, musclé, cheveux longs, mouillés, plaqués dans le cou, qui a une manière anxieuse de regarder sans regarder. Suzy se dit alors que tous les plongeons de Pilou sont pour elle et elle seule, sauts périlleux, roulés boulés, ou chandelles. De son poste, près du radiateur, elle le regarde prendre son élan, elle le voit de profil, s'émerveille à chaque fois. C'est comme si tous les enfants de la piscine sortaient en hurlant, et en jouant, de son ventre, et Pilou en premier, très jeune homme de l'hiver dernier qui deviendra peut-être le jeune homme de l'automne prochain. Suzy pense « peut-être » parce que l'été ne lui rendra « peut-être pas » son Pilou intact. Pilou qui ne va jamais, lui, dans les cabines et qu'elle a entrevu par la porte des douches « Hommes », en train de se savonner, tout couvert de mousse. Et « Diable sait » que Jean avait un physique malingre. Suzy n'y pensait pas. L'amour comptait et ne regardait plus. Maintenant Suzy porte en elle l'image de Pilou, comme elle porta celle de Sylvain, Pipo, et d'un certain Philippe. Elle se dit que Jean a été comme ceux-là quand il avait seize ans, et qu'elle aurait bien voulu le prendre dans ses bras à cet âge-là. Il est bon d'imaginer en ne faisant que regarder le présent. Suzy ne veut perdre aucun de ces plongeons qui lui sont dédiés, à elle, sœur, fiancée, amie ou mère dans l'esprit du jeune homme. L'important c'est d'être attentive. Et de garder l'image dans l'œil, jusqu'au revoir de septembre, si revoir il y a. Qui est le voyeur de qui ? Qui joue avec qui ? Et Suzy au bras de son frère, il faut tourner rue Berlanger, bientôt le théâtre, éclate de rire « si tu ne me dis rien, mon petit Henri, tu me connaîtras encore moins ».

Suzy n'a croisé le regard de Pilou que le premier mercredi.
Depuis, il évite. Ils ne se sont jamais parlé. Une fois, ils sont
sortis ensemble de la piscine, comme on se sent doux et chaud
à ce moment-là, dehors, surtout l'hiver. Pilou était parti en
courant. Suzy revoit Bertrand, sortant de la Baïse, baignade,
près de Moncrabeau, nu, ne se couvrant pas le sexe et
adressant, à sa tante, un de ces baisers du bout des doigts,
violents et sonores dont il avait la fantaisie et le secret. Jean
disait de cette vie de famille « ce n'est qu'un drame enroulé
qui ne cesse pas de se dérouler. Il suffit d'écouter la musique.
Il y en a une. Dissonante et juste ». Et dans une de ces lettres
que Bertrand avait envoyées à Romain Leval, et qui,
disposition testamentaire, furent remises à Jean, Bertrand
écrivit « mon cher Romain. A souhaiter vivre de plus beaux
jours encore, on oublie trop facilement les jours heureux qui
coulent. Je voudrais bien passer un jour, un jour entier avec
toi. Mais, ils disent tous mais, autour de moi. Ils me tiennent
avec ce mais-là, et j'ai choisi tu le sais, non pas de fuir, faire
semblant, mais, mon mais à moi, de réunir et d'affronter ».
Suzy se surprend à connaître ces images et ces textes par
cœur. Cette mémoire qu'elle n'avait pas en scène, elle devait
l'avoir ensuite, dans la vie. Pilou, Romain, Bertrand et Jean,
ses hommes ! Voici le théâtre, la façade, les affiches de
« Relâche, réouverture en octobre », la date n'est pas
précisée, ni le titre de la pièce. Suzy se dit « ce sera *La
Mainmorte,* et rien d'autre ». Le concierge regarde la télé.
Entrée des artistes. Il se lève, serre la main de Suzy
« monsieur Stein vient de partir ». Il regarde Henri, le salue
« on ne vous voit pas souvent par cette porte, monsieur ».

Henri ne comprend pas pourquoi sa sœur ne lui a pas parlé
pendant tout le chemin, pourquoi Suzy a eu l'air si heureuse,
brusquement, pourquoi elle l'emmène là, pourquoi Jacque-

line, Bertrand ? Il se réjouissait en arrivant chez sa sœur de lui annoncer la promotion de Luc à la Légion d'honneur. Henri a si bien veillé à ce que la proposition de nomination ne reste pas un an de plus dans le dossier de l'actuel ministre de l'Industrie et du Commerce. Il a fait ce qu'il fallait, et fait signer qui devait signer. Les honneurs n'ont d'autre importance que celle qu'il a bien voulu leur donner en ne leur donnant pas. Tout comme il pense qu'il n'a, d'histoire et de famille, aucun intérêt si ce n'est celui du moment, et du qui sait pourquoi, ne pas avoir su aimer, celui du pourquoi, et du sait comment, avoir eu un pouvoir. Le pouvoir. Il s'était souvenu, alors que Suzy se taisait, accrochée à son bras, aussi attachée à ne pas vouloir rencontrer Jacqueline qu'à se perdre dans des pensées apparemment jouissantes dont elle seule avait le secret, du sujet donné à son examen d'entrée à Sciences-Po. Il était de Montesquieu. « *Quand, dans un pays, il y a plus d'avantages à faire sa cour qu'à faire son devoir, tout est perdu.* » Sujet on ne peut plus dangereux parce que sans ride et sans prise, d'une telle évidence qu'il n'appelait ni thèse ni antithèse et encore moins de synthèse. Henri s'était souvenu de ce qu'il avait écrit spontanément, au brouillon, en marge d'une feuille jaune, avant même de dresser un plan : « Montesquieu = visage lisse. » Il lui faudrait donc disserter sans trop abonder dans le sens de l'auteur, risquant de fâcher ceux-là des correcteurs qui eux-mêmes avaient gagné leur pouvoir côté cour, et jouer sur le fait que chacun d'entre eux prétendait, côté jardin, avoir fait son devoir. C'était bien le sujet de la diplomatie du pouvoir, art de créer du vide et de ne jamais se laisser situer nulle part. Faire la, ou les cours, et ne surtout jamais prendre parti. Henri et Suzy passaient place Saint-Augustin devant les vitrines du chapelier. Henri venait de se rendre compte qu'il était sorti sans manteau et sans chapeau, pressé, et heureux à cause de la nouvelle du *Monde*. Il se disait aussi que Suzy ne l'avait provoqué l'après-midi que pour mieux taire, tout taire comme toujours, le soir venu.

Henri avait réussi sa dissertation. Il l'avait composée avec l'esprit de cette IIIe République qui, de nos jours, sous-tend toujours tout, plus violemment puisque secrètement, et qui alors, en 1924, faisait fureur, s'exprimait dans toutes sortes de paradoxes feutrés que l'on rendait moraux à défaut de pouvoir les armer politiquement, différemment. Il ne s'agissait que de prouver à l'examen préalable la capacité de s'adapter au milieu existant de la politique, de contester au niveau de l'intention et du geste, mais surtout pas au plan de la structure. Dans cette dissertation, Henri avait glissé des pensées parfaitement lisses, elles aussi, et pourtant flagrantes telles que « toutes les raisons pour lesquelles nous devrions nous blâmer sont en fait toutes les raisons pour lesquelles nous nous aimons » ou « comment faire pour que la sincérité ne soit pas prise pour une rancœur et l'aveu pour une vanité ? » Il disait nous déjà, et pour cela, sans doute, il fut reçu dans un rang honorable. Il disait aussi, par peur de la rancœur et de la vanité, inquiétude et désir de pouvoir. Il réglait déjà sa sincérité et le procédé de ses aveux sur l'image reçue par les autres et non plus sur l'image donnée aux autres sans se soucier de l'effet produit.

Comme Suzy semblait joyeuse de cette promenade, comme elle avait l'air belle dans cette robe blanche, rose de tissu flanquée à la taille, sac-pochette à la main. Et comme le sac avait l'air fané par rapport au reste, usé presque. Suzy aurait dû faire attention. Henri s'était dit avec un bonheur qu'il croyait égal et de même nature que celui de sa sœur « rien n'a changé. Et c'est miracle, même si la France vit dans le chaos politique ». Il avait alors pensé à Bertrand, si fort à ne pas condamner, si convaincu de la fragilité des idéologies et qui

avait choisi de tout combattre « en son sein » et « dans l'œuf »
tout comme il lui avait dit de sa sensualité « je n'ai rien à
t'avouer. Pourquoi t'avouerais-je ce que je ne considère pas
comme une faute ? Je veux vivre une différence tout comme
d'autres, ne te fâche pas, tu es de ceux-là, trouvent leur
identité dans l'indifférence et se font les coolies du pouvoir
établi. Se reproduire dans l'amour porté à l'autre et que
l'autre vous porte peut suffire ». Henri avait écouté Bertrand.
Il l'aimait comme on peut aimer un ennemi. Il se disait, aussi,
adage de la bonne conscience, que Bertrand, en n'avouant pas
son désir de voir se modifier les structures de la société, en
affirmant sa volonté d'être tout entier dans sa sensualité,
aurait toujours pour lui ce bénéfice du doute dont rêve chaque
coupable quand, coûte que coûte, bravant interrogatoires,
procès et confrontations, il n'avoue jamais. Non seulement
Bertrand semblait plus attaché à se rabaisser pour être à la
hauteur de Normale Sup qu'à se soucier d'on ne sait trop
quelle altitude du savoir et de la connaissance, non seulement
Bertrand n'avouait ni ses desseins ni ses amours, mais il
exposait et justifiait le refus de tout aveu. Henri avait un fils
dangereux. Et quand parfois Bertrand ne se montrait pas, à
table, au repas du soir, enfermé dans sa chambre, tenu par de
violentes migraines, Henri s'inquiétait devant Cécile, pour la
forme, mais du fond de lui-même se réjouissait. Il y aurait
bien une manière de guillotine pour ce coupable dont le doute
était la seule et unique certitude et qui inspirait à Claire, à Luc
et à Sébastien toutes sortes de « on ne peut pas être sincère et
le paraître » ou de « c'est à qui, des enfants ou des parents, de
nous ou de vous, c'est à qui héritera de l'autre ».

Henri avait attendu les mariages des aînés, et le suicide de
Romain Leval provoqué par la peur d'une accusation de
détournement de mineur, pour attaquer Bertrand. Il fallait le
remettre sur un droit chemin. Henri avait su attendre le

moment voulu. Ecarté du premier gouvernement de 1958, on se devait de l'appeler dès le premier remaniement ministériel. Bertrand chassait le souvenir de Romain en sortant la nuit, toutes les nuits. Henri l'avait fait suivre et des adresses lui avaient été données de bars, de bains et surtout de parcs et de buissons, dans et à l'orée de Paris, tout cela finissait dans des terrains vagues. Le visage de Bertrand se creusait. Son regard était celui de la traque. Ce qu'il venait de perdre avec un être, Romain, de douze ans son aîné, il le cherchait dans la nuit et le désordre des gestes furtifs sous la double menace de la police des mœurs et de celle des loulous de banlieue. Henri n'osait plus parler à son fils. Tout discours était devenu inutile. Jusqu'aux jours de mars où Bertrand ne quittait plus sa chambre. Henri lui avait, ce qui était peu habituel, rendu visite dans sa chambre et, s'asseyant sur le rebord du lit, posant une main sur le front brûlant de son fils, lui avait dit « tu ne peux pas continuer ainsi. J'ai une chose à te proposer ». Sans doute Bertrand, ému par l'irruption de son père et le geste, comme un premier geste, enfin, un regard aussi, un de ces regards qu'il avait attendu au-dessus du berceau et qui se posait, dix-neuf ans plus tard, avait-il, ému, accepté d'écouter son père sans se méfier. Aujourd'hui, Henri, pour ne pas se sentir coupable, se dit que Bertrand savait, avait compris, choisi, décidé de lui-même, passé l'examen qu'il réussirait haut-la-main, et du premier coup, d'aller à Barcelone pour le coup de bistouri.

Henri n'a pas peur de Suzy. Elle peut tout faire, tout dire. Luc, Claire et Sébastien peuvent attaquer. Henri a pour lui la certitude d'avoir toujours agi par amour. Un amour entièrement tourné vers lui-même. On peut lui jeter la pierre. Cet affront lui donnerait encore plus raison dans l'idée qu'il se fait de son amour porté et du désir qui l'animait de sauver un fils. Le chirurgien de Barcelone affirmait un résultat et une guérison. Henri sourit. En bas de l'escalier qui conduit aux loges des seconds rôles, Suzy lui dit « c'est ici que Jean est mort. Viens ! » Elle le prend par la main, pousse une porte sur laquelle on peut lire « Silence, défense de fumer » et l'entraîne en coulisses. Derrière la porte, l'armoire électrique. Suzy allume tout, de gauche à droite et de haut en bas, leviers baissés un à un. Dans le théâtre et sur scène, appliques, lustres, rampes, projecteurs, tout s'éclaire, inonde de lumière. Suzy respire profondément. La scène est encore plus vide que la salle. La salle tout habillée de velours rouge et gris semble observer la scène nue, mur de fond lépreux, porte médiane qui donne sur la cour arrière du théâtre sans doute conçue pour un extraordinaire va-et-vient de décors, spectacles en alternance. Or Jean avait le goût des décors uniques et des pièces qui duraient le temps d'au moins une saison, parfois deux et souvent plus. Les décors ternissaient de jour en jour mais le public renouvelé de chaque représentation ne s'en rendait pas compte. Suzy prend une chaise, la place au milieu de la scène et fait signe à son frère d'aller s'asseoir dans la salle. « C'est tout, sauf un jeu, Henri. J'y tiens ! » Et elle se sent, sur la scène, dans la scène, comme dans les bras de Bertrand, sortant de la Baïse, ou dans les bras de Pilou ou ceux de Jean. Tant de bras sortent de ses bras. Elle règne.

« Où », silence, « est », silence, « Bertrand ? » Henri a pris place, au septième rang, premier fauteuil en bordure d'allée centrale. Suzy répète très distinctement « où », silence, « est », silence, « Bertrand ? » Henri murmure « mais... », début de protestation, Suzy sait très bien où se trouve Bertrand. Henri ne dit rien d'autre. Il se tient droit, les coudes sur les accoudoirs, mains pendantes. Le fait qu'il y ait autant de lumière dans la salle que sur scène le gêne. Il attendait trop cette question. Il aurait préféré se rendre chez Jacqueline, laisser les deux femmes se rencontrer et régner, lui aussi, ne se

livrant ni à l'une ni à l'autre. C'est la robe de Suzy qui l'a
entraîné à accepter le jeu de cette soirée qui commence, robe
blanche, comme celle qu'elle portait le jour des noces avec
Cécile. Ce jour-là, Cécile et Suzanne étaient belles. Les jours
de mariage donnent aux visages et aux corps des femmes plus
d'attraits et de charme. Henri avait, au moment de quitter
l'église Saint-Ferdinand, en haut des marches, il fallait poser
pour le photographe, hésité entre sa femme et sa sœur. Il ne
s'était donc pas aperçu de l'amour porté par Suzy et ne vivrait
que peu celui, effacé, présent que Cécile allait lui offrir, pour
ne s'en rendre vraiment compte qu'au moment sans espoir où
elle commencerait à perdre ses cheveux, derniers mois,
premiers gestes affectueux, trop tard.

Henri ferme les yeux. Les rouvre. Suzy, en scène, assise sur la
chaise, robe bien disposée de part et d'autre, mains croisées
sur les genoux, paumes tournées vers les cintres, bien droite,
attend qu'Henri la regarde pour répéter encore plus distinctement « où », silence, « est », silence, « Bertrand ? » et
ajouter, même mode, mêmes césures, « vit-il encore ? »,
silence, « et comment ? »

Henri regarde les fauteuils vides, devant lui, les loges
d'orchestre avec ces chaises de second rang que Jean appelait
« girafes » et qu'il fallait si souvent réparer « c'est bon signe.
Ils rient ! » Henri, lui aussi, était au second rang, sur le perron
de l'Elysée, en route pour dix-sept mois seulement. Le temps
de prendre les contacts nécessaires avec ceux des responsables
de l'administration, un cran ou deux en dessous, qui restent
en poste alors que passent les ministres et les gouvernements.
Le temps ensuite de jouir de ses nouvelles fonctions, de
s'offrir quelques revanches sans en avoir l'air, et de distribuer autant de faveurs que de discours épatants et martelés.
Le temps enfin de comprendre qu'au jeu de distribution des

portefeuilles on ne pouvait gagner qu'un temps. C'était
« l'euphorie des années 60 ». Il fallait vite laisser la place à un
suivant, boucler des dossiers et se dire « j'aurai la retraite de
ministre ». Ministre alors on le reste dans l'esprit des gens
parce qu'on l'a été. On l'est même plus encore quand on l'a
été que quand on l'était. Jean disait des hommes politiques
« ce ne sont que des adorateurs de cadavre. Ils ont des
jumeaux partout. Ils ne se reproduisent que dans ce qui est
reproduit, copies conformes, mortes ». Henri se redresse dans
son fauteuil. La mémoire est fugace. On croit qu'elle fait
défaut et puis elle cite, précisément, crache à la gueule, et
lance de nouveau, répétant ce qui aurait dû être écouté en
temps voulu.

Henri joint les mains, croise les doigts sous son menton. Il
regarde Suzy, droit dans les yeux. La table est retenue, à
20 heures, chez Taillevent. En quittant la place d'Antioche, il
a dit à Bernadette « voulez-vous que je vous allume la
télévision ? » Elle n'ose, toujours pas, le faire, seule.
Bernadette a répondu « je vous remercie. Non. Je voudrais
seulement passer la soirée dans le salon, ouvrir les portes-
fenêtres, comme Madame Suzy, cet après-midi. Cela me
ferait plaisir de me tenir là. Aujourd'hui surtout ». Et Henri,
Le Monde à la main, était sorti vite. La laisse pendait attachée
au collier. Bernadette avait refermé la porte si doucement
qu'Henri, marches de l'escalier, hésitant, le pas étouffé par la
moquette, main sur la rampe, ne s'était pas entendu soupirer.

Suzy, en scène, murmure « je t'aime, Riquet. Il faut que tu
m'écoutes ». Henri lance, de la salle, la voix nette « je
t'écoute, Suzy ! Bertrand est à Moncrabeau, et tu le sais. Je
sais aussi que ce n'est pas la réponse. Je sais encore que vous
m'avez tous, complices, laissé seul, dans cette histoire. En me
reprochant d'agir en propriétaire, vous me teniez en pro-

priété. En m'accusant d'agression, vous vous comportiez en agressés. C'est le rôle forcé du père, du frère aîné. C'est ainsi que vous tous, y compris Cécile, Bernadette ou Pantalon, m'avez conduit à faire ce que j'ai fait. Je n'aime pas cette mise en scène, ici, maintenant. Je n'ai jamais eu besoin d'une scène pour m'exprimer. Comment savoir si Bertrand, infirme, c'est atroce, mais il m'arrive de le penser, n'est pas plus en accord avec lui-même maintenant qu'avant ? Toutcomme je ne te reconnais pas depuis la mort de Jean. Je ne t'ai jamais vue si bonne en scène. Pourtant l'éclairage est fixe. Il n'y a pas de décor. Tu es belle. Je ne me reconnais pas, non plus, depuis la mort de Cécile. C'est également atroce, mais je me suis mis à l'aimer vraiment quand j'ai compris que tout était fini. Il y a un fauteuil chez toi, dans ton salon, et un fauteuil chez moi, dans le mien. Nous avons au moins un fauteuil en commun. L'humour n'était pas le privilège de Jean. L'humour, c'est aussi de jouir en se taisant. Contente ? Je parle. Et tu te demandes comment tu vas me contredire. Tu crois encore qu'il faut contredire pour dire et exister. Tout comme Luc, Sébastien et Claire ont choisi, par l'écart, d'être contre ce que je disais. A toi, Suzy, je te renvoie la balle. Les fauteuils vides écoutent. Tu ne trouves pas ? »

Un instant, Henri a pensé s'en tenir aux « fauteuils vides qui écoutent », fin de harangue, mais le vide dénoncé de la salle venait de lui faire peur, aussi a-t-il ajouté l'inutile, « tu ne trouves pas ? » Cette hésitation a fait sourire Suzy. Elle croise les jambes, croise les bras, pousse du pied et se balance sur la chaise, oscillant, jouant inconsciemment avec un équilibre comme Pilou quand il prend son élan, sautille un peu, vérifiant la souplesse et le répondant de la planche du plongeoir. Il y a un début d'écho, dans les théâtres vides, l'écho des pièces qui n'ont pas eu de succès, l'écho des coulisses à nu. Et dans cette position qui n'est plus celle d'une femme qui joue à la femme, Suzy lance sa voix clairement, la voix qui vient du ventre, et dit comme au fouetté « quand tout est allumé dans ce théâtre, scène et salle en même temps, chaque minute me coûte une fortune. Près de 800 F l'heure. C'est cher pour une répétition. A moins que nous ne soyons en train de jouer la grande scène des aveux. Pas celle des adieux, celle du grand bonjour. Bravo, bravo Suzy ! Tu peux sourire, mon petit Riquet, je me dis bravo. Quand on commence à ne plus mettre les mots à leur place habituelle, tout devient tentant, un début de vie, même si on dit, d'abord, petitement, rien que le contraire de ce qui se dit normalement. Je paye l'électricité en ce moment. Je paye cher aussi d'avoir épousé un Lehmann. Suzy Lehmann, trait d'union Prouillan, te dit : parle encore, ce soir j'offre. Je te laisserai tout de même l'addition chez Taillevent. Je t'offre aussi la robe que je porte. Et mes chaussures neuves. Tu as eu une drôle de manière de regarder mon sac, au coin de la rue Berlanger. Alors, comme tu me dois une cinquantaine de cadeaux d'anniversaire, choisis-le en croco, un vrai croco que je puisse faire au moins un petit effet en entrant à l'hospice. Ça et les manuscrits de Jean, c'est tout ce qui me restera. Je ne plaisante pas, et tu le sais. Si je vends le théâtre, si je vends tout, il n'y aura même pas assez pour rembourser les dettes. On vient aussi d'augmenter le loyer du boulevard Haussmann, 15 % d'un coup. Les loyers sont libres. Tout est libre. Même toi. Tu peux partir si tu le veux, maintenant. Maillot 53.39, ça ne sonnera certainement pas occupé ».

Suzy arrête de se balancer sur la chaise. Elle décroise les jambes, se tient droite de nouveau, renverse son visage en arrière, pleine lumière des cintres, et murmure « au théâtre, on répète toujours dans le noir. Avec une ampoule. Ou deux si l'auteur veut suivre son texte de la salle. On répète dans l'ombre. Le savais-tu ? On ne règle en fait les éclairages qu'au dernier moment. Et le metteur en scène doit en tenir compte. Il doit trouver dans l'ombre les gestes de la lumière. Et les acteurs aussi doivent, dans cette nuit, placer leur voix au grand jour ». Suzy regarde Henri « c'est ce que nous venons de faire pendant vingt ans, oui ou non ? »

« Dans cette salle, plus on murmure, plus on est entendu. C'est une vraie salle et c'est ça notre théâtre. On a alors un peu le vertige. » Silence. Suzy se caresse les bras, puis alternativement les poignets. Elle baisse les yeux « je n'ai plus rien, Riquet. Plus rien pour continuer. J'ai besoin d'argent ». Elle regarde son frère « je veux continuer ! » Elle sourit « je veux que les pièces de Jean soient jouées. Ce soir, en rentrant, je lirai le manuscrit que je t'ai retiré des mains, tout à l'heure. Comme ma robe, les chaussures et pas le sac, je veux du neuf, de l'inédit, et plus du reste. *La Carambole*, c'est fini. Ce sera, je le sais, *La Mainmorte* et tu vas me donner l'argent qu'il faut pour créer cette pièce. Tu veux savoir, aussi, toi, non pas pourquoi, mais comment, comment tout a pu s'enrouler pour n'en finir jamais de se dérouler. C'est de Jean. Tu le sais. Ton petit juif aura le premier mot ».

Suzy se lève. Henri s'est penché, les avant-bras sur le dossier du fauteuil, devant lui. Suzy tourne autour de la chaise, la soulève, la fait tourner à bout de bras autour d'elle, curieux pas de deux. Puis elle arrête, pose la chaise de travers. Henri voudrait se lever, mais s'il se lève, il accepte. Suzy va s'adosser au mur du fond de scène, mur de briques, lambeaux d'affiches. Elle a ramassé son sac. Elle vient d'allumer une cigarette. Elle jette le sac devant elle, par terre en direction d'Henri. Elle a l'air loin, tout au fond. Henri se dit qu'elle fait un peu vieille pute qui n'attendrait plus personne. Il crie « c'est fini ? » Suzy répond « parle normalement. Tu n'as donc rien compris ? Je sais à quoi tu penses en ce moment.

C'est pas moi. C'est le théâtre qui veut ça. L'idée que tu te fais du théâtre. J'attendrai que tu me dises oui jusqu'à ce qu'il y ait plein de mégots, autour de moi. Plus de clients ? Tu es le dernier ! Vas-y, Riquet. La balle est dans la salle ». Suzy éclate de rire et fume en faisant de grands gestes.

Alors Henri se lève, tourne le dos à la scène, fait quelques pas dans l'allée centrale, s'arrête, hésite, veut faire face, non, il continue, tête baissée, des deux mains pousse les battants de la porte de l'orchestre, et disparaît. Du fond de la scène, Suzy l'attend. Elle n'a pas besoin de le voir pour savoir qu'il monte au foyer, qu'il longe le bar, emprunte l'escalier du second balcon, s'arrête, redescend, va d'un bout à l'autre du couloir, en demi-cercle, regarde distraitement, dans les petits cadres accrochés au mur entre les portes des loges, les projets de décors et de costumes de toutes les pièces créées et produites par Jean. Il se balade. Il prend l'air. Il réfléchit et c'est tant mieux. Suzy, du boulevard Haussmann, entendrait quelqu'un entrer dans son théâtre la nuit, pourrait le suivre à la trace, le surveiller. Mais dans un théâtre vidé de ses spectateurs, il n'y a rien à voler que du velours usé, du velours rouge, de ce rouge caressé du pas, de la main, du regard et qui n'a jamais vu que la lumière des spectacles, « la seule peut-être véritablement à éclairer la vie », parole de Jean. Cette couleur, Suzy s'y roule du regard. Elle hume son parfum de salle. Ici, aussi, ce sera la rentrée. Et si Pilou plongeait du second balcon ? Elle sourit. Maillot vert amande. Elle appelle au secours ses hommes, une bouffée de cigarette à l'un, une bouffée de cigarette à l'autre, elle fume nerveusement. Henri est derrière la porte d'entrée du balcon. Il va revenir. Il avait besoin d'être au-dessus d'elle pour continuer à parler.

Henri revient. Il descend les quelques marches du premier balcon et se tient debout, face à Suzy qui fait semblant de ne pas le voir, tourne la tête de droite, de gauche, comme s'il y avait du monde en coulisses, tant de témoins prêts à faire irruption, tant de comédiens anxieux à l'idée de rater leur entrée. Pour Henri, la sensation est étrange. Il s'est souvent trouvé face à un auditoire dénonçant le mensonge du discours politique qu'il allait prononcer, l'illusion des promesses, soulignant en préambule le danger de « ce procédé toujours efficace, auprès des sots, de la calomnie et de l'amalgame ». Mais là, les fauteuils sont vides. Les fauteuils vides lui tournent le dos. Ils écoutent, mais ils semblent n'écouter que Suzy. Combien de fois aussi l'ex-ministre, académicien de sciences dites morales et politiques, assuré de retraite et d'honneurs, a-t-il pu, devant des salles bourrées de notables, débuts de calvities, chevelures grises, blanches, dormant ou somnolant élégamment, annoncer les méfaits du chaos politique, dire que « les idées ne sont pas indépendantes des hommes qui en accouchent », suggérer que « les idéologies ne sont pas les licioles de l'Histoire », souligner au lendemain de certaines élections que les résultats traduisaient de plus en plus nettement « le discrédit grandissant de la pratique politique des grands partis », discrédit auquel « la gauche semble moins participer, mais semble seulement », saluer l'éclosion des petites listes électorales prouvant que plus de deux millions de Français « souhaitent changer la règle du jeu politique », narguer l'arrivée des femmes dans les gouverne- ments et lancer que « l'image de la mère rassurante fonctionne bien en période de crise et d'inquiétude » ? Henri n'a jamais été écouté. Les auditoires, de face, ne s'extirpaient de leur torpeur que pour applaudir par principe. Il n'y avait donc ni nouvelle droite, ni vieille gauche, mais rien que des politiciens attachés à un jeu, hors de la réalité sociale, et entièrement livrés à ce qu'ils considèrent comme primordial, leur place à tenir, rien que la place. Les « plus de deux millions de Français » qu'Henri citait en exemple, et qui

voulaient « changer la règle du jeu politique », n'étaient,
réflexion faite d'avance, composés que de ceux-là, intellec-
tuels, qui ne font que bâtir en pensée et qui reculent toujours
devant l'expérience. Et ainsi de suite. Henri se répète le sujet
traité en 1924 « quand dans un pays il y a plus d'avantages à
faire sa cour qu'à faire son devoir, tout est perdu ». Il doit
bien rigoler, Montesquieu, dans sa tombe. Henri secoue la
tête comme s'il voulait chasser des pensées, des images.
Homme de droite, lui ? Non. Homme de racines et d'hérita-
ges ? Oui. Il se dit aujourd'hui que même lorsqu'il faisait son
devoir, les autres, à ne pas l'écouter, lui faisaient faire sa cour.
Chaque fois qu'il a pris le risque de l'analyse et de la
pertinence, celui aussi de l'annonce de la crise qui ne pouvait
que succéder à l'euphorie, il n'a donc, résumé de vie, que joué
le jeu des bonnes consciences quand elles dénoncent,
annoncent pour mieux oblitérer et ne pas tenir compte, quand
elles soulignent pour mieux gommer, quand elles informent
pour taire, et enterrer. La fête continue. Bravo Etienne
Marcel et bravo Suzy ! Henri redresse la tête, les mains sur le
rebord du balcon, comme une bête qui vient de boire, et
murmure « tu peux me demander tout ce que tu veux, Suzy,
je te le donne ».

Suzy écrase son mégot du bout du pied, allume une autre
cigarette. Dans son dos nu, entre les bretelles de strass, elle
sent le froid des briques du fond de scène. Dans un film, elle a
vu une dame se lever de table, le dos marqué du dessin du
dossier métallique de la chaise qu'elle quittait. C'était drôle.
Henri précise « tout. Mais je ne veux pas de ton cousin pour
gérer l'argent que je te prêterai ». Silence. Suzy sourit. Henri
poursuit « je veux seulement un droit de regard. Je n'ai rien
contre David. Je lui fais trop confiance. Et toi aussi. Toi aussi
Suzy, n'est-ce pas ? Dis oui ! » Suzy murmure « oui » et elle
se met à marcher en riant, sur la scène, autour de la chaise,

autre ballet. Elle danse. C'est un peu ridicule, elle le sait.
C'est un bon moment et elle le vit sans penser à ce qu'elle fait.
Besoin de bouger. Elle revient vers le fond de scène, adossée
de nouveau au mur, deux trois bouffées de cigarette, elle
réfléchit, hausse les épaules, lève la tête, regarde les cintres,
les projecteurs. Il y a encore quelques décors pendus et
surtout le rideau de fond, en velours noir, qui n'est pas
descendu depuis la mort de Jean. On avait placé son cercueil
là, à peu près à la place de la chaise, et les visiteurs des
condoléances, hommage, passaient tous par l'entrée des
artistes. Suzy regarde son frère, tout au-dessus, en surplomb,
et le pointe du doigt « mais demain, tu ne me feras pas faux
bond ? Tu ne me diras pas que tu n'as plus d'argent ? » Henri
répond « promis ». Il se tourne, gravit les trois marches du
premier balcon « j'arrive ».

Sitôt la porte d'accès au premier balcon refermée, Suzy
s'assoit sur la chaise, de trois quarts, un coude sur le dossier,
comme si elle allait se mettre à sangloter. Cette salle, son
théâtre, vient de gagner encore une partie, et elle, dedans,
comme une balle dans une valise vide, image de cauchemar,
ce cauchemar qu'elle fait quand rien ne va plus très bien. Elle
marche sur un quai de gare, une valise à la main, et une balle
dans la valise qui n'arrête pas de rebondir sur les parois, Suzy
sait, dans le rêve, que Jean l'attend au bout du voyage, mais il
n'y a pas de train, et il n'y a que le quai, sans fin.

Henri se dit, aveu secret, rectificatif, qu'il n'a jamais su vivre
qu'après ce qu'il aurait dû vivre pendant et qu'en cela il est de
droite éternelle, si peu nouvelle, et surtout tenace. Il dit à voix
haute en descendant l'escalier qui conduit à l'orchestre « nous
ne savons vivre qu'après ce que nous aurions dû vivre
pendant. C'est ce qui nous tient de génération en génération.

C'est ce qui te condamnait, Bertrand ». Henri voudrait être fier de ce qu'il vient de dire, dans le vide.

Un praticable, au bout de l'allée centrale, quelques marches et la scène. Henri embrasse sa sœur sur le front « n'aie pas peur, nous allons nous ruiner ensemble ». Suzy se lève. Henri la suit. Un à un, Suzy baisse les leviers du tableau, nuit, petit à petit, elle ferme l'armoire électrique, prend la main de son frère « viens, c'est par là, attention, il y a deux marches, il faut tourner à gauche ».

De la loge du concierge, elle téléphone à David. « Luce ? C'est Suzy. » Silence. « Oui, j'ai acheté la robe. Nous en reparlerons. Peux-tu seulement dire à David qu'il annule tout et qu'il prenne rendez-vous avec Ferrier pour une lecture. Je dis bien une lecture. Oui, un inédit de Jean. Demain, chez moi. Merci. » Suzy raccroche, serre la main du concierge et dit à Henri « allons-y, j'ai faim ».

8

20 heures. Bernadette a fini de tout ranger, mais ce n'est là qu'une manière de parler. Elle se le dit à chaque fois. Elle le disait aussi à Pantalon, plutôt que dans le vide de l'office ou de la cuisine. Quand tout est rangé, nettoyé, placé, encaustiqué, propre, net, il faut déjà recommencer. Bernadette disait en riant, lorsque Madame lui faisait reproche d'un oubli « cette maison, c'est la tour Eiffel ! » Cécile n'eut jamais la curiosité de savoir d'où venait cette image. Bernadette, peu après son arrivée à Paris, Luc venait de naître, avait appris à lire dans un numéro de *L'Illustration* dans lequel un article était consacré aux « peintres de la tour Eiffel », ces « saltimbanques » et « amoureux du vide » qui « sitôt en haut devaient recommencer en bas ». Et quand, quelques années plus tard, un jeudi après-midi, Bernadette avait emmené les trois aînés visiter la tour, et avec ordre de ne monter qu'au

« second étage et pas plus haut », elle avait guetté les ouvriers suspendus aux poutrelles, comme sur les photos, et ne les avait pas vus. Ils étaient peut-être tout en haut.

Bernadette, en ce début de soirée, portes-fenêtres du salon grandes ouvertes, toutes lumières allumées, tant pis, Monsieur ne reviendra pas de sitôt, autant en profiter, se dit que tout est rangé, qu'elle est en haut, tout en haut et qu'elle ne veut plus jamais rien recommencer. On n'oublie pas les textes dans lesquels on a appris à lire. Bernadette a même l'impression de n'en avoir lu qu'un seul, celui-là. Elle prend place dans le fauteuil de Cécile. D'un geste instinctif elle cherche à caresser la tête de Pantalon, comme Madame le faisait, les derniers temps, sans même regarder son chien, pour le contact.

Bernadette se sent bien parce que abandonnée. Si le chien n'est plus là, à quoi bon continuer ? N'a-t-elle pas entendu Luc dire, en 1968, peu avant les vacances, un repas de midi qui avait été animé, de passage à Paris Sébastien donnait des coups de poing sur la table, Monsieur avait l'air tout rassuré, « après tout, que veulent-ils changer ? Les domestiques, désormais, sont caissières de supermarché ». Sébastien avait traité son frère de « con », et ajouté « en plus, tu as raison ». Et se tournant vers le chien « pas vrai, Pantalon ? » Eclats de rire. Témoin de cette famille, Bernadette a eu souvent l'impression de jouer un rôle plus important que celui qui, en principe, lui était dévolu. Quand elle servait à table, son arrivée avec les plats interrompait presque toujours une conversation qui, selon Luc, Sébastien, Claire ou Bertrand, « partait mal » et ne « mènerait nulle part ». D'un regard, les enfants lui disaient comme merci d'être arrivée au bon moment. Et lorsque Henri posait les questions dramatiques des bulletins trimestriels, des « trop mauvais résultats aux

compositions », il aurait voulu que ses enfants fussent
toujours premiers, Bernadette se tenait dans un coin de la
salle à manger, sans raison de rester là, pour gêner Monsieur
et calmer ses colères. Même Cécile la remerciait. Prestation
de service. La servante de *La Carambole*, elle aussi, entrait
toujours quand il ne le fallait pas, mais elle parlait trop, quand
elle, Bernadette, dans la réalité, a choisi de parler en se
taisant.

Ce soir, silence encore respecté et plus de silence encore
puisque Pantalon n'est plus là, dans le salon illuminé, tout
ouvert sur la place, qui respire « à pleins poumons morts »
disait Bertrand quand on ouvrait les fenêtres. Bernadette se
dit qu'elle joue encore un rôle même si les chaises-lyres, les
dagoberts, les bergères, les deux sofas et les fauteuils sont
vides. Tant d'années passées à « veiller, bienveiller, surveiller », devise de Cécile, pour en arriver là, sans plus personne
apparemment à qui parler, avec le souvenir interdit de
Moncrabeau, nom qu'il ne faut plus prononcer, puisque
jamais personne n'y revient, puisque Bertrand s'y tient, lui
aussi « veillé, bienveillé, surveillé », par Merced et Lucio,
Juan leur fils, de quelques mois l'aîné de Bertrand, et Jeanne
leur bru, petite-nièce par alliance de la tante Augustine, et
ainsi de suite. Tout se noue, tout se tient, compagnies, les
serviteurs et les servis. Bernadette, pour jouer son rôle, dans
cette famille, pour le jouer pleinement, sensualité, revanche
du bercement manqué d'un petit Colas, souvenir d'un Lucien
des vendanges, s'est créé une mémoire toute taillée dans une
attention précise, toujours à disposition, une forte mémoire
de ce qui s'est dit et surtout de ce qui ne le fut pas ou de ce qui
reste à dire. Seule, dans le salon, usant du fauteuil de
Madame, et s'y tenant diablement vivante, soixante-quatorze
ans et demi, elle parle seule et à chacun. Le salon est vide, elle
a enfin la parole. La parole qui se dit.

Elle s'adresse d'abord à Cécile, « je n'aime pas que vous appeliez gages l'argent que vous me donnez. Un gage c'est pas bien, Madame. C'est la punition ou la fuite. Gages ou bagages, je vais m'en aller. Avec 71 712 F et un livret de Caisse d'épargne on peut revenir à Auzan, et s'y faire une petite place. Vous entendez Madame ? Je vous parle ! » Bernadette tourne la tête en direction de la cheminée. Sébastien se tenait là, souvent, accoudé, pieds croisés, comme en visite de politesse « et toi ? Où es-tu ? Je ne peux pas voir un bateau, à la télévision, sans penser à toi. Quand il pleut sur Paris, l'hiver, je me dis qu'il y a de la tempête en mer. C'est comment la mer et c'est quoi ? Tu avais promis de m'emmener la voir, au moins une fois ! » Bernadette baisse les yeux, regarde le tapis, entre les guéridons. Elle murmure « Pantalon ? » puis, plus clairement, « Pantalon ! Viens, on va se promener ! Tu vas me raconter ce que tu as vu quand ils t'ont piqué. T'es-tu vraiment endormi sans te rendre compte de rien ? Je ne le crois pas. Ça doit être terrible. Comme quand mon père a retiré de ma gorge la médaille que je portais autour du cou, et que je suçais tout le temps ? Une drôle d'impression. Comme quand Colas est né. Tu entends Pantalon ? C'était comme ça, pour toi, ce matin ? » Bernadette se redresse dans le fauteuil, mains à plat sur les genoux, et parle à Claire « mets tes pieds par terre, tu vas salir le sofa et ta mère me le reprochera. Va vite te coiffer, ton père va rentrer, il ne faut pas le fâcher. Récite la fin du poème, s'il te plaît, tu te trompes toujours, c'est difficile, mais tu n'as qu'à penser à ce que tu dis, vas-y, avec moi *" si nous chavirons, point ne reviendrons, sur nos avirons, parés à virer, virons "*, tu vois, c'est simple, quand on s'attache à l'image. Imagine que c'est Sébastien qui le dit, ce poème ». Bernadette se sourit à elle-même et se tourne vers Luc « regarde-moi. Pourquoi baisses-tu les yeux devant moi ? Tu me rends toujours coupable du service que je te rends. Tu me laisses,

seule, petit, en ne me répondant pas. Si tout à l'heure tu
m'appelles, je viendrai tout de suite, en principe parce que je
suis payée pour ça, et en réalité parce que je t'aime. Et qu'au
début tu as remplacé Colas. Je t'appelais Colas, en cachette.
Tu m'entendais ? Eh bien, lève les yeux. Regarde-moi... »

Rien à faire, Bernadette se dit qu'il n'y a rien à faire avec ces
gens-là et pourtant elle est là, elle continue. Elle voit Jean
« arrêtez de sourire et de prendre des notes, Monsieur Jean !
C'est pas bien de trop regarder. De trop écouter. Ça fait mal,
on se fait mal, ça finit par monter à la tête. Et c'est par la tête
que mon père a choisi de partir. Il regardait trop, écoutait
trop. Il avait perdu sa femme. Il lui parlait tout le temps,
comme moi, maintenant. Il ne lui restait que l'orme. Et sa
sœur Augustine, le jour de l'enterrement, a fait scier la
branche à laquelle il s'était pendu. Après, moi j'étais là, seule,
avec la ferme, l'arbre et la branche coupée, une grosse
branche porteuse, si grosse et si belle que Madame Cécile, le
jour de la première visite, l'a prise pour un banc et s'est assise
dessus alors que j'allais chercher à boire. De l'eau du puits. Et
au fond du puits, je me suis vue. J'étais aussi belle que cette
femme-là qui avait une ombrelle, elle. Vous êtes content ?
Vous avez tout noté ? » Bernadette rit gentiment et prend
Suzy à témoin « il a tout noté ! Et si jamais c'est dans une
pièce, invitez-moi, mais en soirée. Je voudrais voir une pièce,
le soir. Et les gens qui vont au théâtre, le soir ! » Bernadette
hésite. C'est dangereux de parler dans le vide, mais c'est bon.

Reste le patron. Elle se met à parler plus fort en pointant du
doigt au hasard « cessez de me dire que la chemise repassée a
des plis dans le dos ! C'est repassé main, et quand c'est
repassé main, faut un pli pour que ce soit parfait », « cessez
de me harceler avec les boutons pas recousus. Fallait le dire !
Et les boutons de manchettes plus par paires, fallait les ranger

vous-même ! Des comptes ronds ? Je ne veux plus demander
les petites notes dans tous les magasins. Faites vos courses
tout seul ! Vous verrez, les prix, ça flambe et je fais de mon
mieux. Oui Monsieur. Vous pouvez serrer les poings dans vos
poches, vous déformez votre veste. C'est tout. Tout ce à quoi
vous touchez, ça se déforme », « cessez de n'aimer les gens
que quand ils sont partis ! A ce jeu-là, je vais partir, moi
aussi. D'Auzan à Moncrabeau, il y a de beaux sentiers, un
bois de bouleaux, des peupliers, tout ça au " garde-à-vous et
en déroute ", c'est de Bertrand. Et j'irai le voir, Bertrand. Je
lui apporterai la laisse et le collier. C'est la preuve de tout ce
dont vous êtes capable, Vous ! Monsieur ! Henri ! »

Bernadette joint les mains, croise les doigts. Elle est ravie.
Rien n'est dit mais tout se dit. Monsieur a téléphoné à cette
Mademoiselle Jacqueline en rentrant de chez le coiffeur,
dîner à trois ? Mais cette Mademoiselle Jacqueline, qui
laissait tout de même un autre parfum dans les serviettes de
bain, a rappelé il y a quelques minutes « monsieur Prouillan
est-il rentré ? » « Non Madame. Je peux lui laisser un
message ? » Mademoiselle Jacqueline avait raccroché, ne se
croyant pas reconnue, mais plus les années passent, plus on se
souvient. La mémoire des voix est tellement plus longue que
celle des visages. Monsieur a dû se retrouver seul avec
Madame Suzanne. Tant mieux. Bernadette pointe une
dernière fois son patron du doigt « et cessez de vous croire
tout permis ! Je ne vous donne plus la permission ! »
Bernadette se lève, brusquement, comme si elle voulait se
cacher des autres, ceux-là dont elle vient de s'entourer, droit,
va droit au balcon et s'y tient, les mains cramponnées à la
rambarde, tout comme Monsieur s'y était tenu, le soir de
Barcelone, et, dans la place vide, aucune lumière aux
fenêtres, la lumière urbaine, c'est tout, elle jette un
« Bertrand » puis plus fort « Bertrand ? »

20 heures. Antoine dit « c'est fou, nous avons dîné tôt. Nous crevions de faim. Si on faisait un bridge ? » Eliane met en place les bols du petit déjeuner, le sucre, les cuillères et le couteau pour le beurre. Quand elle pose le couteau sur la table, Luc détourne la tête. Christine s'approche de Luc, l'embrasse dans le cou, regarde Antoine et Eliane « si nous nous couchions tôt, une fois n'est pas coutume ». Elle se redresse et se tient, debout, les mains sur les épaules de Luc. Luc la regarde, essaie de sourire. Christine lui dit « vous ne voulez pas ? » Luc ne répond pas. Sans rien plus demander Antoine va chercher le tapis de jeu, le place à l'autre bout de la table, en losange, installe les chaises, papier, crayon, une colonne « eux », une colonne « nous », et les deux jeux de cartes. Il murmure « on tire pour savoir qui va donner ». Rituel, chacun prend place. Eliane face à Antoine, Christine face à Luc. Christine donne. Les annonces : Christine « un cœur », Eliane « je passe », Luc « quatre cœurs ! » Antoine « ça commence bien. A toi d'entamer Eliane ». Christine sourit. Eliane jette un cinq de pique. Luc met en place sa donne : quatorze points, deux honneurs cinquièmes à cœur. Christine a envie de dire « et le chelem, alors ? » Mais Luc s'est levé, regarde ses trois amis « j'avais envie de faire le mort tout de suite. Contrat assuré. Je vais prendre l'air. Je reviens ». Et devant la porte de la maison, oppressé, brusquement, il a cru qu'il n'arriverait jamais devant la porte de cette maison, étrange maison, terre étrangère, nuit hérissée d'arbres centenaires, il se tourne vers le sud-ouest. Il hume, respire, fait quelques pas, baisse la tête, donne des coups de pied dans la terre, puis fixe le ciel, la lune qui se lève à l'horizon des arbres, et le sud-ouest de nouveau. Une voix monte en lui qu'il reconnaît, la voix d'avant la seconde partie de sa vie, sa voix d'enfant, sa voix de frère, cette voix qui sort de lui, malgré lui, nausée ou joie, jetée, il appelle « Bertrand » puis plus fort « Bertrand ? »

20 heures. Sur la table 7, chez Taillevent, table ronde, le maître d'hôtel met en place un chevalet sur lequel on peut lire « réservé ». On ne le fait jamais dans la maison, mais il y a peu de réservations, désert de juillet, autant utiliser les chevalets. Le maître d'hôtel va à la caisse, acquit de conscience « c'est deux ou trois couverts pour le 7 ? »

20 heures. L'amie de Loïc s'appelle Stéphanie. Claire a tout de suite compris que ce n'était pas le vrai prénom de cette jeune fille. Le dîner est prêt. Dans la voiture, en remontant vers Sauveterre, ils ont ri tous les cinq. Claire se tenait à l'arrière, entre Yves et Géraldine, Loïc la regardait dans le rétroviseur. Stéphanie ne disait rien, intimidée. Claire l'aurait souhaitée plus jolie. Loïc avait dit à sa mère « et votre sac de couchage ? » Géraldine « vous êtes hippie ? C'est passé de mode » et Yves, tenant la main de Claire « faites attention, l'auto-stop c'est le viol ». Les voici donc, tous, réunis, avec déjà, par la présence de Stéphanie, pour Claire, l'idée d'un départ, puis de deux, puis de trois. Claire voudrait ne pas être jalouse des amies de ses fils. Elle respecte ce sentiment et puise en lui la sensualité de l'inévitable. Une mère n'est faite que pour être écartelée et pillée. Et se laisser piller ne relève pas forcément du jeu de masochisme, mais simplement du fait de générosité. Claire, ce soir, se sent grignotée, prise, tenue, achevée et plus entière que jamais. Ils sont là, ils ont grandi, ils sont lui, lui, et elle. Ils se rencontrent rue des Beaux-Arts, ils hésitent chacun à prendre le pas sur l'autre, et ils se heurtent. Claire voudrait pouvoir expliquer tout cela à ses enfants, mais elle ne veut pas expliquer en expliquant, user de raisonnements qui ne contiendront jamais l'essentiel, nature même d'un élan premier, inimportance révélée de la rupture par mort accidentelle. Gérard est toujours là. Claire a toujours au bord des lèvres ce mot de retrouvailles et de

douceur qui aurait effacé le souvenir de la querelle de la
veille, veille d'un accident qui n'est qu'un fait divers. Il y a des
continuités qui échappent au destin. Bertrand disait « le
contraire de destin, mot ridicule employé par des sots, c'est
festin, la fête par le repas, mot superbe dont il faudrait
surveiller l'emploi ». Le dîner est prêt, la table mise. Claire
entre, sort, rentre dans la maison. Elle a peur d'avoir oublié
un détail, le pain, le sel, l'ouvre-bouteille. Loïc débouche le
vin, la bouteille entre les cuisses, il adore faire claquer les
bouchons. Claire met en place les serviettes et les couverts
pour le dessert. C'est toujours Yves qui découpe la tarte ou le
gâteau. Géraldine distribue les assiettes en surveillant la taille
de chaque part.

Quand Claire s'est retrouvée seule, à Sauveterre, elle croyait,
milieu des années 60, que ses enfants ne pourraient jamais ni
vivre ni partager quoi que ce soit du sentiment tenace qui la
liait, et la lie, à leur père. Elle avait peur d'un conflit. Elle
craignait qu'ils n'apprennent pas à lire comme elle avait
appris, toutes sortes de frayeurs inspirées par la mauvaise
littérature de l'événement et du scandale, elle-même désormais livrée à un journalisme s'employant à créer des menaces
plutôt qu'à informer des faits de la réalité. Claire, prise au jeu
collectif, s'imaginait, angoisses de certaines nuits, que ses
enfants la quitteraient sans mot laisser, se drogueraient, se
livreraient à toutes sortes de faux voyages, de faux départs en
vogue, devenus objets de publicité et de marketing. Jusqu'au
jour, peu après 68, où elle avait compris qu'en ne s'inquiétant
plus de rien elle ne donnerait ni prise ni nature interdite à ces
parades dérisoires, à ce discours prétendu jeune, totalement
lié à lui-même, aliénant, et qui s'enfermait, prison, dans le
mot de liberté, confondu avec celui d'anarchie. La nature des
sentiments primerait.

Aujourd'hui, à observer Loïc et Yves, Stéphanie et Géraldine, Claire se dit qu'en ne s'inquiétant plus de rien elle n'a
pas infligé le principe de réaction, si fort usé chez les
Prouillan, mais bien celui de la respiration, seul véritable et
politique. En descendant de la voiture, Loïc avait dit à
l'oreille de sa mère, tout doucement, se cachant des autres et
surtout de Stéphanie, « elle n'est pas jolie mais je lui trouve
un charme. J'aime qu'elle agace Yves et Géraldine ». Yves,
quelques minutes plus tard, alors que les trois autres étaient
montés à l'étage des chambres, embrassant les mains de sa
mère, éclat de rire, avait confié à Claire « j'ai vu la carte
d'identité de Stéphanie. Son vrai prénom, c'est Myriam. Je te
préviens tout de suite que la guillotine va tomber. Loïc va
payer cher de me laisser seul avec Géraldine » puis « je peux
mettre de la musique ? » Géraldine était vite redescendue de
l'étage, l'air buté, indifférent, son air à elle quand Claire se
reconnaît trop. Et Claire devant sa fille avait pouffé de rire,
un pouffement, comme au temps de Moncrabeau, quand les
parents partaient pour Condom, Fleurance ou Castelnau,
rendre les visites obligatoires aux amis et voisins. Bertrand
criait « vive la liberté ! » Ce mot, alors, avait un sens conféré
par toutes sortes de contraintes et de disciplines. Claire revoit
Géraldine passant devant elle, sans rien dire, haussant les
épaules parce que sa mère vient de pouffer de rire. Mais
Géraldine, sitôt dehors, sourit à Claire.

Devant la maison, là, maintenant, le dîner est prêt, tout est
prêt, Claire guette Géraldine, en haut de la colline, seule. Elle
se dit que ses enfants l'ont échappé belle, et elle voudrait ne
pas, paradoxe, s'amuser désormais du sentiment que leurs
intrigues, nouvelle génération, sont redevenues, courtoises,
au-delà de Hurlevent, des petits princes et des petites prin-
cesses de Clèves. Le paysage est beau, large. La ligne du

Lubéron, au sud, est nette, comme un trait noir, découpant le
ciel, limite derrière laquelle il n'y aurait qu'un grand vide et
l'espace. Claire respire profondément. C'est le compte à
rebours. Dans trois ans maximum, ils ne seront plus là, ou
pire encore, ils se multiplieront. Et il faudra bien qu'elle, elle,
Claire, se refasse une beauté et certaines racines. Mais où, et
comment ? Claire se rend compte pour la première fois que
Gérard, pour elle, est mort hier, et hier seulement. Il lui
faudrait peut-être admettre que du temps a passé, et que ce
deuil, jamais porté, est désormais importable. Aux années de
croissance des enfants, noyau parfait, intact, vont succéder les
ans de divergences, carrefour, routes en faisceaux et elle, sur
le bord de la route, image, petite image dans l'instant,
Géraldine redescend de la colline, habituel aller et retour,
bouderie, Loïc se sert à boire, Yves met un autre disque,
Stéphanie crie « j'arrive », sans personne pour la prendre en
stop, remonter à la maison, parler de sac de couchage, de
mode, de viol, sans personne pour jouer encore le jeu
adolescent. Claire a peur de se retrouver vieille, d'un seul
coup. Elle va devoir lâcher prise. Vertige.

Claire rentre dans la maison. Yves lui dit « qu'est-ce que tu
as ? Tu es pâle brusquement ». Loïc la prend par le bras
« maman ? Tu nous entends ? » Elle ne sait plus lequel des
deux est Gérard, ni l'un ni l'autre évidemment. Ses fils
l'assoient dans un fauteuil, près de la cheminée. Le fauteuil où
Cécile s'était tenue lors de son dernier passage en disant
« d'ici, merci, je vois les genêts ». Images brèves, furtives, les
seules peut-être à indiquer, donner la direction. Yves baisse la
musique, s'agenouille devant sa mère. Sans même s'en rendre
compte, Claire lui dit à mi-voix en lui pinçant la joue « tu
devrais te raser pour le dîner ». Loïc tend un verre d'eau
« faut pas nous faire des coups comme ça, maman. Qu'est-ce
qui s'est passé ? » Claire sourit « rien. Je suis heureuse.

Justement. C'est très bien, ainsi. C'est inévitable ». Loïc embrasse sa mère sur le front « inévitable quoi, maman ? » Géraldine se tient sur le pas de la porte. Stéphanie s'est arrêtée net, en bas de l'escalier, et s'est assise sur la dernière marche. Yves regarde Loïc, Géraldine, Stéphanie, puis sa mère « alors ? Inévitable quoi ? Je ne t'ai jamais vue comme ça, maman, parle-nous ». Claire se lève, sourit, se frotte les bras, geste frileux « pardon, c'est la première fois que je vous demande pardon ». A Stéphanie « vous ne pouvez pas comprendre ». A ses enfants « j'ai peur d'avoir oublié quelqu'un, ces dernières années. Et ce n'est pas votre père. Votre père, au contraire... » Elle s'approche de la porte. Géraldine lui prend la main, comme Yves dans la voiture. Elle regarde le soleil couchant, à l'ouest. Là-bas. Par là. Elle murmure « je... » puis « non... » et se tournant vers l'intérieur de sa maison, les regardant tous, la voix vive, diversion « je veux prendre une douche, me coiffer, me faire belle. Un petit essai. Pour changer. Je vous donne rendez-vous dans un quart d'heure, ici. Et nous ferons comme si... » Elle sourit, caresse la main de Géraldine et se dirige vers l'atelier, derniers mots ponctuant sa sortie « comme si ! »

Yves regarde Géraldine, l'air ahuri. Géraldine murmure « vous ne pouvez pas comprendre ». Loïc ouvre la porte du réfrigérateur « j'ai faim ». Il regarde Stéphanie « et toi ? » « Moi ? Je me demande ce que je fais ici. Ta mère est toujours comme ça ? » Loïc surveille Yves et Géraldine. Ils allaient s'échanger un sourire et il les a surpris.

L'escalier, le petit couloir, la porte vitrée, l'atelier et les toiles retournées contre le mur, le matelas, par terre, le couvre-lit en coton blanc, net, pas un pli, et le bombé des deux oreillers, un pour Gérard, un pour elle, un oreiller pour poser la tête et l'autre qu'elle serre contre son ventre les nuits durant, quelques livres en pile autour de la lampe de chevet, et le fil blanc qui serpente jusqu'au mur et s'y fiche, les livres recommandés par Marc et Marguerite, ses amis libraires d'Apt, ces livres qu'elle voudrait lire avec amour et dont elle ne parcourt jamais que les premières pages, se sentant au péril d'abandonner le propre texte de sa vie, et d'en perdre le contact. Claire vient de se donner quelques minutes de répit, par peur de l'aveu, car tout alors devient inexplicable, et l'instinct des familles porte à tout expliquer, tout et trop, quand force est de se taire et de se terrer pour guetter encore. Souvent Claire se dit qu'il n'y a, dernière analyse, comme un dernier recours en grâce, que deux catégories d'êtres humains, ceux qui attendent et ceux qui n'attendent plus. Ceux qui attendent pourraient lire, écouter, vivre les autres, mais ils ne lisent pas de peur de rompre avec ce petit espoir qui les tient encore postés et prêts. Et ceux qui n'attendent plus ne devraient pas lire tant ils ne peuvent que constater par d'autres textes, élans parfois si poésie il y a, la mutilation de leur être, leur échec ou bien leur égoïsme, et ce sont ceux-là qui dévorent, critiquent, jugent, célèbrent ou agressent, de l'amour aussi, mais de l'amour par omission. Claire achète des livres, des romans surtout, pour ne pas les lire. Mais ils sont là et, dans le secret des pages intactes, ils sont prêts à témoigner. Ils sont là pour un secours « au cas où ! » Claire vient de dire à voix haute « au cas où ! » tout comme elle a lancé son « comme si ! » en sortant. Claire se dit que la raison du cœur n'est pas raisonnable. Encore une fois, il ne faut surtout pas expliquer. En entrant dans l'atelier, elle a vu les livres de chevet, la table, devant la fenêtre, tiroir fermé, avec le message écrit, de l'après-midi. Elle a fait le rapport, un rapport. « Rapporteuse ! » lui criait Bertrand quand elle allait se plaindre à Bernadette d'un coup, ou d'une insulte fraternelle. Le texte d'une vie supporte difficilement l'outrage de l'écriture. Il faudrait classer, élaguer, réunir et, d'un point seulement, tout voir rayonner de nouveau, comme un soleil se lève, ou se couche, au choix. Claire sourit de l'image.

Sous la douche, elle prend garde de ne pas se mouiller les cheveux. Elle devrait faire signe à Martine et Léa, oublier Rians, rendre visite aux Schulterbranks, se faire ou refaire des amis et quitter ses enfants avant qu'ils ne la quittent. Mais en se séchant, drap de bain, elle secoue la tête. Impossible. Elle se frotte les jambes. Elle revoit Gérard, accroupi, devant elle, elle nue, assise sur le rebord du lit, à Paris, et Gérard lui dit « j'aime tes genoux », « je suis fou de tes genoux » ou bien « je peux les embrasser ? » Claire ne supportait et ne supporte toujours pas qu'on la touche à cet endroit-là. Le souvenir, peut-être, de la main de Sébastien, sous la table et pour rire, le souvenir aussi des chutes, en bordure des chemins, quand elle courait après ses frères, autour de la maison, à Moncrabeau, genoux blessés par les silex. Tout doucement Gérard posait ses mains, à plat, sur les genoux de celle qu'il appelait sa « petite guerrière » et lui disait « calme-toi. Laisse-moi les caresser. Ils sont parfaits ».

Claire plie le drap de bain et se coiffe en vitesse. Des nattes, comme autrefois, fines, qu'elle place en chignon, à l'arrière, et devant, cheveux tirés, lissés, lui dégageant le front. Elle va parler à ses enfants. Elle se veut belle. La beauté n'est qu'une netteté quand on veut faire face. Claire fredonne le *Bal chez Temporel*. Elle se souvient de l'air mais pas des paroles. Pour cela, aussi, peut-être n'écrira-t-elle jamais le roman de sa vie. Pourtant, autre image, elle se revoit dans la voiture de la marchande de biens, madame Plomé, se dirigeant vers Sauveterre, première visite, et la dame en question, cheveux blancs, vieille bique, entre les deux derniers âges, conduite nerveuse, crissement de pneus dans les virages, forçant un peu son accent du Midi comme si cela devait faire vendre mieux,

expliquant qu'autrefois c'était là « la grande route de
Forcalquier à Sault » et que souvent, dans les virages étroits,
il y avait des collisions de diligences, « les chevaux écrasaient
les chevaux. J'ai une gravure, je vous la montrerai ». Madame
Plomé ne pouvait pas savoir. Sauveterre est au bord de cette
route-là. Et tout à l'heure, dans la voiture, sur la banquette
arrière, coincée entre Yves et Géraldine, tenue par Yves,
Claire avait une fois encore revu, pas imaginé, comme vu,
l'enchevêtrement des bêtes d'attelage, chevaux piaffant et se
brisant les uns contre les autres.

Une robe, une vraie, avec une ceinture, taille marquée,
décolleté, cette robe beige que Claire a achetée l'an dernier
sans trop savoir pourquoi, qu'elle n'a jamais portée et qui, ce
soir, a un rôle à jouer. Des chaussures, des vraies, simples, en
cuir blanc, c'est la fin des sandales de Sauveterre. Un regard
dans le miroir, au-dessus du lavabo, regard furtif, Claire a
peur de ne pas se reconnaître. Elle est prête. En passant, elle
retourne une toile, puis deux, puis trois. Après le dîner, elle
se remettra à peindre. Mais elle sait que tout cela, répit, n'est
que l'expression de la peur d'un aveu. Ils attendent, en bas. Ils
attendent et ils ont faim. Ultime prétexte, à ne pas avouer,
elle ouvre le tiroir de la table devant la fenêtre, en extrait une
feuille blanche sur laquelle, penchée, elle griffonne sans
même y avoir pensé « incapable de me réjouir de ce que j'ai
fait, je ne peux que me tourmenter de ce qui reste à faire.
C'est ça, l'inévitable ! » Avec un point d'exclamation.
Comme Bertrand. Justement Bertrand, aujourd'hui, 9 juillet.
Claire range la feuille griffonnée avec les feuilles écrites de
l'après-midi. Elle fait claquer le tiroir et vite quitte l'atelier.
Dans l'escalier, l'ourlet de sa robe lui chatouille un peu les
genoux. Elle avait oublié cette sensation.

Ils sont assis, à table, tous les quatre. Stéphanie boude. Il faut du temps pour entrer dans une famille. Jean disait « et c'est toujours jamais ». Claire, sous le regard de ses enfants, sourires, comme un jeu à venir encore, encore un soir et quelques autres, prend place en bout de table. Sur son assiette, un petit paquet. Géraldine « c'est un cadeau de nous trois ». Loïc plaisante « de *Nous Trois,* le magazine du couple moderne ! » Yves assis de trois quarts sur sa chaise, tourné vers sa mère, se caressant le menton, rasé de près « on a pensé que tu en aurais besoin ». Claire ouvre le paquet. Une montre. Stéphanie dit « elle est belle ». Silence. Claire met la montre à son poignet, dit « merci », puis « merci beaucoup ». Claire fait passer le plat de haricots verts en salade « les premiers de l'été ». Yves tend la panière de pain à Géraldine, à Loïc, à sa mère, et à Stéphanie « du pain Myriam ? » La montre fait tic tac. Claire n'aime pas ce bruit-là. Mais elle sourit. Puis elle murmure « tout à l'heure, je vous ai fait peur. J'ai eu peur. Je pensais à votre oncle. Pas Sébastien. Ni Luc. Je pensais à Bertrand », plus fort « Bertrand ! »

2 heures de l'après-midi, heure locale, 82 Amelia Street, à Toronto. Un immeuble de briques, deuxième étage, porte gauche, un paillasson sur lequel on peut lire « welcome ». Ruth remonte l'escalier, le courrier à la main. Elle vient de donner quatre heures de cours de danse, « one, two ! » « one, two, three ! » les derniers cours de l'année. Pour ses élèves, c'était déjà les vacances. Elle avait beau rythmer des mains, du pied, faire signe à l'accompagnatrice de marquer les notes plus fortement, sur le piano, elle n'a pas pu, en quatre heures, quatre groupes différents, régler un seul ensemble, rythmiquement. Pour Ruth commencent des jours habituels, sans cours, frustrants. Elle ne se souvient pas d'un seul jour sans danse, depuis l'âge de six ans, quand sa mère l'emmena pour la première fois à l'Ellery Dancing School, en cachette d'un père qui était contre, contre tout ce qui est nudité. Même la

danse classique, pour lui, n'était rien qu'un strip-tease. Ruth
sourit en ouvrant la porte de son appartement et pense que
son père, après tout ce qui s'est passé en trente-cinq ans,
n'avait pas tort. Elle ne danse plus. Les compagnies engagent
les jeunes filles et les abandonnent dès qu'elles ne sont plus
assez jeunes femmes. Les plus jeunes signalent vite les plus
anciennes. A moins de faire une carrière de soliste et de
pouvoir, une fois sur mille, danser encore *La Mort du cygne* à
soixante-cinq ans, ou plus, multipliant les adieux, il n'y a
d'autre solution que celle de se ranger avant qu'on ne vous
range, de professer, de guetter chez d'autres, toujours plus
jeunes, des gestes, des souplesses et des bonds qui vous furent
propres et que l'on peut enfin admirer en s'admirant, voir
naître. On renaît alors.

Les cours du jour furent désordonnés. Garçons et filles, entre
douze et quinze ans, si peu attentifs, faisaient n'importe quoi,
sur des rythmes étourdis, individuels. Ruth résume d'elle-
même qu'elle se répète les jours mauvais où elle n'a pas eu
d'emprise sur ses élèves, pense qu'elle n'était faite que pour la
compagnie, l'esprit de groupe, le rang, les chorégraphies
d'ensemble et le fondu des êtres. Une ambition plus grande
encore que celle de la soliste ou de l'étoile. Elle pose le
courrier sur la table de la cuisine. Son ami Ron, ses enfants
Laura et Paul ont laissé comme d'habitude les bols du petit
déjeuner, le pain en tranches, premières tranches qui se sont
desséchées, beurre mou dans le beurrier, et même le lait. Il a
tourné. Ruth range le tout, gestes habituels, dans le
réfrigérateur et dans l'évier. Un silence l'étonne, dans
l'appartement.

Depuis dix ans déjà, Ron vit avec elle, une nuit après l'autre.
Ruth n'ose jamais interroger Ron de peur de l'obliger.
Peut-être, pour ce fait, Ron reste-t-il chez elle, toujours de

passage, comme en tournée, avec la compagnie, quand ils
dansaient ensemble. Il reste, en tournée fixe, retour au port
d'attache. Pas de bagages. Ron va avoir cinquante ans. Il a
l'air d'avoir vingt ans de moins, uniquement quand il ne sourit
pas, or il sourit tout le temps. Ron vit au jour le jour et il est
toujours là. Sébastien, lui, partait des mois entiers, en mer, et
faisait, de retour, présent, ou par lettres quotidiennes, quand
il n'était pas là, continuellement des projets d'avenir. Ruth a
ouvert la fenêtre de la cuisine, passé un coup d'éponge sur la
table, elle s'assoit. Elle ouvre le courrier. Une lettre de la
banque, le virement trimestriel de la British Petroleum
Company est porté au crédit de son compte. Il y a aussi une
facture d'électricité, une carte postale pour Ron, une lettre
pour Laura. Etrange silence dans l'appartement. Silence vide,
qui vient de faire naître en Ruth une inquiétude au sujet de
Ron et, rebondissement, une certitude au souvenir de
Sébastien. On ne peut pas vivre que de projets. Ne reste
vraiment que ce qui passe. Paul Stewart, mage de la
compagnie, avait l'art chorégraphique de faire entrer et sortir
de scène, par groupes de quatre ou de six, ses garçons et ses
filles comme si, en coulisses, avant ou après, ils avaient dansé
et dansaient encore. La scène, dans ses ballets, ne devenait
qu'une infime partie du spectacle, celle payée pour être vue.
Pourtant, en coulisses, il ne se passait rien de plus que dans un
spectacle normal. Pour cela, créateur, illusionniste, Paul
Stewart avait été sifflé puis célébré, parce que apparemment
novateur. Mais il n'avait inventé que cette impression, légère,
passagère, et trop vite il n'avait plus fait que se copier.
Enceinte de Laura, Ruth avait quitté la compagnie, carrière
interrompue pour ne pouvoir la reprendre que quand il était
trop tard. Il n'y a personne dans l'appartement. La lettre de la
banque est arrivée. Il faut écrire à Sébastien, et le faire de
suite, comme d'habitude, pour ne surtout pas avoir à y penser
pendant quelques jours, automatisme, peur du reproche que,

petit à petit, dans le mauvais règlement des obligations de principe, on s'adresse à soi-même. Dans le tiroir du bahut de la cuisine, du papier, un crayon feutre, une enveloppe. Sur la feuille, Ruth écrit « Toronto, July the 9th, Dear Sebastien... » Mais elle s'arrête. Le 9 juillet ?

Elle se revoit, dans le salon, un certain soir d'anniversaire, donnant le sein à Laura. Laura lui mordait ce petit sein de rien du tout mais qui donnait du lait. Anne-Marie était jalouse. Elle n'avait pas pu, elle, allaiter son fils Pierre. Claire, toute ronde, encombrée de son ventre, agenouillée devant elle, touchait délicatement le front de Laura, du bout du doigt. Un silence faisait loi, silence de tous, observé par chacun, chacun s'observait, ces meubles, ces objets, ces tapis, ces rideaux, ces robes, ces costumes, ces gens, spectacle terriblement civilisé. Ruth, au moment où Sébastien avait, geste pudique, caché le sein de sa femme, nudité reprochée par tous les pères, s'était rendu compte pour la première fois qu'elle venait d'entrer dans un piège dangereux. En prétendant y échapper et s'échapper avec elle, Sébastien n'avait fait que l'y entraîner et jouait le jeu, lui aussi. Charme interrompu. Du jour de la rencontre, place de l'Odéon, à ce jour-là, place d'Antioche, ce fut tout. Ruth revoit Bertrand. Le retour de Bertrand. C'était fini entre Sébastien et elle. A ce moment-là, vraiment, ils se sont quittés, et si après, ensemble, ils ont refait les gestes de l'amour, et ont dit les mots qu'il fallait, pendant quelques années, ces gestes et ces mots n'étaient plus que répétition, simulacre. Dans le piège, Ruth venait de voir une prise, un être pris. Elle ne se laisserait pas prendre.

Ruth relit le début de sa lettre « Toronto, July the 9th, Dear Sébastien... » Elle déchire la feuille. A quoi bon lui écrire désormais ? Cette date, après tout, doit marquer la fin d'une réduction de peine amoureuse. Elle n'écrira plus qu'en cas de non-versement trimestriel. Elle n'a plus rien à dire à Sébastien. Tout comme elle ne dit rien à Ron. Elle va vérifier, dans sa chambre, si les quelques affaires de son ami d'éternel passage sont encore là. Elles sont là. Brusquement, elle comprend la nature du silence qui règne dans l'appartement. Dans la chambre de Laura et dans la chambre de Paul, tout est en ordre, tellement en ordre qu'ils sont partis. Mais pour où et pour combien de temps ? Pour l'été ? Sur le téléphone, un petit carton « nous reviendrons », écrit en français, instinct, démarcation. Laura a signé « Laura », Paul a signé « Paul ». Ils ont écrit le « nous reviendrons », une lettre chacun, alternativement, comme un jeu, pour n'accuser ni l'un ni l'autre d'avoir inspiré le départ. Cela rassure Ruth. Elle en sourit quand elle aurait besoin de crier. Instinctivement, elle ouvre la porte, sort sur le palier. On ne sait jamais. C'est Bertrand qu'elle revoit, encadré de Sébastien, Luc et Claire. Elle n'aime pas ça. Elle rentre chez elle, claque la porte, frappe dans ses mains « one, two ! » « one, two, three ! » Elle va faire la vaisselle du petit déjeuner. Ils reviendront.

3 heures de l'après-midi heure locale à Buenos Aires. Anne-Marie pense quelquefois au décalage horaire. Elle se dit « si je fais ceci, ils sont en train de faire cela ». Ceci, cela, elle ne définit pas. Elle pense alors à Lyon, son enfance, sa famille, ses frères et sœurs, mais elle leur écrit peu et ne les voit plus quand elle revient en France avec celui qu'ils appellent son « nouveau mari » sans jamais le nommer. Mépris. Anne-Marie a pris une distance et s'y tient.

Fin du déjeuner, sur la terrasse, dernier étage en surplomb de la Plaza Quevedo. Anne-Marie observe son mari en conversation avec Rosendo Juarez, Julia Cristian et Francisco Ferrari, une conversation apparemment animée, intéressante, chacun

faisant de grands gestes, traits d'esprit, éclats de rire.
Anne-Marie sert le café « azucar ? » Ils ne veulent pas du
sucre qu'elle offre, sucrier en argent, pince assortie. Pierre,
flanqué dans un fauteuil, chemisette manches courtes,
pantalon blanc, celui des visites, et pieds nus, il vient de
retirer ses chaussures en murmurant « après tout, je suis chez
moi », adresse un sourire à sa mère, sourire tranchant, suivi
d'un clin d'œil. Pierre se lève, les mains dans les poches de son
pantalon, les épaules relevées comme s'il allait encore
annoncer « je vais au tennis ». Il regarde sa mère « de quel
anniversaire allais-tu parler, pendant le repas ? Tu n'as pas
fini ta phrase ». Anne-Marie ne répond pas et lui tend une
tasse de café. « Non merci. Je t'ai posé une question, maman.
J'attends ! » Anne-Marie observe Julia, Rosendo, Francisco
et son mari. Puis elle se tourne vers Pierre « je t'interdis de
me parler ainsi ». « Moi, maman, je t'interdis de ne plus me
répondre. Ce sont des cons. Ton mari est un con. Ils disent
des conneries. Ça ne m'amuse plus. Et toi non plus. Tu as des
nouvelles de papa ? » Anne-Marie tourne la tête. Pierre
sourit « si tu lui écrivais ? Moi je vais écrire à Henri. Après
tout, c'est mon grand-père. Il a des chambres pour me loger.
Celle de Bertrand est libre, non ? » Anne-Marie ne dit rien.
Elle tremble un peu en portant la tasse de café à ses lèvres.
Pierre murmure « attention. Tu vas tacher ta robe ». Eclats
de rire des autres. Anne-Marie pose sa tasse sur la soucoupe
et adresse à Pierre un regard perdu, rebelle « remets tes
chaussures. Et va-t'en ! »

20 heures. A bord du *Firebird,* au milieu du fjord d'Overfjellet, plein soleil, René a rejoint Sébastien à la passerelle de
navigation « je peux vous parler ? » René, brusquement, se
livre, raconte, il a bu. Sébastien ne bouge pas, debout, serrant
le chadburn. Il voudrait faire le quart, de nouveau, en
avant toute ! et d'un seul geste commander les sept géants,

d'un seul ordre mettre un peu d'animation dans ce cimetière. René lui dit « le cercle polaire, c'est pire que l'équateur. Le soleil ne se couche plus que pour se lever tout de suite après. Vous supportez ça, vous ? Pas de nuit ? Et avant, pas de jour ? Je suis fait pour les saisons, moi. Je suis béarnais. Et vous, de Moncrabeau, je le sais. Depuis onze mois. Bernadette Despouet, c'est une vague cousine à ma mère. Et chaque fois que ma mère m'écrit, elle me demande de vous demander si vous avez un rapport avec les Prouillan, de Moncrabeau. Même dans les chaussettes, tout à l'heure, il y avait un petit mot. C'est bien vous ? » Sébastien murmure « oui », la voix neutre, puis « oui, c'est moi » en souriant. René n'aime pas ce sourire « et qu'est-ce qu'ils ont de plus, les Prouillan, de Moncrabeau ? »

Sébastien regarde René, longuement, et sans rien dire. René hausse les épaules, se frappe dans les mains, coups de poing. Il sort sur l'aileron bâbord, regarde le ciel, puis sur l'aileron tribord, le ciel de nouveau, et revient au centre de l'abri. Il rit « le Congo belge, j'aimais bien, sauf que le soleil se couchait chaque soir à la même heure. A peine quelques minutes de différence sur six mois. Ça rendait fou. Toujours les mêmes soirées. Je faisais remorqueur de Banana, Boma jusqu'à Matadi. J'étais le spécialiste du Chaudron d'Enfer, le grand virage du Congo, cent cinquante mètres de profondeur à cet endroit-là. Marin d'eau douce. Déjà foutu. Depuis, je me suis recyclé dans le pilotage d'hélico. Vous le saviez pas ? Ben voilà. Je suis du genre qui dit tout quand c'est trop tard et qui le regrette après ». René tend la main vers l'unique fauteuil de la passerelle « vous ne voulez pas faire joujou au commandant ? Prendre la place du Pacha ? Non ? Vous crevez d'envie de me dire de me taire, mais vous ne le ferez pas. Je vous ai bien observé, cet après-midi, au Lillehammer Bar. Ça tourne dans votre tête. C'est un jour pas comme les autres. Ça se voit dans le regard. Il y a du monde qui passe. Pas vrai ? » Sébastien veut quitter la passerelle de navigation. René le retient, l'entraîne dans l'aileron bâbord et murmure « j'ai besoin de vous parler. Vous avez besoin de m'écouter. Je vais vous dire des choses de moi qui sont des choses de vous. Parfois, cet hiver, je venais ici, aux heures de nuit-nuit, comprenez ? Et je guettais dans le fatras des étoiles, je les connais trop, mes trois préférées, les Rois mages. Je les attendais là, très exactement là, au-dessus de ce pic, une, puis deux, puis trois, bien en ligne, comme une épée. J'attendais aussi la quatrième. Je l'ai toujours attendue. Je l'attends toujours. Elle ne viendra jamais. Et pour cause, le quatrième Roi mage il est parti, mais il est jamais arrivé. C'est l'histoire de tout le monde. L'histoire de ceux qui savent aimer. Ils partent. Ils arrivent pas. Soyez pas jaloux, c'est à vous autant qu'à moi, cette histoire. On ne peut pas inventer une étoile, c'est tout ». René croise les bras, baisse et secoue la tête. Il ricane.

Sébastien, un instant, croit que René va sangloter. Il voudrait rejoindre sa cabine, s'y enfermer jusqu'à l'heure du dîner, déchirer la lettre destinée à son père, rattraper la carte postale dans la boîte de la poste de Dunn, glisser le bras, tendre la main, reprendre le message, et surtout ne plus faire signe à qui que ce soit, où que ce soit, jamais. Ruth avait une belle manière, nue, de se glisser sur lui. Elle le couvrait. Parfois Claire faisait de même, en fin de roulade, dans l'herbe, habillée, au bord de la Baïse. René attrape Sébastien par le bras « au début, j'y ai cru ! J'étais sous-marinier. Je me souviens d'un aumônier. Il était venu à bord, huit jours. Monseigneur. Un simple curé, mais c'était Monseigneur. Comme les lapins à bord, faut dire les grandes oreilles. Et quand Monseigneur riait avec nous, en salle à manger d'équipage, il disait, pas du tout pour s'excuser, j'aime bien

les histoires sales, moi aussi, et au paradis, il ne faudra pas me
chercher au premier rang, mais au fond, sur un strapontin ».
René rote, s'essuie les lèvres, « pardon ». Il rit. « Et un jour,
le commandant nous a invités chez lui, à Lorient. Installation
stéréo, sa fierté. Il disait qu'il aimait la musique militaire. Au
bout d'une heure, en sourdine, on n'entendait plus que des
chants hitlériens. Vous l'avez connu ce tonton Pacha ? Et cet
aumônier ? On rêve, puis on rêve plus. »

René prend la main de Sébastien « et la baie de Manille ?
Quand on rentre dedans, ça n'en finit pas. Je suis comme le
général MacArthur, j'y reviendrai. Il y a des recoins, on arrive
jamais au bout. Vous voulez un dessin ? C'est comme une
femme qui se retire au meilleur moment. On en rêve toute
une vie ». René lâche la main de Sébastien, redresse la tête,
donne des coups de poing sur la rambarde de l'aileron, rentre
dans la passerelle, titube un peu « et les hyacinthes d'eau,
dans les eaux du Congo, des îles flottantes, fallait les éviter.
Pas un instant de répit sur ce fleuve-là. Des tonnes de
hyacinthes. Attention aux hélices. On appelait ça les conces-
sions portugaises. J'ai même appris à détester les fleurs ». Il se
tourne vers Sébastien, le pointe du doigt « vous les avez vues,
les veuves, à la fête des Filets Bleus, à Concarneau ? »
Silence. Hoquet. Il rit « j'ai même vu, en pleine tempête, un
aspirant polytechnicien appeler à son secours un officier, un
vrai, pour faire le quart, il savait plus. L'aspirant en question
ne savait que chanter. Il avait peur. Il chantait basse et alto,
les deux voix, " o death, where is your victory ? " Vous
connaissez *Le Messie* ? Haendel ? Moi, depuis, je connais ».
René regarde Sébastien « pardon. La fille du Lillehammer
Bar, même si j'avais voulu, j'aurais pas pu. J'ai trop navigué.
Horst a rendu les honneurs à ma place. A tout à l'heure,
monsieur Prouillan. De Moncrabeau. Et n'oubliez pas, on ne
s'est rien dit ! » Il sort.

Seul, Sébastien caresse le chadburn, regarde le radar, le gyrocompas, la table à carte et la barre. Plus rien dans ce bateau ne conduit. Tout s'est arrêté. René l'a surpris comme en flagrant délit. Il s'était réfugié, là, seul, au sommet du château du *Firebird*, pour rêver de piloter de nouveau. Et seul, tourné vers le sud, il venait d'appeler « Bertrand », plus fort « Bertrand ? »

9

Parfois, vers 8 heures du soir, Bertrand vient regarder la
télévision chez Juan et Jeanne, dans la maison de gardiens,
maison basse, en bordure de la route qui mène au village de
Lestaque. La maison semble toute ramassée contre le portail
du domaine de Moncrabeau pour mieux surveiller qui va, qui
vient. Le portail est toujours ouvert. « Injustement » dit le
beau-père Lucio, « car plus personne ne va, ou vient. » Juan,
chaque année, au début du printemps, sarcle le chemin de
terre qui conduit à la grande maison, désherbe les bordures,
fauche le rebord des talus, creuse des aires circulaires autour
des jeunes arbres, élague les branches mortes des plus vieux,
fait comme une toilette à l'allée d'entrée, voie d'accès de
plusieurs dizaines de mètres, qui sinue un peu. On ne sait
jamais, les autres pourraient revenir. Ils ne reviennent pas.
Jeanne ne les a vus, réunis, qu'une fois, bien avant son
mariage. Elle rendait visite à Juan, qui l'appelait sa « novia »,

en cachette de Merced et de Lucio qui ne voulaient pas, pour leur fils, de cette petite Française, « pequeñita », qui n'avait aucun bien pour elle et qui avait été longtemps à l'école « pere no sirve cuando se ha de laborar como laboramos », ça ne sert à rien quand il faut travailler comme nous travaillons. En cadeau de mariage, madame Prouillan avait envoyé une belle table carrée, de Paris, expédiée par les Magasins réunis, dont les pieds se plient, mais à quoi bon, la maison est grande, et recouverte de ce feutre vert sur lequel Jeanne n'a jamais rien osé poser de peur de laisser des traces. La table est là, nue. Bertrand s'y accoude parfois, en regardant la télévision, et de la main, distraitement, en caresse le dessus, comme s'il voulait le brosser, le lisser. Ce contact lui plaît. Il y a deux autres tables identiques dans la grande maison. Le beau-père a dit que c'était pour le « bridge ». Jeanne n'a jamais osé demander ce que c'était que ça, le bridge. Monsieur, lui, pour le mariage, a envoyé de l'argent. Il était ministre alors, plus pour très longtemps. Juan et Jeanne ont gardé la lettre à en-tête, avec ce message de félicitations « le bonheur n'a pas besoin d'argent, mais l'argent peut contribuer au bonheur. Cordialement vôtre, Henri Prouillan ». L'argent leur servit à l'achat du berceau et du landau de leur premier enfant, six mois plus tard, Antonio. Puis le second, José, quatorze mois après. Merced et Lucio, Jeanne et Juan, José et Antonio. Au mariage de Juan et de Jeanne, Bertrand seul représentait la famille. Pendant toute la messe il était resté debout, même pendant la consécration. On avait oublié de l'asseoir. Merced est au village. Lucio, Juan et les enfants sont partis le matin, précipitamment. Jeanne a préparé le dîner des siens. Elle a branché la télévision. Bertrand n'est pas là. C'est l'heure des informations et de la météo.

Après le départ des hommes, Merced est tout de suite allée voir le maire pour le prévenir. « Il s'est échappé. C'est grave.

Il faut appeler les guardias. Il a touché aux nines. » Merced sait qu'on ne la prend jamais au sérieux. Elle parle comme elle peut, avec des mots auxquels elle tient, comme elle tenait son baluchon, au centre d'accueil d'Alscall, près d'Hendaye, en août 36, quand Monsieur était venu les choisir. Lucio et elle s'étaient mariés un mois auparavant, dans l'église de Palos de Moguer, au sud de l'Andalousie, près de Cuelga, si tôt le matin, à peine le temps de la bénédiction et de l'échange des alliances, puis, au sortir de l'église, le départ, non pour une noce mais pour une fuite vers le nord, par les plateaux d'Estrémadure, ceux de Castille, jusqu'en Navarre et la frontière, des centaines de kilomètres à pied ou accrochés à des camions, Lucio chantait en la tenant par les hanches « el viento galán de torres prendiendola por la cintura », le vent galant des tours la prenant par la ceinture. Lucio et elle ne s'étaient pas encore autrement touchés quand Monsieur s'était approché, en souriant, et leur avait demandé leurs noms. Monsieur n'a jamais compris ça, la fuite avant l'étreinte. Il choisissait un couple, c'est tout. Un jour plus tard, à Palos de Moguer, les guardias auraient passé Lucio par les armes. Les ouvriers de la Corchotaponera S.A. de Lepe venaient de se joindre à ceux de l'usine de pyrite et de se rebeller. Tous étaient recherchés.

Ce matin, au moment où les hommes de la maison ont décidé, sans prévenir Jeanne, la toujours Française et pequeñita, de partir en battue pour retrouver Bertrand, Merced, un court instant, a hésité, mais il fallait appeler les guardias, aller chez le maire, alerter. Les gens de garde, en uniforme, sont tous de « mala suerte », portent le malheur. Ils sont armés pour fusiller, arrêter, contraindre. Depuis quelques années Lucio essaie d'expliquer à sa femme que tout a changé, là-bas, « al pais », et qu'ils pourraient, s'ils le voulaient, retourner à Palos de Moguer, ne serait-ce qu'en visite. Mais Merced

regarde l'horizon du sud et, les jours de grand temps et de
vent, la frontière des Pyrénées. Elle se dit que, par-delà, les
guardias attendent encore et que tout cela ne peut être qu'un
piège de nouveau tendu, auquel elle a, et aura toujours,
l'impression d'échapper de justesse. Palos de Moguer,
Alscall, Moncrabeau, cet itinéraire de vie suffit. A peine
choisis, ce jour d'août 36, enfourgués dans la voiture de ce
monsieur souriant qui essayait de leur parler en espagnol,
Lucio à l'avant et elle, sur la banquette arrière, serrant son
baluchon, mal au cœur, c'était la première fois qu'on
l'emmenait si longtemps dans une voiture, dedans, Merced se
souvient du paysage vert, coteaux, mamelons, prés, herbe,
fleurs, et surtout des villages. Au bout de la route de pierre,
de soleil, de peur, et de soif, il y avait ce pays dans lequel elle
entrait. Le paradis dont parlait le curé de Palos de Moguer ?
Il y avait de l'eau, des rivières, de l'eau qui coule et
d'immenses nuages, comme d'autres montagnes, dans le ciel.
En arrivant à Moncrabeau, Madame Cécile était couchée,
encore plus souriante que Monsieur. Près de son lit, un
berceau et un petit bébé, Claire. Merced répétait « Clara ».
Tout de suite on lui fit prononcer « Claire ». Cela faisait rire
Lucio « Claireux ! » Il y avait aussi les enfants, Luc,
Sébastien, petites têtes blondes, moins souriants, eux, ou bien
intimidés. Au bout de la route, ce fut un bonheur, et une
famille déjà multipliée. Autre abondance.

Le premier soir d'arrivée fut celui de leurs noces. La chambre
était rudimentaire. Elle l'est restée. Dans la maison, en
bordure de route, au premier étage, dans la pièce du fond, un
lit un peu étroit, une table et deux chaises. Merced a gardé la
toile du baluchon et la conserve précieusement. Parfois elle va
la respirer, en riant, et s'y flanque le visage comme pour
essuyer des larmes qui ne viennent pas. Les fleuves de Cuelga
ne coulent plus en surface, le delta s'est ensablé, le port est

mort, Palos de Moguer est à plusieurs kilomètres de la mer.
Souvenir. Autre terre. Ce soir-là, premier soir, épuisés,
heureux, ce bonheur-là, on ne le vit qu'après, on peut le vivre
toute une vie, Lucio a accroché le crucifix, cadeau du curé,
au-dessus du lit, il a déshabillé Merced et Merced s'est laissé
allonger. Par la fenêtre ouverte, Merced se souvient d'étranges parfums végétaux qu'elle ne connaissait pas, jusqu'à celui
de rosée, le matin, quand elle osa enfin regarder Lucio, nu,
dormant dans ses bras. Juan est né dix mois plus tard. Et
Madame, pendant tout le mois de septembre, mot à mot, pour
lui enseigner le français, lui faisait lire des pages entières d'un
livre, *Colline*, d'un certain Giono. « Claire », « colline » et
« Giono » furent les trois premiers mots que Merced apprit en
français. Mais pour désigner Claire, elle disait « la niña », Luc
et Sébastien « los niños » et les trois ensemble, pour faire
français, « les nines ». Cela faisait sourire.

Monsieur et Madame sont repartis, cette année-là, fin
septembre, pour Paris. Luc disait « je vais aller à l'école,
moi ». Sébastien, jaloux, se taisait en le regardant. Claire ne
pleurait pas. Madame Cécile trouvait sa fille « calme et
tellement gentille ». Merced, elle, s'inquiétait mais ne le disait
pas. Elle s'inquiéta aussi quatre ans plus tard des silences de
Bertrand et surtout de ses regards quand elle se penchait sur
le berceau. Juan demandait à sa mère de lui montrer la
« muñeca », la poupée. Merced lui disait que c'était un
« chiquito », un garçon.

Merced vient de passer la journée avec Mathilde, la femme du
maire, dans la cuisine de leur ferme, en l'aidant à préparer les
fraises pour la confiture. Léon, le maire, a dit à Merced « je
vais les rejoindre. Bertrand ne ferait pas de mal à une
mouche. Vous le savez bien » et à sa femme « garde Merced,
jusqu'à mon retour. Ne la laisse surtout pas sortir ». Parfois,

toute ronde, sanglée dans ses robes noires, Merced a envie de
dire à sa bru « j'étais bonita, aussi, vous savez ». Mais elle se
contente de sourire à Jeanne qui croit un instant que sa
belle-mère va devenir aimable. Juan, le matin, est parti avec
son fusil. Lucio, Antonio et José l'ont suivi. C'est lui le
maître, le fils et fruit du grand voyage de Palos, sable et feu, à
Moncrabeau, herbe et source, une senteur. Pour une journée,
Merced est devenue la servante de Mathilde. Mathilde a
demandé à Merced « qu'est-ce qu'il leur a fait, de si grave,
aux enfants ? » Merced a répondu « il les a touchés. Antonio
et José ont tout vu ». Merced ne dit pas « vu » mais « vou ».
Depuis le matin les deux femmes ne se parlent plus. Elles
travaillent, parfum de confiture. Surveillance des chaudrons.
De temps en temps, Mathilde sourit à Merced.

Léon est allé chercher ses deux adjoints « venez, le Bertrand
fait des siennes ». Les trois hommes ont fait le grand tour. Du
Boué, à Lapla, ils sont remontés vers Souléris, Maripouy, la
Maurague, Gouaresse, Toulien, en criant « Juan ! » « où
êtes-vous ? » jusqu'au moment où Léon a dit « nous faisons
peur au Bertrand. Faut le prendre à la douce, c'est un doux »
puis « ils vont être obligés de l'enfermer. Dommage. Il n'est
pas méchant. Depuis le temps ». Les trois hommes se sont
alors dirigés vers Tourné, Joüeton et c'est derrière le
Matouret, au lavoir, qu'ils ont retrouvé Juan et son fusil,
Lucio, Antonio dix-sept ans et José seize. Les hommes se sont
désaltérés sans parole échanger. Il était midi. Chacun scrutait
les alentours.

Souvent Léon se dit de cette campagne qu'elle est morte
« mais qu'il y fait bon vivre ». Cela ne fait même plus sourire
Mathilde. Ils avaient un fils. Il est mort en Algérie. Qu'est-ce
qu'il allait foutre là-bas ? Mourir pour des pieds-noirs qui
étaient déjà en train de racheter leurs terres, coupaient les

haies, remembraient, modifiaient le paysage à leur gré et à leur force, et bouleversaient des traditions millénaires. Au premier gros orage, les eaux, autrefois retenues par les barrières humaines, devenues naturelles, de pierres et de ronces, ne mettraient que quelques minutes pour regagner le lit des rus et rivières, quand elles mettaient des heures, pour tout franchir, pauvre terre à pâturages, imperméable, recouvrant à peine les silices et les glaises. Il y aurait un raz-de-marée. Au premier très gros orage, il y eut cette vague de fond. La région fut déclarée zone sinistrée. Personne n'a dit pourquoi. Un fils mort là-bas et ceux de là-bas ici, maintenant, prospères, fiers de faire produire cette terre. Elle produisait suffisamment avant, en accord avec les éléments. Pour cela, Léon a accepté d'être maire.

Léon s'est tourné vers Juan « pourquoi as-tu pris ton fusil ? » Juan a répondu « c'est pour lui faire peur. Mon fusil n'est pas chargé. Tu peux regarder ». « Et il a fait quoi, le Bertrand ? » Juan a regardé son père, Lucio s'est tourné vers José, José a fait signe à Antonio de parler. Antonio a dit « c'était en fin d'après-midi. Au bout du domaine, presque au Riqué. Dans le bois de bouleaux. Je rentrais de la Beaucette. J'ai entendu des rires. Je me suis approché. Il y avait des gosses, plein de gosses, sept, huit, dix, des petits, garçons et filles, tous de Lasmatrix. Les bruns, c'étaient des Garcia. Les autres, je ne sais pas. Ils viennent jouer là, souvent. Il y a une clairière. Ils se font des cabanes. On a beau les chasser, ils reviennent. Ils pourraient mettre le feu, n'est-ce pas, grand-père ? Bertrand était là, au milieu. Il y va souvent, l'hiver, en promenade, seul. Mais là, les gosses tournaient, hurlaient autour de lui. Un jeu, quoi. J'ai failli partir. Mais j'ai cru que Bertrand courait un danger. Les garçons lui envoyaient des pierres, des bouts de bois. Les filles lui soufflaient dessus comme font les chats. Voilà. Bertrand était comme aveuglé, à colin-maillard.

Les enfants arrachaient sa chemise, déterraient et enterraient ses chaussures en riant. Bertrand, pieds nus, torse nu, les bras levés devant lui, tournait sur lui-même parce qu'ils le faisaient tourner sur lui-même. Il essayait, en riant ou en pleurant, je ne sais pas, on ne sait jamais avec lui, en se penchant, furieux, par saccades, d'attraper ou l'un, ou l'autre... »

Antonio se tait, se penche, plonge sa tête dans l'eau du lavoir, se redresse, souffle, s'ébroue et dit à son frère « à toi, José. Tu as tout vu, comme moi ». Lucio est fier de ses deux petits-fils. Ils ont la nationalité, eux, de naissance. Ils parlent bien, eux, de naissance. Et ils l'appellent « grand-père ». Plus besoin de rentrer à Palos de Moguer. Lucio sourit. Juan croise les bras, debout, tourné vers le sud. Il fronce les sourcils. Antonio pense qu'il en a peut-être trop dit devant le maire. José poursuit « c'était mieux que ça, plus que ça ! Moi non plus, je ne savais plus qui attaquait, si c'était un jeu ou pas. Alors, l'aîné des Garcia s'est fait un bandeau avec un bout de la chemise et il s'est mis à danser autour de Bertrand, les bras levés, lui aussi, comme s'il voulait s'envoler, en faisant de grands bruits de bouche. Deux fois, trois fois, Bertrand en se penchant, il avait l'air d'avoir bu mais il ne boit jamais, il tenait à peine debout, comme quelqu'un qui a peur de tomber, deux fois, trois, Bertrand a failli attraper le Garcia. Je crois qu'il voulait lui arracher simplement le bandeau. La quatrième fois, Bertrand l'a saisi par le bras. Le Garcia s'est débattu. Les autres criaient, les filles à l'aigu. Tonio, à ce moment-là, m'a dit " on y va " mais je l'ai retenu. Après tout, on a joué avec Bertrand, nous aussi. Pas comme ça, mais... » José s'arrête. Léon le regarde. Juan se retourne « pas la peine de tout raconter ». Lucio murmure « de quoi as-tu peur ? Tu allais avec le Bertrand, toi aussi. Il quittait ses frères pour te rejoindre en cachette. Faut le dire. C'est le droit de l'alcade de tout savoir », à Léon « pas vrai monsieur le Maire ? », à ses adjoints « pas vrai Robert ? pas vrai Sylvain ? », à José « continue », à Antonio « ou bien toi ».

Antonio baisse les yeux. José murmure « Bertrand a eu peur parce que le Garcia s'est débattu. En voulant lui arracher le bandeau, il l'a frappé à l'œil. Le petit est tombé. Les filles se sont écartées. Les garçons se sont jetés sur Bertrand. Tout s'est passé très vite. Ils lui ont déchiré le pantalon et le slip, en quelques secondes. Bertrand blessé au front s'est mis à saigner sur les yeux et les joues. Il n'y voyait plus. Tout ça s'est passé d'un coup. Bertrand, pour se défendre, attrapait les garçons, et leur mordait le bras, la jambe, la cuisse. Alors les gosses se sont acharnés. Coups de pied, coups de pierres. Ils brandissaient le pantalon, le slip, les lambeaux de la chemise. Ils criaient " salaud ", " loup ", " bête " et " con " en le frappant avec des branches mortes. Au sol, recroquevillé sur lui-même, Bertrand se protégeait la tête. C'est seulement quand le Garcia a déboutonné sa braguette en ordonnant aux filles de " foutre le camp " et aux garçons " pissez-lui dessus, comme moi " que j'ai bondi, avec Antonio. Je sais très bien pourquoi on n'a pas bougé avant. Parce que c'était encore trop tôt. Pour pas de drame, il ne faut jamais interrompre ces jeux-là ».

José regarde son père « faut jamais surprendre des enfants. Et quand je dis des, je pense aussi à Bertrand ». José se tourne vers Antonio « les enfants ça oublie tout, sauf quand c'est surpris » puis à mi-voix « dès que les gosses nous ont vus, ils ont détalé en poussant des cris de Sioux. Dès que Bertrand nous a entendus l'appeler, nous deux, Tonio et moi, il a rampé, comme un fou, vers l'autre côté de la clairière en répétant " non ", " non ", ou plutôt, comme ça, " oon... ", " oon... ", de la gorge. Un chien qui grogne. Une bête qui râle. On lui disait " c'est nous, n'aie pas peur ". Comme il s'était redressé, j'ai crié " n'ayez pas peur, monsieur Bertrand ". Tonio a gueulé " on n'a rien vu ! Revenez ". Ouais, on lui a dit exactement ce qu'il ne fallait pas dire. On lui a dit " tu " parce qu'on le tutoie, puis on lui a dit " vous " parce qu'avec lui on ne sait jamais. Tonio a dit qu'on n'avait " rien vu ". Moi aussi j'allais le dire. C'est ça qui l'a fait fuir. Si on avait essayé de le maîtriser, il nous aurait tués. Justement, nous l'avions vu. Et c'était nous ». José s'essuie la bouche, bouche sèche, geste bref, comme pour effacer un baiser. Lucio s'approche de son fils et lui donne une petite tape à la nuque. Antonio évite le regard de son père. Juan saisit son fusil. Léon prend à témoin Sylvain et Robert « d'après vous, où est-il ? » Robert « s'il est nu, pas bien loin ». Sylvain « ferait mieux d'être là, le père Prouillan, à nous laisser son fils en otage ». Juan le regarde « en otage de quoi ? » Robert rit « c'est toi qui me poses la question ? T'es payé pour le garder, oui ou non ? Tu devrais savoir ». Léon dit calmement « je sais où il est ». Silence. « Mais avant, je veux voir les gosses. Surtout l'aîné des Garcia. »

A Lasmatrix, chez les Garcia, c'était l'heure du repas. Le père Garcia a dit en les voyant arriver « la chasse est ouverte ? » et à Lucio « que pasa ? » Lucio a répondu « nada » et Juan « nada, hombre ». La mère Garcia leur a servi à boire, du pain et de la soupe aux fèves. Les enfants étaient là, à table, l'aîné, les deux cadets et les trois filles. Rien à lire sur leurs visages et dans leurs regards. Léon un bref instant s'est demandé si ces enfants se doutaient de quoi que ce soit, jouaient un jeu ou n'avaient pas encore vécu ce sentiment de menace qui conduit les grands à se considérer comme tels et les adultes à vieillir en ayant conscience de devenir vieux. Léon s'était souvenu de sa propre enfance, de tant de faits dont il avait été le héros minime et qui n'avaient acquis de réalité et d'importance que plus tard, lorsque son fils les avait

provoqués à son tour. José venait de dire qu'il ne fallait pas
surprendre les enfants. Tout cela de la journée n'était qu'une
histoire de famille à régler en famille. Investi de son pouvoir
de maire, flanqué de ses deux adjoints, sûr du fait que
Mathilde retiendrait Merced, touché par la joie de Lucio
écoutant ses petits-enfants s'exprimer, encore plus attentif
aux silences de Juan, Léon était sûr de son coup. Tout se
réglerait à Lestaque, dans Lestaque. L'aîné des Garcia se
tenait tout contre la table, les bras croisés, l'air un petit peu
buté. Plusieurs fois sa mère lui demanda de servir à boire. Il
faisait semblant de ne pas entendre. Léon, Lucio, Juan,
Antonio, José, Sylvain et Robert, discrètement, auraient
voulu voir une blessure, une morsure, une marque, une
preuve. L'aîné des Garcia, comme les autres, ne bougeait ni
ne parlait. Léon, en faisant signe aux hommes de le suivre,
avait dit simplement au père Garcia, à voix haute, sans pour
cela attaquer les enfants, « ils sont sages tes gosses » et devant
la ferme, en aparté, « dis-leur simplement de ne plus aller... »
puis « non. Ne leur dis rien. Ne t'inquiète pas. On a
simplement perdu le Bertrand » et aux autres « en route pour
Auzan ». Léon et Mathilde ont racheté la ferme de Bernadette pour leur fils. Les terres sont restées en friche. La
maison est abandonnée. Léon a regardé Sylvain « Bertrand
n'a pu que se réfugier là » puis Juan « tu y allais, à Auzan,
quand tu avais quinze ans, avec lui. Je t'y ai vu. Dis que tu t'en
souviens ». Juan, fusil cassé sur l'épaule, s'est contenté de
cracher par terre.

Depuis 2 heures de l'après-midi, ils attendent, sous l'orme,
devant la maison. Antonio et José se sont allongés sur la
branche morte, coupée, comme un tronc, écorce noircie par le
temps et les intempéries, bois sec et rude, branche porteuse
qui a dû servir de banc. Lucio et Léon ont failli dire aux
jeunes de ne pas s'allonger là, en même temps. Mais en même

temps, ils se sont regardés, et ont choisi de taire le souvenir du
pendu. Juan a caché son fusil dans les broussailles à l'entrée
du chemin qui conduit à la ferme abandonnée. Robert et
Sylvain sont rentrés à Lestaque « il est là. Vous n'avez plus
besoin de nous ». Juan fait continuellement le tour de la
maison. De temps en temps il s'approche de la lucarne, près
de la porte de la grange. Le volet est tombé. Il s'agrippe, se
hisse, regarde et murmure « Bertrand, sors, je t'en prie », à
voix plus haute « sortez, je vous en prie » ou « ne nous force
pas à défoncer la porte », ou plus fort « nous t'attendons,
dehors ». Par la lucarne il a jeté sa chemise. Puis, après avoir
fait une nouvelle fois le tour de la maison, il a jeté un slip, ôté,
donné. Lucio a murmuré « si on téléphonait à Paris ? Il ne
bouge plus de là, le vieux ». Léon n'a pas répondu. Plusieurs
fois, Antonio ou José se sont levés. Mais leur père leur a fait
signe de ne pas s'approcher. Le soleil tombe. Nuages et rais
rouges. L'orme immense se met à frissonner. Lucio dit sans
même s'en rendre compte « si on prévenait Jeanne. Elle doit
nous attendre... » Personne ne l'écoute. Il a parlé pour lui
seul. Juan, en maillot de corps bras nus, s'est assis par terre,
adossé à la porte du hangar. José dit à son frère « si je lui
donnais mon pantalon ? » Antonio a souri « t'as rien en
dessous, toi ».

Alors, Antonio se lève, retire son pantalon, le plie, comme s'il
y avait eu un pli, pantalon de toile, usé, rapiécé aux genoux,
qu'il met le matin pour sortir les bêtes. Le voici, pieds nus
dans ses godillots de cuir, jambes nues, en slip, chemise qui
pend. Antonio se dirige vers la ferme. Son père ne lui fait pas
signe de s'arrêter. Antonio lui tend le pantalon, plié, comme
une offrande. Léon se dit que tout cela ressemble un peu à la
messe, quand il y allait, le silence surtout. Mais là les gestes
sont importants. Il y a quelqu'un dans la maison. Juan se lève,
prend le pantalon. Antonio fait la courte échelle à son père

et Juan, hissé, appelle dans la nuit de la lucarne « Bertrand ? Habille-toi. Sors. Il n'y a que nous quatre et Léon. Nous avons soif, comme toi. Et nous voulons rentrer à la maison ». Antonio tremble un peu sous le poids de Juan. Mais il le tient, fort, de tout son corps, verticalement, les chaussures de son père lui barrent le ventre, la pierre de la maison lui racle la chemise et le dos. Lucio, Léon et José se sont approchés de quelques pas. Juan, toujours en équilibre, jette le pantalon à l'intérieur « tiens. Nous t'attendons au bout du chemin. Et si tu veux, nous parlerons. Comme nous n'avons jamais parlé ». Juan saute par terre, se donne des tapes aux coudes et aux genoux. Antonio retire sa chemise, la secoue et la remet. Léon dit à Juan « tu as raison. Nous nous tenions trop près ».

Au bout du chemin, ils s'assoient tous les cinq sur le talus. En passant, Juan a jeté des branchages sur les broussailles, pour cacher totalement le fusil. Lucio, tête baissée, pense à ce bois de bouleaux, arbres que Monsieur a fait planter en novembre 39, au cordeau, bien en lignes, et sur plus d'un hectare, parce que Madame Cécile « rêvait d'avoir » ces arbres-là, chez elle. Dix ans plus tard, étouffés, quelques-uns étaient morts, au milieu, ménageant spontanément une clairière, organisant ce désordre naturel dont le curé de Palos de Moguer disait qu'il était la première preuve de « la obra de Dios », l'œuvre de Dieu. Lucio ferme les yeux. Dieu, pour lui, n'est que le calme, quand il revient, si peu la paix qui appelle la guerre. Lucio, pour la première fois, se sent vieux. Depuis que Madame Cécile a accompagné Bertrand, jamais plus personne de la famille Prouillan n'est revenu. Monsieur envoie l'argent qu'on lui demande, renvoie toujours les profits du métayage des terres exploitées par Juan, « en cadeau pour vos services », paie les impôts, s'inquiète de l'état de la grande maison, ordonne de Paris les travaux nécessaires et paie. Il paie. Mais dans ses lettres, toujours tapées à la machine, par quelqu'un d'autre, il ne parle jamais de Bertrand. C'est Jeanne, en réponse, qui écrit pour donner les nouvelles et faire les demandes. Invariablement, elle mentionne « votre fils va bien et nous charge de vous saluer », début d'ironie ou volonté de réunir le père et le fils. Et chaque fois que Jeanne relit à voix haute la lettre qu'elle vient d'écrire, chaque fois que la formule concernant Bertrand revient, Merced tourne la tête, se lève, trouve quelque chose à faire du côté de l'évier, Juan serre le poing sur la table, Antonio regarde son frère, José se met à siffloter, va s'adosser à la fenêtre, observe la route, le village, le clocher, et Lucio se demande s'il hait ou s'il aime les Prouillan. Que s'est-il passé il y a vingt ans ? Monsieur Henri et Madame Cécile avaient des enfants formidables. Pourquoi celui-ci est-il revenu dans cet état-là ? Un accident ? Quel genre d'accident ? Quand Madame Cécile a accompagné Bertrand, elle n'a donné aucune explication. Elle a fermé elle-même les chambres du haut, vérifiant le crochetage des volets, faisant placer les matelas et les sièges sous des housses. Lucio se souvient du bruit du trousseau de clés, bruit qui allait s'amplifiant, de porte en porte, de chambre en chambre, tout au long du couloir des combles et de celui du premier étage. Madame Cécile disait « il aura tout le bas pour lui. Ces clés, je vous les confie. Personne d'autre que vous, Merced et vos enfants n'aura le droit d'entrer dans cette maison » puis au moment du départ « deux maisons divisent l'esprit ».

Lucio n'a toujours pas compris cette dernière parole de Madame Cécile. Elle avait eu un drôle d'air en disant cela. Un air absent. Ces gens-là disent parfois des choses qu'ils ne comprennent pas eux-mêmes. Et quand, souvent, presque tous les jours, Lucio voit Paris à la télévision, il pense que c'est peut-être ça, la division. Et que les gens, ces gens, vont là-bas pour souffrir, régner, dominer et se perdre. Du temps de Palos de Moguer, Lucio évitait Cuelga. C'était déjà une bien trop grande ville.

Là, maintenant, Lucio regarde le chemin, et au bout du chemin, la ferme. Il écoute. Il guette. Cela fait des heures et des heures. Il ne veut pas se sentir vieux. Il veut voir, un jour, les enfants d'Antonio et de José. Il entend, au fond de sa mémoire, un curieux bruit de trousseau de clés. Il revoit aussi cette femme, Madame, souriante à l'ordinaire et qui brusquement, de retour avec Bertrand, ne sourit plus ou bien, sourire fixe, vague, perdu, comme un sourire de remords qui ne quitterait plus ses lèvres, ordonne à Merced de défaire les lits, de disposer de nouveau les housses, de tout remettre au sommeil de l'ombre et de la nuit, à l'abri des poussières, alors que tout était prêt, briqué, aéré, pour l'été. Cet été-là. Il y a vingt ans. Lucio entend des volets qui claquent et des bruits de crochets à harponner le cœur. Ce n'était plus la même femme, et tout à coup, un de ces « coups de théâtre » dont parlait le beau-frère de Monsieur. « Théâtre » ou « bridge », ça veut dire quoi ? Madame était devenue dure et sans plus aucune jeunesse. Plus rien de ses gestes ne parlait d'un passé, de ce qui avait dû être un bonheur, ne serait-ce qu'une présence. Une famille ne se décide pas. Et pour mieux voir, revoir, Lucio ferme les yeux. Le silence du soir aide, aussi, et les bruits de mémoire se distinguent. Léon se penche vers Lucio « tu dors grand-père ? » puis en riant « tu vas rater la sortie de ton Bertrand ».

Léon, en fait, n'a pas envie de rire. La nuit tombe. Il commence à faire froid, un froid qui dit vrai. Le froid des jours qui virent à la nuit quand tout de l'air se met à couler, irriguer, brasser, entretenir. Léon ne s'habituera jamais à être totalement ce qu'il est, un de Lestaque, l'unique de Mathilde,

le père d'un mort et le maire d'une revanche. S'il tutoie ses
Espagnols, il ne parle toujours pas, ou peu, aux pieds-noirs.
L'exercice de ses fonctions, 173 inscrits sur la liste électorale,
dont 52, eux, lui permet de leur dire non. Dans le *Sud-Ouest*,
Mathilde n'a qu'une lecture quotidienne, la rubrique « deux
oui, pour un nom ». Elle veut savoir qui épouse qui. Même si
elle ne connaît pas les jeunes en question, elle fait semblant de
s'intéresser. Elle marie son fils. Léon chaque fois lui demande
« quelque chose d'intéressant dans le journal ? » Mathilde
« non. Comme d'habitude ». Ils sont allés deux fois à
Toulouse, une fois à Bordeaux et une fois à Pau où on leur
remit une médaille, une « croix de guerre » avec « citation à
l'ordre de la Nation » et brève poignée de main. On les avait
mis en rang, dans la cour d'une caserne. C'est tout pour les
voyages. Léon n'a jamais montré à Mathilde la lettre de
condoléances de monsieur Prouillan. Il a simplement dit à sa
femme « la lettre commençait par : ma famille et moi, alors je
l'ai jetée ». Léon regarde la ferme des Despouet qui serait
devenue la ferme de son fils. Dedans, il y a Bertrand, autre
famille, autres gens, marionnette agitée de Paris. Il doit y
avoir des fils partout de Lestaque à la capitale, de Moncrabeau à cette place d'Antioche, adresse gravée sur les courriers
adressés à la mairie. Monsieur Prouillan vote par correspondance. Et c'est toujours lui qui envoie le plus d'argent, à
l'école, pour l'arbre de Noël, au comité des fêtes, pour la
Saint-Jean. On lui doit l'installation du téléphone, et la cabine
publique. Il a donné aussi pour le toit de l'église. Il donne
toujours, mais il ne vient plus.

Assis sur le talus, mains jointes, doigts croisés, silence et
froid, la nuit est tombée d'un coup, comme si l'orme
gigantesque avait jeté de l'ombre sur toute la région, de
l'ombre ou de l'encre, l'encre noire des actes officiels,
registres de mairie, naissances, mariages, divorces, décès,

Léon se dit que lui, Lucio, Juan, Antonio, José et les autres, Jeanne, Merced, Mathilde, et les femmes, eux tous n'existent plus dans l'esprit de ces gens de Paris qui ne font que se gouverner entre eux. La province serait oubliée. Pourtant elle sent bon. Il suffit de humer. L'odeur de l'herbe et celle de l'écorce sont irremplaçables. Ils sont là, eux, il suffit d'écouter.

Léon revoit Bertrand, treize ans, allongé, torse nu, dans la grange d'Auzan, sur le sol de terre battue. Il fume une cigarette. Juan, debout, derrière lui, adossé au mur de pierres sèches, un pied relevé, genou en avant, bras croisés. Juan avait seize ans. Léon vient de les surprendre « qu'est-ce que vous faites là ? » Bertrand se redresse, écrase sa cigarette lentement, consciencieusement. Juan murmure « rien, nous parlons... » « Alors foutez le camp, vous êtes ici chez moi. » Bertrand avait dit en sortant, cédant le passage à Juan, « ne vous fâchez pas, monsieur le Maire, je serai jamais chez moi nulle part, moi ! » Ces gens-là veulent toujours avoir le dernier mot.

Lucio murmure « Jeanne a préparé un gâteau d'anniversaire ». Juan se lève et, du milieu du chemin, agacé par cette manière que Léon a eue de le regarder, crie « Bertrand ? Ça suffit ! » Antonio mâchonne une tige de graminée. José pose une main sur le genou gauche de son frère « tienes frio ? » Il l'a dit en espagnol, pour faire plaisir à Lucio. Antonio répond « oui, j'ai froid. Mais pas comme tu penses ». Juan donne un coup de pied dans un caillou, hausse les épaules, secoue la tête.

Juan préférait Luc et Sébastien à Bertrand. Il aimait Claire surtout et la regardait fixement quand, flanqué à côté de Lucio, son père allait « tomar las ordenes », prendre les

ordres pour la journée et les travaux à faire. Claire avait cette
peau blanche que Juan renifle de près, désormais, quand
Jeanne soulève le drap du dessus au moment où son mari la
rejoint au lit. Juan se souvient des étés, mais pas des hivers.
La fermeture de la grande maison arrêtait le temps. Juan
rêvait de devenir l'ami de Luc et de Sébastien, l'amant de
Claire. Or, il n'y avait que Bertrand pour s'intéresser à lui, et
parfois l'inviter « allons à Auzan. Je veux voir l'orme, sentir
cette maison ». Voir l'orme ? Sentir cette maison ? Parfois,
au détour d'un chemin, Bertrand attrapait une main de Juan
et la serrait, petite pulsion des doigts, puis la relâchait. Les
regards étaient de promenade, et constituaient l'essentiel de
la balade. Ils étaient, à eux seuls, le discours, la conversation,
les confidences. Bertrand regardait encore plus Juan en ne le
regardant pas. Juan se souvient de s'être ainsi senti traqué
tant de fois, aller et retour à Auzan, pour « voir l'arbre » et
« pour parler ». Juan garde en lui, intact, puissant, le
sentiment butant de ces silences, l'acharnement de Bertrand à
ne pas faire ce geste de trop qu'ils redoutaient et désiraient en
même temps. Tout cela est brutal, net, constat de mémoire.
Juan se sentait désiré. Bertrand aimait à le voir marcher,
respirer, sourire ou bien se taire quand il lui posait une
question intime au sujet de Claire ou des jeunes filles de
Lestaque. C'était à peine hier. Pourtant, près de trente ans
ont passé.

Et Juan, là, au milieu du chemin, guette la porte du hangar,
comme il lui arrivait de le faire quand Bertrand ne voulait pas
rentrer. Juan, alors, se sentait coupable de gestes qui
n'avaient pas été échangés, reçus, donnés, coupable de ce qui
ne s'avouait pas même dans les mots, grands moments de
connivence et de complicité, saveur forte des fins de journées.
On attendait Bertrand à la grande maison, pour le dîner.
Aucun retard ne devait signaler le secret de leur balade.

Après le dîner, les Prouillan iraient, famille réunie, se promener, jusqu'à Maripouy ou jusqu'au bois de bouleaux. Seul, avec ses parents, Juan les entendait franchir le portail. Juan et Bertrand se sont donné la main. C'est tout.

Parfois, Juan se sent tout entier dans cette main-là. Même si un jour Lucio a dit devant Merced qui ne comprenait pas « Bertrand es una mariqua ». Tapette. Même si Léon les a surpris dans le hangar alors qu'ils ne faisaient rien que se regarder, encore, distance respectée, maintenue par Bertrand et dont Juan, parfois, bouleversé, se demandait si ce n'était pas à lui de la briser, faire l'autre geste, en réponse. Même si, l'été suivant, la sœur de Monsieur était venue avec un de ses amis, Romain, qui écrivait, lui aussi, pour le « théâtre » et qui avait « un avenir fou ». Un avenir fou ? Juan avait vu Bertrand et Romain se diriger vers Auzan et la ferme. C'était fini. Bertrand venait de lui rendre une liberté dont Juan ne se réjouissait pas vraiment.

Là, maintenant, Juan se dit « c'est la dernière fois et nous rentrons ». Il crie « Bertrand ? Tu vas être en retard ! » Antonio et José regardent leur père. Ils ne comprennent pas. Léon aide Lucio à se lever. La nuit ne s'est jamais présentée aussi noire. Si on regarde le ciel, entre les nuages, on voit les étoiles. La lune se lève. Sous l'orme, une maison tapie dans l'ombre. La porte s'ouvre. Bertrand.

Pieds nus. Le pantalon d'Antonio tombant au-dessus des chevilles, la chemise de Juan par-dessus le pantalon, ni boutonnée aux poignets ni boutonnée devant, Bertrand ressemble à un pantin. Il laisse la porte du hangar entrouverte, donne l'impression d'une hésitation, oscille légèrement, de droite, de gauche, comme s'il allait fuir encore d'un côté ou de l'autre de la maison. Mais il lève la tête, droit

devant lui, hume le vent, cligne des yeux comme s'il avait
encore plus de mal à s'accommoder de la nuit, faîte de l'orme,
nuages, ciel, étoiles. Il regarde sans y voir vraiment. Une plaie
lui barre le front, la tempe de l'œil gauche est tuméfiée, ses
bras et ses mains sont couverts de bleus, d'éraflures, par
endroits tailladés, croûtés. Seuls Antonio et José se sont
approchés, instinctivement, sans même s'en rendre compte,
côte à côte, comme pour calmer une bête échappée. Deux
fois, Lucio vient de penser à un animal, chien qui hume, et
bête traquée, retrouvée, qui doit redevenir domestique. Lucio
se dit en pensant aux Prouillan « nous sommes coupés d'eux,
mais pas eux de nous ». Il se tourne vers Léon « heureusement qu'ils nous ont, n'est-ce pas ? »

Antonio, jambes nues, et José encadrent Bertrand. Ils veulent
le soutenir par les coudes pour l'aider à marcher, mais
Bertrand se dégage de leur emprise, avance en boitant du pied
gauche. Juan, flanqué de Lucio et de Léon, attend que
Bertrand arrive à sa hauteur. Il lui saisit les mains, à deux
mains, deux poings dans ses mains, le force à écarter les
pouces, à tendre les doigts, paumes tournées vers le ciel,
manière de calmer l'ami et lui dit « ce soir tu dormiras chez
nous. Jeanne a prévu de fêter ton anniversaire. Viens ».
Bertrand, cette fois, se laisse prendre par la taille. Juan fait
passer le bras gauche de Bertrand au-dessus de ses épaules,
main blessée qui pend sur la bretelle de son maillot de corps.
Lucio, témoin, pense au geste amoureux, quand il tenait
Merced, accrochés tous deux au flanc ou à l'arrière d'un
camion, grappe humaine, exode. Et les hommes, cortège,
rentrent au domaine.

En passant près de Lasmatrix, sur la colline, Léon entend des
bruits de pas furtifs, bruits tapis et légers, derrière les haies et
les buissons. Les enfants sont là. Une voix monte de la ferme

des Garcia « a casa, niños ! A casa ! » Bertrand bave un peu,
bave sèche et de soif. De temps en temps, José, d'un revers de
main, lui essuie la bouche, essuie ensuite sa main sur son
pantalon. Antonio murmure « j'ai froid aux genoux ». Juan
lui dit « alors pars en avant. Préviens Mathilde et Merced de
nous rejoindre à la maison ». Léon ajoute « dis-leur de
prendre l'eau de Dakin, l'alcool à 90°, et tout ce que nous
avons de coton hydrophile ». Antonio part en courant,
retenant son slip pour qu'il ne tombe pas. Lucio sourit. José
rit. Juan dit à son fils « aide-moi ». José soutient Bertrand du
côté droit. Ils le portent, l'emportent, le ramènent. Ils vont
plus vite. Ils ont faim. Bertrand a froncé les sourcils en voyant
Antonio partir devant eux. De temps en temps, un mot se
bloque dans sa gorge, un mot qui vient du cœur, spasme, un
mot en « i » que Bertrand n'arrive pas à articuler. Après la
traversée de Lestaque, au vu du portail de Moncrabeau
devant lequel Jeanne, Merced, Mathilde et Antonio se
tiennent, lumière aux fenêtres du bas, le mot sourd et articulé
sort des lèvres de Bertrand « merci », puis « muchas gracias »
péniblement. Lucio a entendu. José a regardé son père avec
fierté. Juan se sent nu, dans son pantalon. La main gauche de
Bertrand s'accroche à la bretelle de son maillot de corps. José,
de son côté, se dit que ces gens-là ont la peau blanche et
douce. Il porte Bertrand et il a, pour la première fois, la
certitude de le connaître, et de le comprendre un peu.

Ils ont assis Bertrand sur une chaise. Merced lui donne à boire
un peu d'eau sucrée, à petites gorgées d'abord, carrément
ensuite, en lui tenant la nuque. Merced se souvient de cette
même tête, dans un berceau, sous laquelle elle glissait sa
main, conformité du crâne, préhension. Quarante ans plus
tard, elle est là, elle recommence, même prise et sensation au
creux de la main, même eau sucrée, et même oubli des
parents, les vrais, les autres.

Alors, se redressant, elle laisse faire les hommes. Elle reste avec Mathilde et Jeanne dans la salle du bas. La table est mise, la télévision est éteinte. Juan prend Bertrand dans ses bras et le porte, colosse, au premier étage, dans la chambre de ses parents. Sur le lit, Lucio déplie un drap en regardant le crucifix, pas pour Dieu et son Christ, mais pour simplement le calme revenu et le calme trouvé ici, dans cette maison, à garder la maison des autres. La rébellion des ouvriers de la Corchotaponera S.A. de Lepe et de l'usine de pyrite n'a, somme toute, eu pour résultat que de le conduire à travailler pour d'autres propriétaires. Même faction. Comment revendiquer si l'erreur est millénaire ? Antonio et José déshabillent Bertrand et le couchent sur le lit. Léon apporte un bac d'eau tiède et des serviettes. Lucio distribue du coton imbibé d'alcool, à chacun. Ce sont les hommes qui nettoient les plaies de Bertrand.

Mathilde regarde Merced « et il fait quoi, le Bertrand, chaque jour, de tout son temps ? » Merced se tourne vers Jeanne, Jeanne répond « on a l'impression qu'il attend. Il lit mais comme ça » et Jeanne place ses mains, à plat, tout contre son nez. Elle sourit « ce n'est pas drôle. Il ouvre le livre. Parfois à l'envers. Il le tient tout près en faisant une grimace. Il ne tourne jamais les pages ». Merced regarde sa bru, s'essuie les mains à un torchon, puis à son tablier. Elle retire le tablier, l'accroche au mur près de l'évier et précise « moi, non seulement je crois qu'il lit, mais il fait tout, tout seul. Il fait son lit. Il lave ses chemises. Je relave ensuite, pour de vrai, mais il les lave. Au savon. Il frotte beaucoup. Et il écrit aussi. Il remplit son stylo. Il le vide dans l'encrier. Il le remplit de nouveau. Il essuie la plume. Il ouvre le cahier, ou il prend une feuille. Il n'écrit rien, mais je suis sûre qu'il écrit ». Merced prononce « ploume », « souis », « soure ». Elle a trop parlé.

Elle regarde Jeanne et Mathilde. Elle se retourne. Elle fait couler de l'eau dans l'évier. Pour rien. Elle nettoie avec une éponge. C'était déjà propre. Elle leur tourne le dos. Elle ne pleure pas, elle a le nez qui coule un peu, c'est tout. Elle se souvient de Cuelga, quand elle dansait la sevillana, petite fille, « *los suspiros son aire y van al aire* », les soupirs sont de l'air et vont à l'air, « *las lágrimas son aqua y van al mar* », les larmes sont de l'eau et vont à la mer, « *dime, mujer, quando el amor se olvida donde va ?* » dis-moi, femme, quand l'amour est oublié, où va-t-il ? Merced s'essuie le bout du nez. C'est toujours la même histoire, c'est jamais la même histoire. Depuis Alscall rien ne s'est passé, vraiment, c'est tout ce qu'elle souhaitait. Et Bertrand, Antonio vient de le lui expliquer, n'a pas vraiment « touché les nines ». Alors ?

Des bruits de pas, au premier étage, autour du lit. José revient de la grande maison avec des vêtements propres. Léon, deux fois, descend et change l'eau du bac, salie, sang, « sangre ». A chaque fois, Merced nettoie l'évier, puis l'éponge. Ne pas laisser de traces. Mathilde dit « je ne comprends pas non plus que Bernadette ne soit jamais revenue. Même pas pour un congé ». Merced se tient le dos tourné, les mains posées sur le rebord de l'évier. Jeanne répond « ils font avec elle comme avec Bertrand. Chacun est très bien là où il est ». Jeanne s'approche alors de sa belle-mère et, de dos, défait son chignon, cheveux noirs, quelques cheveux blancs, et le lui refait, une beauté. Puis elle se penche pour surveiller le gâteau, dans le four, et le feu, sous la soupe.

Bertrand est redescendu, sans l'aide de personne, propre, habillé. Il entre le premier. Les hommes le suivent. Bertrand se rend compte que la télévision n'est pas allumée et ne fait pas de bruit. C'est donc un autre soir. Merced le conduit à sa place, en bout de table. Mais Bertrand lui fait signe de

s'asseoir là, sur cette chaise, à sa place. Merced se laisse faire
en regardant Lucio. Bertrand prend place à gauche de
Merced. En face de lui, Juan, Antonio et José. A sa gauche
Mathilde et Léon. Lucio fait le tour de la table, sert du vin à
chacun. Puis il prend place, face à sa femme, autre extrémité
de la table, debout, et dit, clairement, avec le moins d'accent
possible, en regardant José et Antonio et en levant son verre
« nous leurs devons tout mais ils nous doivent tout. Todo ! »
Lucio hésite un peu, regarde Bertrand « ce soir, Bertrand,
nous te gardons ici. Deux maisons divisent l'esprit. A tes
quarante ans ! A nous tous ! » Ils boivent. Mathilde aide
Bertrand à lever son verre. Lucio s'assoit. Jeanne pose la
soupe au milieu de la table. Lucio lui fait signe d'apporter une
assiette, une chaise et de prendre place, entre Juan et
Antonio, pour la première fois, avec eux, à leur table. C'est
ainsi.

Jeanne se fait une petite place entre son mari et son fils aîné.
Elle a peur de toucher ou le bras de l'un ou le bras de l'autre.
Mathilde se lève « je sers tout le monde », comme une gaieté.
Merced, pour la première fois, préside à cette table, fait face à
Lucio. Elle n'ose pas poser ses mains sur la table. Elle regarde
Bertrand, plaie au front, tempe meurtrie, blessures aux
mains. Mathilde sert Bertrand en premier, d'instinct, ou
d'habitude, d'intimidation aussi puisqu'elle s'en défend,
toujours virulente au village, à parler des Prouillan, ces
« éternels absents » qui « se croient tout permis ». Bertrand,
soupe servie, devant lui, maladroit de ses mains et de ses
doigts, fait glisser l'assiette sur la table, vers Merced qui retire
son assiette vide et la tend à Mathilde. Ce geste de Bertrand
surprend la tablée. Jamais, depuis le temps, tant et tant
d'années, Bertrand ne s'est trouvé vraiment avec eux, à la
même table, mais toujours, seul, à midi, dans la grande
maison, repas apporté par Jeanne et à l'écart, en bout de

table, le soir, le plus près possible de la télévision, avec cette serviette que Merced change chaque jour « comme autrefois, j'y tiens ». Alors Mathilde, troublée, amusée aussi, sert Jeanne, se sert, de nouveau Bertrand. Puis les hommes en dernier. Mathilde s'assoit. Personne ne bouge. Bertrand les regarde vaguement, secoue légèrement la tête, essaie de sourire. Juan le premier s'est mis à manger, puis Lucio. Puis Léon. Les autres ont suivi. Bertrand a du mal, blessure au pouce de la main droite, à tenir sa cuillère à soupe. Merced l'aide.

Deux fois de la soupe. Et du vin. Juan trinque avec Bertrand, presque brutalement. José dit à Antonio, et à voix haute pour que tout le monde entende « tu te souviens, le lapin ? » Antonio le regarde, étonné « quoi, le lapin ? » « Le lapereau sauvage que tu avais attrapé, à la Beaucette, à la main. Ta première prise. T'avais pas sept ans. Et moi, j'étais jaloux. » Antonio hausse les épaules, évite le regard de son frère. José sourit, s'adresse à tous « Tonio l'avait caché dans notre chambre. Dans une caisse, pendant la journée. Et la nuit, en liberté, dans notre lit. Moi j'avais pas le droit d'y toucher. Lui le caressait tout le temps, tout le temps ». Antonio murmure « arrête ta connerie de conejo ! » José regarde Bertrand, devant lui son assiette, son verre, puis son grand-père « il le caressait trop. Alors le troisième jour, il est mort ». José se lève, ramasse les assiettes et les cuillères. Jeanne veut l'aider « non maman, ne bouge pas ». José pose le tout dans l'évier, prend d'autres assiettes dans le bahut « ce soir, c'est la fête, on change trois fois. Comme à la grande maison ! » Fromage, salade. José sert le vin. Il rit presque, s'amuse, tourne autour de la table, s'arrête entre Merced et Bertrand, en coin, debout, se penche, embrasse Merced, adresse un clin d'œil à Bertrand et, debout derrière sa grand-mère, murmure « c'est aussi comme l'histoire des Blancs qui quittent je ne sais plus quel pays d'Afrique, chassés par les Noirs. Je l'ai lu. Ils partent précipitamment, et pour cause. Ils abandonnent tout. Pont aérien. Rapatriements. Certains sont tués. Il y avait des photos dans les journaux. Je les ai vues. Il y a huit ans. J'avais huit ans. Et ces colons-là, oui, ces colons-là, ils ont laissé leurs chiens et leurs chats. Les chiens, eux, sont morts. Pas de maîtres ? Pas de vie ! Les chats, eux, se sont réfugiés dans les forêts. Ils se sont défendus. Dans la forêt vierge, maintenant, là-bas, il y a des chats magnifiques ! »

José regagne sa place. Silence. Il sourit à Bertrand. Bertrand le regarde vaguement, mais le regarde mieux, esquisse. Antonio secoue la tête et sourit à son frère. Sous la table Bertrand tremble des genoux. Léon demande à Mathilde « combien de pots de confiture aujourd'hui ? » « Trente-sept. » Juan regarde Lucio « un jour, on devrait monter à Paris et leur casser la gueule ».

10

Table 7, chez Taillevent. Fin du repas, fruits déguisés, serviettes froissées. Pour la nième fois depuis le début du dîner, un serveur s'approche et d'un geste mesuré, précis, toujours le même geste, recouvre le cendrier dans lequel Suzy vient d'écraser une cigarette à peine allumée par un cendrier identique, retire le tout, et pose sur la table le cendrier du dessus, couvercle d'un instant, propre, aux armes de la maison. Suzy n'aime pas ce restaurant, son parfum de boiseries impeccables, cirage neutre, son soupir de linge et de tissus de qualité. Cette manière aussi, dans la disposition et l'intensité des éclairages, d'organiser une intimité idéale, parfaite, pour qui ne veut jamais plus être dérangé et en avoir pour son argent. Suzy se souvient à peine du repas, du goût des mets, entrée, plat principal, dessert, de la saveur des sauces et des crèmes. Elle vient de se régaler, mais de quoi déjà ? Elle est obligée d'y penser pour se le rappeler. Obligée de faire ce tout petit effort de mémoire qui signale brusquement l'absence à un plaisir, l'absence de fête, de rencontre ou de conversation. Henri et elle ne se sont en fait rien dit que de convenu.

De temps en temps, nerveusement, elle allumait une cigarette, pour l'écraser et l'éteindre presque du même geste, à peine une bouffée ou deux. Elle laissait un mégot. Provocation. Jeu. Le serveur, préposé, comme aux aguets, se dirigeait vers la table et remplaçait le cendrier, l'air placide, automatiquement. De même pour le sommelier, et cette bouteille de château-batailley 70, de bouquet et de corps, laissant un après-goût légèrement amer, que l'homme s'employait religieusement à verser dans leurs verres, à peine y avaient-ils trempé leurs lèvres. Tout cela avait été attentif et mécanique à la fois.

Il y a peu de clients. Une table de Japonais. Trois tables d'Américains. Un vieil homme seul, dans un coin, qui ne laisse jamais rien dans son assiette. Suzy l'a remarqué. Suzy aussi remarque qu'aucun client ne regarde jamais vraiment ni le maître d'hôtel ni le serveur ou le sommelier, quiconque faisant le service. Ils mangent et vivent comme si on ne les servait pas, comme si ceux-là, vêtus d'un deuil de fonction, étaient inexistants. Il n'y a pourtant que les serviteurs pour dire la vérité des maîtres. Les maîtres, eux, jouent avec leurs malheurs ou leurs intrigues, et ne peuvent proposer qu'une vérité après l'autre, vérités d'effacement, de parade, de démission ou de confort. Jamais « la vérité du tablier » comme la nommait Jean. Jean disait souvent à son beau-frère pour l'isoler dans ses défenses, mettre fin à une querelle inutile « je te rends mon tablier ». C'était, disait-il, la seule technique efficace, celle « des torchons et des serviettes. Côté

torchon, on espère encore. On sait rager. Côté serviette, on
ne sait plus essuyer. Ne serait-ce que s'essuyer les lèvres de
tout ce qui s'est dit ».

Suzy prend un fruit déguisé, du bout des doigts, et le croque,
petit dé d'ananas confit. Trop sucré. Une gorgée de vin. Elle
s'essuie les doigts à la serviette. Henri la regarde « à quoi
penses-tu ? » Suzy répond « à Jean. Je te rends mon tablier.
Tu te le rappelles ? » Henri, assis légèrement de côté, chaise
écartée, le coude droit sur la table, joue avec le chevalet
marqué « réservé ». Suzy l'observe « et toi ? A qui penses-
tu ? C'est dangereux de penser dans un endroit comme
celui-ci. Ça se voit tout de suite ». Une douceur, dans la voix
de Suzy, presque une sucrerie. A quoi bon jouer encore, ou
jouer de nouveau, une comédie ? Suzy tend une main
au-dessus de la table et la pose sur celle de son frère pour qu'il
lâche le chevalet « je t'en prie, Riquet, c'est à toi de parler ».
Et, courte transition, comme une respiration, au plus juste le
ton, sa vraie voix retrouvée, malgré le lieu, l'heure, les
automates qui entourent, ceux qui servent et ceux qui
mangent, malgré l'étouffement, la perfection, le rien à redire
du cérémonial, tout en laissant sa main sur celle de son frère,
légères pulsions des doigts, elle murmure « quand j'étais
petite, je me disais que tout ce qui était bon n'avait pas de fin.
Et après ? Dis-moi ce qui s'est passé après ? Dis-moi
comment ça se passe et comment ça se fait ? » Pour le
monsieur seul, à la table du coin, le geste de Suzy est
amoureux. Suzy, se sentant observée, retire sa main, sourit au
vieil homme et allume une cigarette. Elle la fumera, cette fois,
jusqu'au bout. Le maître d'hôtel s'approche. Henri commande « deux cafés. Un faux et un vrai, s'il vous plaît ». Suzy
rectifie « un faux et un double vrai pour moi. Merci ». Et à
son frère en guise d'explication « j'ai beaucoup à lire en
rentrant chez moi ».

Suzy constate brusquement que le monsieur de la table du
coin n'est ni plus vieux qu'elle, ni plus vieux qu'Henri. Entre
les deux. Dans son sac elle prend le poudrier, l'ouvre, se
regarde dans le petit miroir carré, les yeux, les yeux surtout,
observe aussi ce qui se passe derrière elle, ni vu ni connu, une
habitude. Des ombres. Les coulisses du tête-à-tête. Elle dit à
son frère « non, je ne vais pas me poudrer. Je n'en ai plus
besoin pour être naturelle. Je l'ai été quand tout était·bon.
C'est déjà beaucoup. Ou beaucoup trop ! Comme les fermiers
autour de Moncrabeau, quand la pluie longtemps attendue
venait enfin. C'était toujours trop ou pas assez. Tu te le
rappelles ? »

Au nom de Moncrabeau, Henri a baissé les yeux, a rapproché
sa chaise comme pour faire face en cas d'attaque et a repris en
main le chevalet, coudes sur la table. Suzy insiste « j'ai bien
dit Moncrabeau. J'ai bien fait d'écarter Jacqueline, car nous
aurions été obligés de parler pendant le repas. Ce que nous
avons à nous dire ne se dit pas. Ou bien, après les
gourmandises. Après le dessert. Attention à toi. Je vais
t'aimer comme nous avons oublié de nous aimer depuis que
j'ai compris que tout ce qui était bon avait une fin. Souris un
peu ». Henri regarde sa sœur, droit dans les yeux « je t'en
prie. Ne recommence pas comme cet après-midi ». On
apporte le faux café et le double vrai. On apporte. On. Qui ?

Henri prend la petite boîte de sucrettes dans la poche gauche
de son gilet. Le vieux monsieur se lève. Le maître d'hôtel tire
la table devant lui, courbette. De loin, le vieux monsieur salue
Suzy, un regard seulement. Ce qui lui semblait amoureux était
brusquement devenu amer, presque violent. Ce monsieur-là
en partant ne sait plus. Suzy, d'un regard, veut lui répondre
de ne pas s'inquiéter. Mais il a déjà tourné le dos. Le maître

d'hôtel le raccompagne. Les Américains d'une table éclatent de rire.

Suzy boit une gorgée de café, se brûle les lèvres, pose la tasse « à qui penses-tu, Henri, dis-le ? » Elle sourit, soupire ou bien respire, robe blanche, rose de tissu à la taille, protection des autres tables, bruyantes, « eh bien, Riquet, à qui penses-tu ? Dis ! Il y a vingt ans, jour pour jour... » « Arrête, ma petite Suzanne. » Suzy se penche vers son frère « allons, dis-le. L'erreur, c'était de penser, enfant, qu'il y avait de bonnes choses et d'autres mauvaises, de. bons moments, et d'autres pas. Tu me dis de m'arrêter ? Je te réponds ne plus continuer. Je veux atteindre ta conscience, ni bonne, ni mauvaise. Ta conscience. Tu te tais ? »

Deux sucrettes dans le faux café. Pas de sucre pour Suzy. Ils boivent, et l'un, et l'autre, à petites gorgées. Henri pense qu'il ne donnera pas d'argent. Suzy se souvient de Jean, citant son ami Grick « on n'atteint jamais la conscience de quelqu'un ». Henri se dit qu'à l'instant sa sœur était presque touchante en parlant de tout ce qui était bon et qui n'avait pas de fin. Suzy pense au manuscrit qu'elle va lire en rentrant. Elle ne veut plus du succès routinier, de la reprise de *La Carambole*. Le café est trop fort. Elle croque un fruit déguisé, noix enrobée de caramel. Il ne fallait pas. C'est mauvais pour les dents, honoraires impayés du dentiste. Suzy a mal aux pieds. Chaussures neuves. La robe aussi la serre un peu. Autre gorgée de café. Poison. Elle ne dormira pas.

Henri fait signe au maître d'hôtel de lui apporter l'addition et, bras croisés sur la table, sourire net, tout bénéfice, le bénéfice du doute, se met à parler avec cette diction heurtée qui le caractérisait quand il prenait la parole en public, conférences, cours, congrès, inaugurations ou banquets. « A Moncra-

beau ? Il y a Bertrand. A Sauveterre ? Il y a Claire. Je ne suis
pas revenu à Moncrabeau. Je ne suis jamais allé à Sauveterre.
Dans Paris, plus près de chez toi que de chez moi, il y a Luc.
Quand je l'appelle à son bureau, il n'est jamais là. Il est en
réunion. Chez lui ? Ça sonne. Ça ne fait que sonner. Enfin, il
y a Sébastien. En Norvège. Tu connais la Norvège ? Sébastien
ne navigue plus. J'étais fier de lui, mais seulement quand il
naviguait. Mes petits-enfants ? Je te les offre. Pierre est la
copie conforme d'Anne-Marie. Laura et Paul m'envoient des
cartes de Noël en anglais. Loïc, Yves et Géraldine ne
m'écrivent que pour me demander de l'argent. Mes enfants et
petits-enfants ? Je ne les connais pas. Je ne me reconnais pas.
Avec eux, c'est toujours trop ou pas assez. Tu vois, je t'ai
écoutée. La meilleure mort que je puisse leur offrir, c'est de
les laisser vivre. » Henri vide sa tasse de café d'un trait. Le
maître d'hôtel pose l'addition sur la table.

Suzy croque un autre fruit déguisé. Elle regarde Henri aux
prises avec son portefeuille, billets de 100 et de 500 francs
« fier de toi ? » Elle se penche « et Bertrand ? » Elle sourit,
imite son frère « tu connais l'histoire du ministre qui n'a été
ministre que lorsqu'il ne l'était pas et lorsqu'il ne l'était plus ?
Tu connais l'histoire de France, depuis que nous sommes
nés ? Eh bien nous sommes toujours là. C'est tout. Une
histoire juive ? Jean est toujours là, lui aussi. Il écoute en ce
moment. Une histoire vraie ? C'est l'histoire d'un homme
jeune qui doit souffler ses quarante bougies. Il ne peut pas le
faire. Il ne sait même plus souffler devant lui ». Suzy souffle
sur la table, en rond, mains à plat sur la nappe, coudes pliés,
comme un insecte. Henri a reculé sur sa chaise. Il a fait signe
au maître d'hôtel de retirer l'addition et l'argent. Le maître
d'hôtel s'approche. Suzy le regarde, élégante brusquement,
« le dîner était exquis. Et les fruits déguisés comme
d'habitude ». « Merci, madame. »

Le maître d'hôtel se retire. Le préposé aux cendriers s'approche, automate, geste, et s'écarte aussi vite. Suzy regarde son frère « tu as vu ? Cette fois il en a pris un propre pour en poser un propre. Je te fais honte ? Tu te demandes si tu vas pouvoir revenir ici ? J'ai compris. Partons ».

Elle veut se lever. Henri attrape la main gauche de sa sœur « non, ce serait encore pire ». « Pire, quoi ? Tu es pâle, brusquement. » Suzy fait glisser sa main sous la main de son frère. Elle sourit « tu vois, nous jouons encore à qui des deux posera sa main sur la main de l'autre. A qui des deux aura le premier mot. A qui des deux partira le premier. A force de vouloir gagner seul, on perd seul. A ta place, j'aurais même peur de perdre Bernadette ». Les Japonais se lèvent, quittent le restaurant. Les Américains d'une table ont commandé du champagne. Henri retire sa main, croise les bras sur la table, rapproche sa chaise, les épaules légèrement relevées, l'air enfant. Il essaie de sourire, petite moue de la bouche en regardant sa sœur « je ne veux, Suzy, ni ne peux me modifier. Je ne veux pas changer ». Henri hésite. A mi-voix « je ne peux ni ne veux plus me pencher. On ne s'est jamais penché sur moi ». Silence. Il sourit à sa sœur « qui s'occupe de moi ? Qui s'est occupé de moi, jamais ? » Suzy répond « moi. En ce moment ».

Le maître d'hôtel revient avec la monnaie, pose la soucoupe sur la table. Suzy regarde son frère « j'aurais dû faire chavirer la barque quand nous pêchions au fouetté. J'aurais dû exiger ma part d'objets quand tu as repris la place d'Antioche, et garder ma part de Moncrabeau. J'ai accepté de l'argent à la place. Et cet argent, je l'ai dépensé, avec Jean, pour vivre, et jouir. Ça, nous avons bien joui ! » « Ne parle pas ainsi. » « C'est interdit de jouir ? » Un serveur apporte le champagne à la table des Américains, pose le seau, serviette blanche,

préparation du bouchon. Suzy allume une cigarette. Une
bouffée, longue, réfléchie. Suzy écarte les verres et la tasse,
devant elle, caresse la nappe instinctivement comme si elle
voulait délimiter un territoire. Le bouchon de champagne
saute. Suzy regarde son frère « si tu m'offrais un briquet. Le
mien est vieux. Je n'arrive pas à le perdre ». Elle sourit « si tu
m'offrais le champagne. Je n'ai pas soif. Mais tu as de
l'argent ».

Henri commande une bouteille. Sourire du maître d'hôtel.
Surprise du sommelier qui faisait déjà les comptes de cave de
la soirée. Suzy surveille le cendrier et le tient sous la main,
doigts en pieuvre, cigarette entre le majeur et l'index. Jamais
l'odeur neutre, plate, uniforme d'un restaurant de luxe ne lui
a paru aussi forte, prenante, lancinante continuité. L'odeur
nulle d'un spectacle déjà joué, mais quand, comment ?
Qu'est-ce qui s'est joué vraiment, jamais ? Si peu en regard
de la senteur d'un théâtre vide, senteur nerveuse, capricieuse,
rumeurs du gouffre, appel des lumières. Au théâtre des
Champs, on balaie encore, à la sciure, les coulisses, les
couloirs et les loges. Jean disait « c'est le forum des fous et
l'agora des rats ». De l'autre main, Suzy caresse la nappe. On
retire, on, un serveur, autre serveur qui ne s'était pas encore
approché de leur table, ou bien s'était-il approché mais Suzy
ne le reconnaît pas, il y va ainsi des autres, de tous les autres,
une vie durant, pour tant et tant, à faire semblant, à savoir, à
réfléchir mais à surtout ne rien modifier, on, on retire les
verres et les tasses. Table nette. Suzy garde jalousement son
cendrier. Elle veut plusieurs mégots, dedans. Chez elle, le
chauffe-eau est en panne. Pas d'eau chaude pour prendre un
bain, en rentrant. A la piscine de Saint-Ouen, mes mercredis,
en fin de journée, pour la dernière douche avant le départ, il
n'y a plus, aussi, que de l'eau froide. Les cuves ont été vidées
par les bonshommes de mousse. Il faut prendre sa respiration,

oser. Les douches des garçons sont séparées de celles des filles. A ce moment-là, entre femmes, Suzy se sent terriblement grand-mère. Il n'y a plus les regards aimés pour lui faire croire à une jeunesse trouvée. Suzy est ravie. Henri a commandé le champagne non par soumission mais en aîné. Epinglé.

Et Henri se dit de ce pouvoir que Suzy moque ou conteste, en affirmant n'avoir que le don d'y réfléchir, qu'il est inébranlable, que rien ne peut l'abattre. Et que sous la menace de l'écoute ou de la pertinence, il ne faut qu'entretenir le malentendu, en « malentendant » et « malécoutant », verbes inventés par des enfants dont Henri avait eu peur, se demandant lequel d'entre eux serait capable, non pas de contestation de forme, anticonformisme désuet, coup d'épée dans l'eau, si fort en vogue dans une certaine bourgeoisie, mais de l'outrage de fond, ravage du cœur et de l'esprit, attaque du dedans, qui elle seule peut détruire le noyau familial. Ce fut le dernier, Bertrand. Henri ne regrette rien. Il laisse le regret aux écartés du pouvoir, aux éternels inaccédés, les seuls véritables parvenus. Suzy le regarde fixement. Elle attend de lui ou une parole ou un regard, mais derrière son visage, impassible, Henri ne se signale en rien. Il a commandé le champagne pour prendre sa sœur au piège de son insolence. En cela, il entretient encore le malentendu. Là est le fait et la sensation, au sens de l'événement, sensationnel de leurs vies, une suite, rien qu'une suite de violences immobiles. Ne rien laisser paraître et commander le champagne.

Henri sourit en lui-même, tout au fond, tapi, guettant sa sœur. Il démarque, en pensée amusée, une des nombreuses formules de Jean et se dit « je reconnais un bourgeois en ceci qu'il prétend ne pas l'être » et « je reconnais un bourgeois en cela qu'il ne se reconnaît jamais ». Fier de la double

retrouvaille, Henri jubile. Suzy peut toujours attendre de lui
un signe ou un mot. Elle ne l'aura pas. Il faut entretenir le
malentendu. Il faut, aussi, entretenir le doute, laisser à
l'imagination des fourbes ou des fous, philosophes ou
politiciens, la possibilité de s'agiter dans le vide, de dénoncer
sans plus jamais pouvoir annoncer, de s'user, se ronger et se
détruire entre eux, largués par leurs propres idéologies au
point de faire croire à une droite réfléchie et pensante, alors
que la seule et unique racine de cette dite droite est justement
de ne pas réfléchir et de ne pas penser, ou de penser et
réfléchir pour bien se garder de faire l'un et l'autre. Rien
n'amuse plus Henri que ceux qui font théoriser la droite à
laquelle il appartient, parce que incapables de réunir une
gauche divisée, irréparable, qui a cessé, de guerres inutiles,
d'être irrécupérable pour se laisser récupérer, mille éclats que
l'on ramasse à la pelle et que l'on tient au-dessus d'une
poubelle, un temps encore. Henri se dit que cette droite des
autres n'a jamais été aussi forte que depuis la crise, la guerre
économique, le chômage, les grèves, les aberrations adminis-
tratives et les injustices sociales. Là est la seule distraction de
sa vie depuis qu'on le tient à l'écart et en retraite. La gauche
n'a toujours pas compris que la vraie droite était le milieu, le
support du fléau, non pas le fléau lui-même. Rien vraiment ne
penche pour elle, ni dans un sens ni dans l'autre. Bertrand
l'avait compris. Tant pis pour lui. Henri a envie de répondre à
sa sœur « oui, Suzy, nous sommes toujours là. C'est notre
histoire de France ». Mais Suzy s'en réjouirait à tort,
prendrait cela pour un constat d'incapacité, ou un aveu
d'impuissance. Le seau à champagne. La bouteille. La
serviette blanche. Et pour eux deux un bouchon qui va
sauter.

Suzy, face au frère impassible qu'elle sait tourmenté, si fort
présent à lui-même, attaché à ne rien laisser paraître, tout

employé au respect de l'apparence, sent, ressent, odeurs, pensées, touchers, que ce ne sera encore une fois qu'une partie de pêche au fouetté, l'hameçon scintille, prises inutiles. Il ne faut surtout pas bouger. Elle déteste le champagne. Elle trinque, trempe à peine ses lèvres et laisse toujours son verre plein. Jean la moquait souvent à ce sujet et lui disait « tu fais comme les entraîneuses de boîte de nuit. Tu agis comme dans une boîte et comme dans la nuit. Tu as raison. Le champagne, ce n'est que des bulles avec très peu de chose autour. Comme ce pourquoi, en principe, on célèbre et se réjouit ». Suzy se souvient de tout cela, précisément, mot à mot, ru, ruisseau, rivière, fleuve, océan. Tout conflue pour un présent. Le présent. Son présent indicatif. La conscience de son frère, somme toute des événements de la journée, ne s'exprime que dans l'organisation des temps morts, n'excelle que dans cet art de récupérer les silences, d'attendre, attendre que les clameurs dangereuses fusent, éclatent, épatent et se perdent. La conscience véritable alors se lasse de venir et revenir à l'assaut. Jean, plus encore que la droite de son beau-frère, dénonçait aussi le théâtre de gauche, « thèses en bottes de plomb qui ne font que convaincre des gens déjà convaincus ». Jean aurait tant voulu trouver la voie, vraie, entre deux, « la voie humaine » et cela le faisait rire. Le bouchon saute. Un petit peu de mousse. Le serveur remplit les coupes. Henri et Suzy trinquent. Suzy éclate de rire « à l'organisation de nos temps morts ! » « Je ne trouve pas ça drôle. » « Alors, à Bertrand ? Ose ! » Ils trinquent.

Suzy ne fait que tremper ses lèvres, petit goût, amer et pétillant, au bout de la langue. Elle pose la coupe, la fixe du regard. Henri, lui, boit à petites gorgées. Les vins blancs lui sont interdits mais il boit, consciencieusement. Le plus souvent, à attaquer les autres, on ne fait que s'attaquer soi-même, à insulter on s'insulte. Suzy s'interdit de subir la loi de cette morale ordinaire, dont elle ne peut s'empêcher de douter, excès de simplicité, ou de clarté. Elle hésite. Elle observe les petites bulles de champagne qui remontent jusqu'à la surface, éclatent, se renouvellent. Jean disait de ces bulles « elles sont l'image exacte du public de *La Carambole*, plus il en monte, plus il en éclate, plus il en vient ». Il ajoutait « le drame de ce champagne-là, c'est qu'il ne s'évente parfois pas. On croit alors, un peu, malgré tout, à ce que l'on a créé ». Suzy ferme les yeux, mains à plat sur la nappe. Henri a trinqué. Elle a trinqué, avec lui et au nom de Bertrand, léger tintement des verres. Suzy sait qu'en provoquant son frère elle ne fait que se provoquer, et ainsi de suite. Ce n'est que l'instinct des vieux, de ceux qui sont nés tels, éduqués d'avance, forts de racines qui ne sont même plus envahissantes, croissance, mais qui ont tout envahi, subsistance. Ils subsistent. Les temps morts les font vivre.

Suzy rouvre les yeux, penche légèrement la tête, l'air gentil. Elle ne sait plus ce qu'elle gagne ou ce qu'elle perd, à jouer ainsi, en prétendant ne pas jouer, à s'imaginer atteindre la conscience d'un frère qui s'est toujours employé à n'en avoir pas, apparemment. A quoi bon parler, insister, dire les mots porteurs d'orage, et certains noms, armes blanches, qui poignardent ? Le poignard et les nuages, Suzy vient de s'offrir en pensée deux images, pour laisser courir le temps, encore, entre eux deux, puisqu'ils viennent de faire tchin-tchin.

Dans une lettre adressée de Moncrabeau à Romain Leval, Bertrand a écrit en post-scriptum « je n'aime le ciel qu'habité de nuages ». Tout, de la mémoire, vire, dérive, ripe, tournoie, revient comme à un point de départ. Il y a aussi ce court poème de Bertrand « Les planeurs. A Romain. Couchés, toi et moi. La colline est de craie. Couché, toi à côté de moi, je guette le ciel, et les planeurs. Ils surgiront là. A la crête de craie, là où le ciel bascule, limite. Il en surgira un, puis deux. Et trois. Tu me serreras la main. Ce rêve, je l'ai fait hier. Je te l'écris au futur. Le présent des planeurs nous est interdit ». Suzy répète à voix haute en regardant Henri « le présent des planeurs nous est interdit ». Le maître d'hôtel s'approche pour servir de nouveau le champagne. Suzy pose doucement la main gauche sur sa coupe « non, merci ». Elle regarde Henri « c'était pour le principe ». Le maître d'hôtel remplit la coupe d'Henri. Henri prend un air satisfait « quel principe, Suzanne ? » Respiration, « tu es pire que ceux que tu dénonces. Tu es seule. Terriblement seule. Comme un petit animal qui tourne sur lui-même. Il risque de devenir fou et il ne le sait pas ». Henri boit une gorgée « moi non plus, je n'aime pas le champagne. Il me donne ce goût à la bouche qui me parle d'une amertume que je ne ressens pas vraiment. Tu es une teigne, Suzanne, ma petite Suzy. Tu l'as toujours été. L'affection est là ». Il lève sa coupe « à ta solitude, veux-tu ? Qu'elle devienne meilleure en ne s'interrogeant plus ». Suzy ne trinque pas. Elle regarde les bulles dans sa coupe. Elle répète, voix monocorde, relief des mots « le présent des planeurs nous est interdit. C'est de Bertrand. Il avait dix-sept ans ». Henri pointe du doigt sa sœur « tu vas jeter ces lettres. Tu vas jeter le manuscrit de *La Mainmorte*. C'est combien ? Je ne te donnerai l'argent dont tu as besoin que pour *La Carambole*. J'aime terriblement mes enfants. Tu n'en as pas. Comment peux-tu me juger ? »

Les Américains d'une table se lèvent et quittent le restaurant, ballet désordonné et bruyant. Puis le silence des tentures, des moquettes et des éclairages indirects, le silence dosé du lieu, retombe instantanément. Le maître d'hôtel a préparé la note de la bouteille de champagne et la tient prête, sur une soucoupe. Henri se penche vers sa sœur et murmure « nous ne comprendrons jamais pourquoi nous sommes coupés les uns des autres, terriblement attachés les uns aux autres, à nous créer des attaches. Il n'y a que les fuites pour nous réunir. C'est ça la famille que tu n'as pas et dont je suis le père. J'y ai pensé, chez Bermann, à cause de Pantalon. Peut-être aussi parce que je savais que j'allais te rencontrer. Tu allais une fois encore juger encore cette famille que tu n'as pas et que j'ai. Cette famille que je ne peux plus réunir dans la joie. J'eus alors l'idée, c'est vrai, de la réunir, une fois pour toutes, dans le malheur. Mais ce n'est qu'une idée. Fais la somme de toutes les velléités de meurtre et il n'y aura plus d'humanité ». Henri lève sa coupe « à Jean, qui n'a rien compris ! » Suzy ne bouge pas. Henri porte la coupe à ses lèvres, petite moue, léger sourire de satisfaction et recommence « à Suzy qui n'est jamais totalement sortie de sa famille, et à Jean qui n'a jamais pu y entrer ! » Même jeu, une moue comme début de grimace, petite gorgée cette fois, appliquée, « à la Légion d'honneur de Luc, au voyage immobile de Sébastien, aux natures mortes de Claire et aux quarante ans de mon fils préféré ! » Il lève un peu plus haut la coupe « à David qui pillera l'argent que je te donnerai et à Pantalon qui a oublié son collier et sa laisse ! » Il boit, pose la coupe, regarde Suzy « je t'aime, et tu le sais ».

Suzy se lève. Sa serviette tombe par terre. Un serveur se précipite pour la ramasser. Suzy murmure « tu as oublié Cécile ». Le maître d'hôtel, au geste d'Henri, apporte l'addition. Henri sort son portefeuille, les billets, paye, remet son portefeuille dans la poche intérieure de sa veste et se lève à son tour. Il sourit à sa sœur, sourire parfait des temps morts « alors, combien pour le tout, les lettres et la pièce ? » Suzy passe devant lui « bravo ! »

11

La numérotation des lettres est de la main de Romain Leval.

N° 1   A monsieur Romain Leval.
                              Le 27 mars.

Cher monsieur,
Je vous écris au théâtre des Champs comme me l'a conseillé
ma tante Suzanne. Conseiller est un bien grand verbe quand
on pense aux mille facettes de cette femme dont il m'arrive de
penser que j'eusse préféré qu'elle fût ma mère. Subjonctifs de
l'offertoire. Nous sommes descendus, elle et moi, pour
quelques jours seulement, à Moncrabeau. Nous devons en
principe fêter Pâques ici. J'écris bien en principe. Mon frère
Luc s'est marié l'an dernier à pareille époque. Cécile, ma
mère, est restée à Paris car Anne-Marie va accoucher

d'un jour à l'autre. Ma mère va se retrouver grand-mère, moi oncle, et grand-père mon père ! Poussée de sève de la famille. Sébastien, lui, est en mer, jusqu'à l'avant-veille de son mariage le 17 juin prochain. Ruth est à Toronto, un aller et retour pour prévenir ses parents. Je l'ai accompagnée à l'aéroport. Elle avait peur, mais une joie dominait sa peur. Une joie de même nature que la peur. Claire, elle, pour cette vacance, et pour la première fois, a décidé de rester à Paris. Je la sens pressée par les décisions de mes frères aînés. Elle se mariera, j'en suis sûr, très vite, elle aussi. Ce sera la troisième fête. Je l'ai surprise avant de quitter Paris, avec son ami Gérard, dans la rue, mais je n'ai pas osé leur parler. Souvent, dans le corps à corps de mes lectures, le couple amoureux s'étreint, tendre couple des héros amoureux. Je les sens étourdis, abandonnés l'un à l'autre, contemplation dont je suis brusquement l'exclu. Ils s'en vont. Ils voguent. Et moi pas. Je suis de ceux qui sont toujours sur la rive ou sur le trottoir. Gérard embrassait Claire dans le cou. Je ne saurai jamais m'étourdir.

Une gravure règne, ici, dans l'ombre d'une chambre d'amis souvent inhabitée car mes parents reçoivent peu comme s'ils avaient peur, pour nous, d'un monde extérieur. J'écris bien « d'un », et non « du », car ce monde n'est pas vraiment celui-ci, réel, qui nous entoure, mais celui-là, jugé d'avance, préjugé dangereux. Cette gravure, que personne vraisemblablement n'a jamais regardée de près, représente, dans un lit d'herbes sauvages, deux bergers, nus. Le premier est allongé sur le dos, les bras relevés mains croisées derrière la nuque. Le second, tout au long du premier, tout contre, tourné vers lui, prenant appui sur un coude, de l'autre main caresse le front de son ami. Je sais qu'ils viennent de vivre l'étreinte. Je sens qu'ils s'embrassent pour une dernière fois. C'est toujours la dernière fois quand on s'embrasse. C'est sans aucun doute ainsi quand un amour dure toute une vie. Or, à bien regarder la gravure, on distingue en arrière-plan, derrière celles des herbes qui n'ont pas ployé sous le corps des deux amants, comme l'ombre et le regard d'un troisième, homme ou bête, charmant, tragique, un autre berger. Cette gravure, je n'ai jamais osé la décrocher. Cela l'aurait signalée. Il y a des traces sur les murs, ici, à Moncrabeau, quand on change de place les tableaux. Cette gravure, je n'ai pas osé non plus me l'approprier et la garder plus proche de moi. Elle m'aurait signalé. J'aime ces corps de même sexe, là est mon émotion.

Enfant, je montais sur une chaise pour la regarder en cachette. Je n'en ai jamais parlé ni à mes frères ni à ma sœur. Cette gravure était, est toujours, mon jardin secret. Une fois seulement, Bernadette, servante et amie, m'a surpris et m'a dit « qu'est-ce que tu fais là ? Tu devrais aller respirer ailleurs. Dehors ! » Ce sont les mots exacts. Je vous les livre, tout comme je vous livre le jardin de cette gravure. Il est temps que je me détache d'elle et que je la vive. J'oubliais : sous la gravure, on peut lire « L'intrigue ». Je ne comprends pas très bien. Je ne veux peut-être pas comprendre. L'évidence inspire de bien inutiles mauvaises fois. A vouloir, de tout mon corps, être l'un des deux amants, il me semble que je ne serai jamais que le troisième qui ne comprend pas l'étourdissement des deux premiers, et qui, amoureux de l'un des deux, se voit contraint de jouer un rôle qu'il n'aime pas. Un rôle dont la douleur n'a d'égale que l'étourdissement des autres. Alors ?

Alors je suis seul avec ma tante Suzanne et pour deux semaines. En arrivant hier, comme d'habitude, je suis allé revoir la gravure et j'ai pensé à vous, l'autre jour. L'oncle Jean m'avait demandé de passer au théâtre. Il voulait que je vous rencontre. Je lui ai fait des confidences, confiance brutale, je veux être moi-même. Et il a, c'est vrai, organisé cette rencontre. A votre premier regard j'ai senti que vous étiez prévenu. Au second, que j'étais trop jeune et que vous aviez peur. La peur de Ruth. Voir ci-dessus. C'est une bien longue lettre, mais ma timidité m'indique d'aller ainsi et ainsi seulement droit au but. Ensuite, après avoir revu la gravure, après avoir pensé à vous, j'ai parlé de vous à Suzanne. Elle m'a dit « écris-lui. Je ne peux pas comprendre, moi. Mais lui, oui ». Il est 1 heure du matin. Je vous écris. Je sais que mon oncle vous donne une chance en vous prêtant son théâtre (en fin de saison, ne soyons pas dupes, il l'a dit lui-même devant nous) pour la création de votre première pièce. Vous êtes donc bien occupé. Mais je souhaite si fort un troisième regard. Ecrivez-moi. Je vous attends. Bertrand.

P.S. Sur la gravure, dans les herbes ployées, les deux bergers ont l'air d'être dans une barque. Je ne veux plus regarder. Si vous avez l'intention de ne pas m'écrire, écrivez-moi pour me le dire. C'est drôle.

N° 2   A monsieur Romain Leval.
                               Le 29 mars.

Cher monsieur,
Je n'ai de cesse, depuis que je vous ai adressé ma première lettre, d'en recomposer dans ma tête le texte. Or, je n'ai de mémoire véritable que pour ce qui est sans importance, le savoir, le savoir des diplômes et de l'éducation. Rions ! Je l'ai lu et vécu dans tant et trop de romans et surtout de poèmes, je viens de le vivre pour la première fois ; la mémoire du cœur est absence de mémoire, au hasard des sensations. Et je me sens tout tiraillé. Ecrivez-moi, je vous en prie. Même si vous êtes très occupé, c'est toujours le moment quand quelqu'un appelle. Ne vous arrêtez pas à votre second regard. Le temps

des gestes amoureux n'a rien à voir avec le temps humain, ou bien trop. Ces deux jours, depuis que j'ai glissé la lettre dans la boîte postale de Lestaque, je les ai vécus comme deux siècles. La sensualité guette. Ce matin le ciel est gris et doux. Tout est humide. La nature gobe. Il y a, sur l'étang, en contrebas de la maison, des brumes que je voudrais humer, une eau dans laquelle je me plongerais volontiers au risque du froid et de la vase, si Lucio, notre gardien, et son fils Juan n'étaient pas là, en bordure, près du ponton, à poncer les coques retournées des deux prames dans lesquelles nous avons fait, mes frères, ma sœur et moi, d'étranges compétitions en rond. C'est la vision de ces barques, l'eau, le fleuve impossible (cet étang captif est tellement peuplé de poissons qu'il en miroite, surtout la nuit, quand la lune se lève) qui me conduit de nouveau à vous écrire. Le désir charge tout de symboles. Cette charge est un plaisir si on sait s'adonner au regard et à l'écoute, s'abandonner, oublier ce que l'on a appris, séduction des philosophies, barbarie des analyses et psychanalyses, méfiance intellectuelle qui conduit celui qui se croit fort à mépriser tout ce qui vient du cœur.

J'ai l'impression, à dix-sept ans, flanqué de mes deux bacs, curieuse manière que ma mère a de toujours préciser à ce sujet « avec mention bien les deux fois » comme si elle suçait un bonbon au miel, de n'avoir gagné que du terrain de papier, dissertations convenues, constamment sollicité par deux idées parfaitement identiques. Celle-ci de défendre aveuglément l'ordre convenu et repu de la famille qui m'a produit, d'être à l'image fidèle des réussites qu'ils me souhaitent. Et celle-là de fuir, contester, m'agiter, piétiner comme on piétine, conteste et s'agite dans un certain milieu, dents de sagesse que l'on croit s'arracher, avec la certitude, le caprice révolu, prétendue révolution, de revenir au bercail et au chaud, de reprendre place dans le rang et dans le coffre-fort. Je ne veux d'aucun de ces deux privilèges. Je vous ai vu et, avant même votre premier regard, j'ai senti que vous aviez du chemin à me montrer. Le lieu des herbes ployées, aussi.

De retour à Paris je serai, aussi, fort occupé. Je dois préparer Propédeutique. Mais je l'avoue, comment faire pour que l'aveu ne soit pas pris pour une vanité, je n'ai peur que de ne pas avoir d'une part la force de jouer encore le petit jeu de ces examens, et d'autre part la faiblesse de fournir, au plus prévu, ce que les correcteurs attendent de moi pour me donner la meilleure note. Mon corps est prêt. Je n'ai pas besoin de me toucher pour jouir. Parfois la nuit, au détour d'un rêve, il y a beaucoup de forêts et d'arbres dans mes rêves, je gicle, tout seul. Il serait plus sympathique de jouir pour et avec l'autre que je n'ai pas encore rencontré ou que je viens de voir, avant son premier et son second regard. Somme toute ma première lettre était timide. Celle-ci, seconde, au second plan, a la nature du geste. Je vous ai vu dans la forêt, la nuit dernière, une forêt sur une scène de théâtre. C'était une vraie forêt dans un vrai théâtre, une autre pièce, la nôtre. Vous n'osiez pas me regarder, mais vous pensiez à ce regard. Et je ne me suis pas retenu. C'était bon. J'étais tout mouillé.

Ce matin, à vous écrire, la nature aussi me gobe. Je ne veux ni des idées ni des castes ni de l'attachement conforme ni des fuites inutiles. Je ne veux que vous lire et vous revoir. Nous prendrons le temps qu'en principe nous n'avons pas. Et nous n'aurons pas peur puisque je vous détourne. Montrez-moi seulement le chemin. Je voudrais embrasser vos mains. Je jouis de chaque doigt à vous écrire et à tenir ce stylo. Les images ne me font pas peur. Elles ne sont obscènes qu'au regard des honteux. Pour défendre une honte, ils figurent tout. Ils oublient la nuance et le partage. Je suis tout agité de vous. Je veux jouir de tout, tout le temps et de partout. Moi aussi, je dois me marier, épouser l'autre. L'âge des lois, je suis mineur, n'est pas l'âge de nos corps s'ils se réunissent. Ce mariage impossible, eu égard aux règles de leur société, nous en serons nous-mêmes la règle et non le déclin. Cet aveu de ma sexualité, vilain mot hérissé de fil de fer barbelé, que j'ai fait à mon oncle et par ricochet à ma tante Suzanne, je ne le ferai jamais à Henri, mon père, et à Cécile. Avouer serait admettre une faute et ces gens-là, parents, même s'ils ne pratiquent pas, ont une église dans la tête, une église bâtie sur une synagogue. Faute, pardon, compassion, pitié, charité, même l'idée de révolution leur appartient. Ils récupèrent tout et je ne veux pas de leur convenance, au risque d'éveiller en eux l'instinct meurtrier de « leur » conservation. Bande de conservateurs ! Je ne veux pas de ce discours. Je me sens déjà terriblement reproduit par vous. A attendre votre lettre. Et droit au but, ne m'en voulez pas. Nos gestes et nos regards n'en seront que mieux ordonnés dans leur désordre. J'attends. Je me balade déjà avec et en vous. Inutile de vous dire que je vous aime. Alors je vous adore. Bertrand.

N° 3   A monsieur Romain Leval.
                         5, rue Saint-Benoît
                         Paris 6ᵉ.
                         Le 29 mars.

Merci.   .
Votre petit mot est arrivé ce matin. Juan me l'a apporté. Nos lettres ont dû se croiser. Dans la seconde vous « verrez » Juan, avec son père au bord de l'étang. Juan est de trois ans mon aîné. Souvent, étés d'enfant, je quittais mes frères et ma sœur pour lui, et lui seulement. Je l'admire si justement que je n'ai jamais osé, avec lui, plus que la parole, respectant ce qui, d'instinct, ne le pousse pas vers moi outre mesure des gestes. Il est aussi, forcément, mon obligé car, constatation, je suis le

fils de mon père et il est le fils du sien. Il m'accompagnait souvent, en balade, et en cachette des autres, mais il y eut toujours sa peur comme la mienne, peurs fraternelles et comme un rideau de nuit, entre nous, et pour chacun de nous deux un soleil sur la tête. Et c'est lui qui m'a apporté votre lettre ! J'ai pensé que c'était là un signe, délégation de pouvoir. Je dis « petit mot » et je dis « votre lettre ». Vos quelques lignes suffisent puisque vous avez répondu.

Je n'aime pas que vous me disiez que vous avez deux fois mon âge. Vous n'aurez pas à vous baisser pour m'embrasser et je n'aurai pas à me mettre sur la pointe des pieds pour vous rendre votre baiser.

En tête de cette lettre, j'ai écrit votre adresse comme on le fait dans le courrier administratif et cela, incisif, m'a fait plaisir. Je vous écris chez vous, désormais. J'imagine que vous habitez en haut et qu'il n'y a pas d'ascenseur. Autant que je me souvienne, au 5 de cette rue vous avez vue imprenable sur l'impasse des Deux-Anges. Qu'y puis-je ? Qu'y pouvez-vous ? C'est ainsi. Mais je vous quitte car tout se dit déjà hors les mots. Une pensée nous réunit. Merci d'avoir répondu. Je fais fi de votre méfiance. N'ayez pas peur. Paris est grand. Jean et Suzanne se tairont. On se tait en coulisses. Je rentre le 7 avril très tôt le matin et, sitôt déposés mes bagages place d'Antioche, je prendrai le métro. Il me faudra changer à Etoile et à Châtelet, deux correspondances pour deux anges. Je vous apporterai des croissants chauds. Je n'attends pas d'autre lettre de vous d'ici là. Vous devez consacrer tout votre temps aux répétitions de votre pièce. Ce qui veut dire que j'attendrai votre message, terriblement. Regardez bien. Je suis dans la salle. Avec vous. Il y a toujours un strapontin pour les amours à venir. Au 7 ! Bertrand.

P.S. Sorti de Kant, Bachelard, Mounier, valise morte de mes lectures de Pâques, on a besoin d'écrire ainsi. Un peu d'amour, ça ne fait pas de mal. Un peu d'amour à venir. C'est de moi, à venir, en deux mots. Je n'aime le ciel qu'habité de nuages.

Nº 4   A Romain Leval.
                                               Le 2 avril.

Bonjour !
Hier, j'ai fait le tour de la propriété. Le tour parfait, exact, de Moncrabeau. Je ne me sens pas propriétaire. Hier, je suis allé revoir la gravure. Elle ne m'a pas ému aussi fort qu'avant. L'émotion désormais est en moi. Tout ploie. Ce matin, j'ai aidé Juan à passer une seconde couche de vernis sur les coques des prames. Et j'en aimais le parfum. Plusieurs fois, Juan m'a frôlé le bras. J'ai pensé que c'était vous. Il n'y prêtait pas attention. Anne-Marie a mis au monde un garçon : Pierre. Je vous embrasse. L'oncle Bertrand.

P.S. Avez-vous lu Nizan ? Quelle nostalgie de la rue d'Ulm. C'est un sincère. Je viens de faire, avec lui, mon expérience de parti communiste. J'ai rendu ma carte avant de l'avoir prise. Il n'y a que deux erreurs à ne pas commettre dans ce pays, celle d'entrer dans un parti et celle d'en sortir. Je n'aime pas les partis pris. J'aime les partis à prendre. Je posterai cette lettre, « petit mot » devenu « lettre », de Lestaque où Suzanne veut se rendre chez Mathilde, la femme du maire, pour acheter des confitures, des confits et des foies gras. Elle en choisit chaque fois trop. Quand il faut payer, elle ne prend presque plus rien, et le panier, au retour, est léger. Suzanne me répète alors que leur théâtre est « un panier percé ». Je la croyais pingre. Elle est drôle, comme Jean, drôlement courageuse.

N° 5   A Romain Leval.
                                        Le 7 avril.
                                        Minuit.

Cher Romain,
Je n'oublierai jamais ce matin, premier matin. Paris, désormais, pour moi, a une peau, une odeur et un tact. Pardon,
dans vos bras, d'être venu si vite. Je n'en pouvais plus
d'attendre. Et ce n'est rien qu'un détail. Vous aviez l'air si
étonné que je m'en sens, ce soir, un peu coupable. Comment
jouir de l'autre, avec l'autre et en même temps. Il y en a
toujours un qui parle et l'autre pas. Au fait, nous avons oublié
de manger les croissants chauds.

Tout à l'heure, notre second matin, je glisserai ce petit mot
sous votre oreiller. La porte sera ouverte, m'avez-vous dit, et
vous dormirez encore puisque les répétitions durent tard dans
la nuit. Votre éveil sera le mien. Vous lirez cette lettre quand
je serai déjà reparti. Mes cours de jour et vos répétitions de
nuit. C'est beau de s'être connus un matin. De se voir et
revoir les matins. Mon père au dîner de ce soir m'a regardé
étrangement. Moi aussi je m'en vais. Rive ou rivière, je ne
sais pas encore. Bertrand.

P.S. Je ne me suis pas trompé, 5ᵉ étage, vue plongeante sur
l'impasse.

N° 6   A Romain Leval.
                                        Le 8 avril. Quatre heures
                                        de l'après-midi.

Cher Romain,
L'idée de grimper les cinq étages alors que vous n'êtes pas là,
pour vous écrire « à demain matin », me plaît. Je le fais.

J'aime que vous me regardiez les yeux grands ouverts et que vous m'empêchiez, parfois, de vous toucher. Rien ne va trop vite, jamais. Même la place d'Antioche est habitée de vous. Je n'avais jamais si fort senti l'odeur des marronniers quand ils bourgeonnent. A mon bel endormi, merci. B.

N° 7. Je ne suis pas venu en coulisse pour te féliciter. Ce fut un succès. Tu le sais. Tu as senti l'écoute de la salle. Cela m'arrachait le cœur. Ce 20 avril est une date pour toi, comme pour moi. La clé de chez toi est brûlante dans la poche de mon pantalon. Je la tiens, toute la journée. Je la chauffe. Je vais maintenant faire juste un aller et retour place d'Antioche pour défaire mon lit. Je reviendrai plus tôt ce matin. Je veux humer le jour qui se lève avec toi. Laisse la fenêtre ouverte. J'arrive. Tibi. B.

N° 8   Le 21 avril.

Romain ! Je commence à comprendre pourquoi tu avais peur. Le danger du troisième regard, je le vis maintenant. Me voici rivé. Le ciel de Paris a basculé de la place d'Antioche au surplomb de la rue Saint-Benoît. Te voilà non plus méfiant. Tu sais désormais que je suis à ta hauteur. La hauteur des bises. L'âge importe peu et je t'ai rapté. Tout ce qui te lie éveille en toi les plus franches tendresses, celles violentes, qui sont le prélude aux fuites les plus lâches. Pourquoi m'avoir déjà dit que tu pouvais très bien changer la serrure ? Tu l'as dit en souriant. Tu as même précisé « c'est taquin » en me pinçant la joue. J'en ai toujours la joue pincée, à me demander si tu ne venais pas là de nous trahir alors que tout commence à peine. C'est ça, la peine, la peine amoureuse. Je ne te querelle pas. Je t'estime. Je te veux tout entier au succès de ta pièce. Je laisse ce mot sur ton bureau. Je ne plie pas la feuille. Ce genre de message ne se plie pas. Nul ne se plie. Je vais sortir, là, maintenant, de chez toi, désolé. Oui, j'ai cru trop vite que c'était chez nous. Je vais sortir sans me retourner et sans avoir relu ces quelques lignes. Je fermerai la porte à double tour, poserai la clé dessous et, du dehors, lui donnerai un coup d'index, comme on shoote au football. Cette clé trop vite donnée, si fort rendue, glissera chez toi, bien à l'intérieur. A bientôt. Ne déguise pas ta voix si tu m'appelles un jour lointain ou prochain, place d'Antioche, Bernadette te reconnaîtrait tout de suite. Ou Cécile. Ou Henri. Il suffit de se cacher pour être vu. A très vite nous étreindre. C'était mon opération anti-taquinerie. Là, c'est moi qui te montre le chemin. Supertibi. B.

N° 9. *A Romain. Les Planeurs.*

Couchés toi et moi
La colline est de craie,
Couchés, toi à côté de moi
Guettons le ciel et les planeurs
Ils surgiront là
A la crête de craie
Là où le ciel bascule
Limite.
Il en surgira un, puis deux.
Et trois.
Tu me serreras la main.
Ce rêve je l'ai fait hier.
Je l'écris au futur.
Le présent des planeurs nous est interdit.

N° 10. Je veux te revoir. Je sais que tu n'oseras jamais téléphoner ou bien m'écrire place d'Antioche. Pourtant, tu as osé le faire, à Moncrabeau. Je n'aurai donc reçu de toi qu'une lettre, les jouissances des premiers matins, cette clé, presque une nuit après la première représentation de ta pièce, puis,

plus rien. Je sais que la peur domine. Une peur, pour toi, de
ne pas te retrouver comme avant moi. Alors, jette mes lettres.
Et surtout ce poème que j'ai laissé sous ta porte il y a près
d'une semaine. J'aurais bien voulu pouvoir le rattraper, sitôt
l'avoir fait glisser. Il y va ainsi de toute poésie et surtout de
celle-là, mienne, qui chante. Tu as peur de me revoir parce
que tu as peur de te voir, épris, attaché et à nu. Permets-moi
de te dire, fort de mes dix-sept ans, bientôt dix-huit, que ce
que tu as appris, j'ai l'instinct de ne pas l'avoir appris encore
et l'intention violente de ne l'apprendre jamais. Il y a
grandeur à se nicher, à lécher et à recommencer. Il y a
splendeur à venir et revenir sur ce territoire que, l'un pour
l'autre, l'un par l'autre, deux amants se créent. Rien, en
regard de cet espace-là, n'a vraiment d'importance, ni
l'époque ni les modes ni les souffrances ni les guerres ni tout.
Je t'écris en pure perte quand je pense à toi en pur gain. Deux
garçons comme nous devraient pouvoir se reproduire au plus
strict de leur compagnie. Je n'aime pas le mot strict. Il fait un
bruit de serrure de consigne automatique. Et pourtant, là est
notre vérité et le danger, tout ce qui devrait nous rapprocher.
Je vais parfois rue Saint-Benoît, et du fond de l'impasse des
Deux-Anges, adossé à la porte de métal de la cour de
récréation de l'école communale du 6e arrondissement, les
bras croisés, j'observe ta fenêtre. Regarde et fais-moi signe !
Et si quelqu'un d'autre s'en approche, ne t'inquiète pas. Ce
que je te propose n'a rien à voir avec ce que tu t'imposes. J'ai
dans la bouche le goût de toi, au bout des doigts ta
géographie, et dans la tête tes regards étonnés qui me
surprennent encore. Tu as peur ? Tant mieux ! Il est 5 heures
du matin. Nous sommes le 5 mai. Un lundi. Pour nous deux,
c'est encore le début de la semaine. Je t'aime. J'aurai tout
juste le temps de passer chez toi, grimper les cinq étages, la
vie dans l'âme, et me rendre ensuite dans les salles d'examen
de la rue de l'Abbé-Groult (qu'est-ce qu'il a fait,

celui-là ?) pour torcher ma première dissertation de Propé. Je serai reçu. Plus important est que tu me re-çoives.

Après-demain soir, pour fêter la fin de mon examen, j'irai en spectateur quidam écouter ta pièce pour la nième fois. L'amour compte les représentations, la passion pas. Je t'attendrai, après le spectacle. J'aime voir les lumières de façade s'éteindre et les portes se fermer. Je serai là, un peu plus loin, sur le trottoir, à droite de la sortie des artistes. J'ai vu ta pièce du premier rang d'orchestre, du fond d'une loge de premier balcon, de tout en haut, au paradis, et même en avant-scène de second balcon. Je l'ai vue de partout, et surtout vécue du dedans de moi. Il faut que je t'en parle. Je suis jaloux de la salle, car elle écoute. A ton sujet, Jean m'a dit « alors ? » Je n'ai rien répondu. Suzanne trouve que je suis « plus beau que jamais » et que mon « visage se creuse ». Cécile m'a acheté des pyjamas neufs, en solde, aux Magasins réunis. Henri, alors que je me mettais à table, m'a ordonné d'aller me laver les mains et de mettre une chemise propre. Tout est toi. Et je suis sûr que tu aurais encore plus peur si je ne te le disais pas. Jette cette lettre décapitée, je ne peux plus écrire ton nom sans rager, avec les autres lettres. A suivre. Après-demain ? Je sais que tu seras là. Nous marcherons dans la rue, pour la première fois, ensemble, dehors. Maintenant, il faut que je me dépêche. Pour les copies conformes de Propé, on n'accepte pas les retardataires. Au fait, d'aventure, j'ai rencontré un autre garçon. C'était con. J'ai vu aussi quelqu'un à ta fenêtre. C'était bêtre. Un mot que je t'offre entre être et bête. A mercredi. Bertrand.

P.S. Mon cher Romain. A souhaiter vivre de plus beaux jours encore, on oublie trop facilement les jours heureux qui coulent. Je voudrais bien passer un jour, un jour entier avec toi. Mais, ils disent tous mais autour de moi. Ils me tiennent avec ce mais-là. Et j'ai choisi, tu le sais, non pas de fuir, faire semblant, mais, mon mais à moi, de réunir et d'affronter !

Nº 11. Le 26 juin de notre an I. A partir de demain, les jours raccourciront. Je savais bien qu'un jour tu arriverais ici, à Moncrabeau. Je laisse ce mot au secret, et à la douceur de ton oreiller : c'est le mien. J'ai discrètement glissé dans ta taie celui de mon lit. En te couchant, regarde bien, en face de toi, il y a la gravure. Tu as jeté mes lettres, j'en doute tout de même, mais je sens que tu les as plus que lues. Si tant est que l'on puisse plus que lire, jamais. Mais voilà, te voici. Tu arrives, invité par ma tante. Pour Cécile tu es l'amant de Suzanne, le protégé de Jean, le trompeur de mari, donc le théâtre qu'on a toujours aimé autour d'elle. Pour Anne-Marie, il n'y a que son bébé qui compte et les coups de téléphone de Luc. Sébastien et Ruth sont en voyage de noces. Claire est partie pour Epidaure et Delphes, seule. Mon père reste à Paris jusqu'à la mi-juillet, son temps de manigance. Seul il rêve de se modifier pour mieux s'incruster à l'idée qu'il se fait de lui-même. Au verso de ce message, il y a un plan. Rejoins-moi. Tu ne peux pas te perdre. Le ciel est dégagé. La lune veillera. Il te faudra environ vingt minutes pour me rejoindre. L'endroit s'appelle Auzan. Je serai couché, sous l'orme, près de la ferme. En quittant la maison, dans l'escalier, marche près de la rampe, pas de grincements. Tu verras, c'est agréable de sortir sans faire de bruit pour rejoindre un lieu et un ami. A tout de suite. Avec un peu de chance, le petit Pierre criera dans son berceau, biberon de minuit, et couvrira ta fuite. J'ai attendu ce moment dix-sept ans de ma vie, dix-sept ans d'active comme disent les militaires, qu'ils aient connu ou pas la guerre. Et si je pleure, à ton arrivée, là-bas, sous mon arbre, ne te trompe pas de larmes. Ce seront des éclats de rire. Comme des éclats de verre pour déchirer le tissu noir de la nuit la plus courte. Dépêche-toi. C'est fou. C'est bon. Tu es là. Enfin.

N° 12. Tant pis, lis, Romain, lis ! J'ai mal partout de trop aimer et de ne pas savoir jeter en temps voulu. Sitôt gagnée la partie de notre rencontre, j'aurais dû, par cynisme, le cynisme des rompus ou brisés, te rendre cette liberté que tu crois libre et qui n'est que frayeur de t'attacher à un autre. Qui donc t'a jeté auparavant pour que tu sois si fervent à ne pas croire en toi ? J'ai mal partout d'aimer trop mal et il faut que cela cesse. Je vais y laisser ma peau et mon esprit, l'esprit avant la peau. Un jour, égaré par la passion, je ne trouverai plus le chemin du retour. Pourquoi es-tu reparti pour Paris-la-pieuvre si vite, sans même prévenir Suzanne ? Ce télégramme que tu as reçu, tu te l'es toi-même envoyé de Lectoure. Ce n'est pas un coup de téléphone que tu avais à donner à Paris, pour ta pièce et sa « reprise à la rentrée dans un autre théâtre », mais un coup, simple coup, à te donner en croyant me frapper. Salut à toi ! Je n'oublierai ni ta cambrure ni tes morsures et surtout pas cette sourde plainte au plus noué de ta gorge quand tu as peur de faire du bruit parce que tu jouis. J'ai compris. Ce soir, 7 juillet, j'ai dix-huit ans. Tu as choisi le bon soir. Je te dis bonsoir. Les mots font des courbettes quand ils ne servent plus à rien. Je suis reçu à Propé. Mon père reste à Paris. Il est un des rédacteurs du préambule à la Constitution de la Cinquième République « je vous ai compris ! » Moncrabeau s'est vidé de toi. La douleur est vive. Demain, j'irai faire un petit tour sur l'étang. Juan ne me parle plus. Au suivant. Tibi or no tibi. Bertrand.

P.S. Tu devrais lire Diderot, London, *Le Passage* de Reverzy, Wolfe, Housman, Wallace Stevens, Juan Ramon Jiménez, Cavafy : ne peut-on plus dévorer qu'ainsi ?

N° 13   Paris le 13 septembre.

Mon cher Romain,
Je veux vous revoir. Vous ne voulez pas de cette sale histoire.
Moi non plus. Je ne vous adore plus. Salut et à très vite nous
étreindre.

                                        Bertrand Prouillan.

N° 14   Le 7 décembre. Minuit.

J'en ai marre d'attendre devant la porte, d'appuyer constamment sur la minuterie pour un peu de lumière. C'est la
première fois depuis trois mois que tu n'es pas au rendez-
vous. J'ai peur du noir, du noir de ma tête. J'ai mal à la tête.
Je rentre chez moi. A demain, même heure. Sois à l'heure.
Bertrand pas constant du tout.

N° 15   12 décembre. Tôt le matin.

Mon cher Romain,
Je ne serai pas au rendez-vous de ce soir. Ma mère a insisté
pour que j'assiste au dîner, avec mon père. Il veut, m'a-t-elle
dit, parler de mon avenir. Tu remarqueras que je ne dis plus
Cécile et que je ne dis pas Henri. J'ai renoncé à les considérer
comme des amis, et leur redonne ainsi leurs rôles de
personnages renonçant aux personnes qui s'esquivent, démission des êtres. Ma mère m'a dit « tu n'as pas le droit de nous
critiquer et, surtout, de nous regarder comme tu nous
regardes ». Je lui ai répondu que mon regard était « une
invitation ». Elle a cru que je me moquais d'elle. Elle a répété
« tu n'as pas le droit de nous critiquer » mais sans la suite. Ils
ne veulent plus de leurs enfants quand ils se mettent à
regarder.

Et brusquement, je me suis dit que je ne savais rien de toi, ou peu. Rien de tes parents, de ton enfance, de ta vie. L'image que j'ai de toi quand je ferme les yeux et quand je pense à toi n'est toujours pas fixée dans des traits. Rien ne caricature ou même ne trace l'élan qui me conduit vers toi. Mon acharnement à sauvegarder ce peu qui nous lie, liaison, n'a d'égal, en force et en heurt, que cet état de fuite qui te contraint à douter de toi, quand tu prétends obstinément douter de moi. Quand je te figure, ce sont des odeurs et des goûts qui me montent à la tête et me font du bien. Odeurs de peau, plis, recoins, bouche, et goût de toi, salive, mots, semence, le goût des regards, de tes regards quand la peur de t'attacher n'a pas pris de nouveau le dessus. Mon attachement, et ta fuite.

Je ne serai pas là ce soir. Il faut que j'aille voir « ma » pièce, dans « mon » théâtre et que je joue « mon » rôle (contraire, contrarié) avec mes deux têtes d'affiche. On ne décapite pas ces gens-là, ils décapitent. Ils attendent la réplique, et gare si on ne la leur rend pas, comme si on devait leur rendre cette vie qu'ils nous ont donnée. La réplique est écrite. Je n'aime pas les silences de ma mère depuis ton brusque départ de Moncrabeau. Elle a désormais, en me regardant, une dure manière de soupirer en souriant, un soupir pour l'enfant qui ne produira pas d'enfants et un sourire pour le fils qui n'ira jamais se nicher dans le ventre d'aucune autre femme. Or, ce soupir et ce sourire sont de même respiration. Je n'aime pas non plus l'amertume de mon père. Tenu à l'écart du premier gouvernement, il ne manquera pas, tôt ou encore plus tôt, d'accuser les siens et de faire usage, sur eux, d'un pouvoir qui vient, de justesse ou d'injustesse, de lui échapper. Il sait. Pour nous. Il va m'en parler ce soir. J'ai pourtant déchiré tes quelques lettres et il n'y a, dans mon regard, qu'une image de toi faite d'odeurs et de goût. Il sait donc terriblement.

Il sent. Pense à moi, je pense à toi. Je passerai demain matin et pour quelques minutes seulement. J'aimais le bleu des matins, avant les réunions de famille, quand rien encore n'était joué. Je te hume. B.

N° 16. Le 4 janvier. Quinze jours, c'est long, sans toi ! Je crois que mon père va renoncer à nous faire suivre. Là où nous nous promenons ensemble, nul ne pourra jamais nous surprendre. Regarde bien la reproduction de ce tableau de Carpaccio. En bas, à gauche, il y a deux oiseaux, côte à côte. On ne les voit que si on regarde bien. C'est la première fois que j'écris à « quelqu'un » en poste restante. Terreur inutile. J'ai besoin de toi. J'ai un planeur dans la tête. Piqué. Planté. Et un pilote mort, aux commandes. Mais un planeur ne se commande pas. C'est le vent qui décide. Maintenant, c'est moi qui ai peur. Tiens le coup, je tiens le coup. Mon père ne peut rien contre nous. B.

N° 17. Le 6 janvier. J'étais tout petit. Et toi, couché sur le ventre, par terre, dans du vert, de l'herbe fraîchement fauchée. Petit, tout petit je remontais le long de ta colonne vertébrale. Jusqu'au cou. C'était doux. Je me baladais sur toi et tu ne bougeais pas. Je crois que tu dormais sous mon pas. Quelle promenade ! B.

N° 18. Comme dans les trains : il y aura toujours une première et une seconde classe. Il y en avait une troisième, autrefois, avec des banquettes de bois. Les poètes avaient encore leur place. Notre société, désormais, coupée en deux, commence là. Sais-tu qu'en tant que rédacteur du préambule à cette foutue Constitution de cette nième République, mon père a proposé de modifier notre devise nationale « Liberté, égalité, fraternité » en « Egalité, fraternité, liberté ». Nuances ! Il s'est fait moquer. Le Général lui aurait dit « hélas, Prouillan, trop tard ou trop tôt, ce n'est guère le moment ».

Je parle et je t'écris de première classe. Je ne vois pas mon à venir. Je ne l'ai jamais vu. L'horizon du berceau est toujours vide. On ne choisit pas son compartiment. Mais lorsque tu me prends la main et lorsque je te lèche les doigts, il n'y a plus de classe égalité, notre fraternité, la liberté appelle. Je grandis. Et je te sens grandir. Il n'y a plus de tabous, de rancœurs, de hautes surveillances, ou de pouvoirs dominants, mais le temps de notre rencontre, ce petit peu de chemin parcouru ensemble qui annule, efface tout le reste. Je ne peux pas croire qu'ils nous jettent si fort l'un contre l'autre en croyant nous séparer l'un de l'autre. Si je savais à quelle heure et quel jour tu iras chercher cette lettre, je me posterais pour te voir, au moins de loin. Je te vois de si près en ne pensant qu'à toi. Je n'aurais jamais cru qu'un discours de cette nature « de sentiment » puisse couler de ma plume. L'encre, du noir, vire au bleu du ciel en séchant, et plus je remplis mon stylo, plus l'encrier déborde. Tout cela n'est pas sentimental mais ressentimental. Le ressentiment est la respiration des êtres arrachés l'un à l'autre.

Le silence de Jean, la feinte indifférence de Suzanne, la sourde complicité de ma mère qui doit bien voir en moi une revanche à l'ordre établi qui la mate et qu'elle défend pour ne pas trop en souffrir, et l'acharnement menaçant de mon père, tout cela, somme toute, ne nous fait pas peur. J'ai forcé ton troisième regard. C'est tout.

Si le danger des menaces de mon père nous sépare, et si ces lettres vont à la poste restante, c'est que nous aimons la nuit du chantage dont nous sommes l'objet. Ou bien avons-nous compris des pires assassins qu'ils n'en ont jamais le visage.

Comme dans ta pièce ? Jette mes lettres, je t'en prie. Je constate que si on nous sépare, nous nous séparons aussi. Il n'y a que le souvenir de l'encre pour être mémoire inscrite. Tant d'herbes ploient sous tant de regards voyeurs. Je t'aime Romain, au point de ne plus t'aimer. J'aimais bien te saisir les pieds, à genoux, au bout de ton lit, comme si j'allais d'un geste d'acrobate te lever, te brandir, à bout de bras, à la verticale au-dessus de moi, tout entier sorti du ventre de ma tête en te criant de retirer le planeur, ce poignard planté. Sauve-moi ! Comme tu t'en vas ! Et comme je me tiens près de toi, de plus en plus près de toi !

Nous ne sommes plus libres de nos corps. Nous ne connaissons plus même leur emploi. Ce que la morale avait banni, zones d'ombres, l'esprit cravacheur du siècle l'a honni totalement, rejetant le sensible aux oubliettes et à la nuit-nuit, celle qui n'offre plus aucun point de repère, celle où l'on ne peut que se perdre en ne bougeant plus. Voici mon chant d'espoir, ultime recours. La politique pratiquée par mon père, tant dans le désir d'un pouvoir absurde et passager que dans l'acharnement à nous séparer, moi mineur, toi majeur, n'est qu'une forme dévoyée de l'écriture. Mon père joue avec nous. Le champ politique qui devrait être le champ de la conscience collective ne réunit que des nains. Aussi ne les voit-on pas se déplacer et leurs batailles picrocholines, les seules dont on ne parle jamais, laissent sur l'herbe douce qu'il fait bon respirer quand elle est fraîchement coupée les cadavres de ceux qui veulent avoir la hauteur de leur taille. Romain, je veux en finir avec toi. Je veux finir avec toi. Je vais demander à Suzanne et à Jean de nous recevoir chez eux. Nous. Ils te diront le jour et l'heure. Tant pis si nous sommes suivis. Je te mords. Bertrand.

P.S. C'est peut-être aussi à moi de te sauver mais deux êtres ne feront jamais la paire. L'amour mal porté des autres accuse et dépareille. Ils jouent avec notre peau. C'était pourtant simple quand nous étions ensemble. Les quelques fois. La nuit. Comme par hasard. Leur hasard.

N° 19. Ce 9 février. Cher Romain. Je t'ai attendu chez Jean et Suzanne. Je t'ai vu arriver et repartir, sur le boulevard. Je te guettais. Comme le ciel était gris et bas. Que s'est-il passé ? Si au moins tu avais le téléphone, je t'aurais appelé. Je t'appellerais. Jean me dit que tu pars demain pour Londres et ensuite Munich. Que ta pièce va être produite dans ces deux villes et qu'une nouvelle pièce de toi est prévue pour la rentrée prochaine au théâtre de Lutèce. J'aurais voulu la lire. Je sais si peu de toi et cela rend notre séparation encore plus douloureuse car je te questionne et te parle sans cesse. Même pendant les cours. Et quand parfois, place d'Antioche, de plus en plus rarement car il n'est plus là aux repas et je ne rentre pas tous les soirs, je croise mon père, nous ne nous parlons plus du tout. Il me refuse le bonjour. Il croit bien faire. Claire et Gérard ont décidé de se marier début juin. Ruth attend son premier bébé. Quand Anne-Marie va faire des courses, elle laisse Pierre à ma mère qui le confie à Bernadette. Et ainsi de suite. Ça prolifère. En visite, ici, les Martin-Lehmann font comme avant. Comme si de rien. Le moindre de leur sourire, pour moi, est un sourire de trop. Ils savent. Je me dis qu'ils veulent du théâtre partout quand le théâtre est déjà partout. Je te souhaite bon voyage. Rentre les lèvres douces. Je t'attends. B.

N° 20. Romain. Je serai devant ta porte, demain soir, à minuit. Cette comédie a assez duré. C'est la comédie des autres et pas la nôtre. Je veux te revoir. J'ai rencontré des garçons, je dis bien « des » garçons. Je sais où les trouver, tout autour de chez toi. Et partout. Il suffit de demander du regard. Mais il n'y a de bras que les tiens, et de parole pour me tenir debout que la tienne. A demain donc. Débrouille-toi. Et que la porte s'ouvre sans que j'aie besoin de frapper. Tant pis, c'est plus fort que nous. B.

N° 21. 11 mars. Minuit cinq. Où es-tu ? Je m'en vais. Je reviendrai demain à la même heure. J'ai beau ne pas y penser, mais je me sens regardé, observé, suivi, tout entier livré à la surveillance d'un père, nabot au cœur d'assassin. Minuit six. J'arrête. J'embrasserai la porte avant de glisser ce mot dessous à défaut de me glisser entre les draps de ton lit, ce navire. Je reviendrai demain, à la même heure. Et après-demain. Et ainsi de suite. Jusqu'à ce que tu ouvres la porte à mes baisers. Qui tape sur le planeur dans ma tête, si ce n'est toi, comme les autres ?

N° 22. 12 mars. Minuit. Je reviendrai demain. Elle était douce, la clé, quand tu me l'avais confiée. Toute tiède et toute dure, au toucher.

N° 23. 13 mars. Ce à quoi tu renoncerais n'est rien en regard de ce qui s'annonce. Le risque est raisonnable. La raison du cœur inspire. A demain. J'ose espérer que, demain, tu seras là, enfin, chez toi. Ne me dis pas que tu te caches.

N° 24. 14 mars. Quand je rentre de chez toi, le cœur bredouille, je traverse les Tuileries, je m'arrête dans les buissons. Le premier venu fait de moi ce qu'il veut, c'est-à-dire ce que tu veux. Je jouis très vite, en fermant les yeux et en pensant à toi. L'animal est respectable. S'il espère encore un autre et un être d'attache. A demain.

N° 25. 15 mars. Minuit et quelques minutes. Je viens d'entendre un pas dans l'escalier. J'ai cru que c'était toi. Je n'ai pas osé me pencher. C'était ton voisin du quatrième. La minuterie s'est éteinte. Je viens de salir ta porte. Passe un coup d'éponge. L'animal est remarquable quand il laisse des traces là où il aime. Ce soir, je rentre directement place d'Antioche. A demain ?

N° 26. 16 mars. J'ai vu l'oncle Jean cet après-midi. Pourquoi lui avoir tout raconté ? Jean m'a dit que, sur son conseil, tu avais quitté Paris pour une période indéterminée. Mais je ne le crois pas. Ce que j'ai fait hier est beau. Et je le referai chaque soir. Ta porte en sera criblée. Je reviendrai chaque soir. Pour ça et aussi jusqu'à ce que ta chambre soit si pleine de messages que tu ne puisses plus entrer chez toi, le jour de ton retour si jamais tu reviens. C'est ça, ou rien. Plus que jamais, à demain.

N° 27. 17 mars. J'aime cet escalier. Il m'érige. Je sais que tu es à Paris. Je le sens. Tous ceux que je croise me le disent. A demain ?

N° 28. 18 mars. Mon père est en bas. Dans une voiture grise. Au coin de l'impasse des Deux-Anges. Un homme est assis à côté de lui, au volant. J'ai reconnu cet homme. Il était de l'autre côté du boulevard Haussmann le jour où je t'attendais chez Jean. C'est le même. Ou bien se ressemblent-ils tous quand ils font ce métier de mort ? Je n'ai ni le temps ni le cœur de te laisser la trace du jour. Ce message seulement. Je ne reviendrai plus. Je te le promets. Tu n'existes pas. Tu n'as jamais existé. Ce n'était ni toi ni moi quand nous étions ensemble si c'est cette version qu'ils veulent. Mais ce fut toi et moi, ensemble, et nous n'avons voulu ni l'un ni l'autre de cette version originale, moi en désirant l'unique et la durée, toi en n'osant plus partager ce désir par peur, à le saisir, de je ne sais quelles poursuites. Des pas dans l'escalier. J'arrête.

N° 29   A Romain Leval.
                                    5, rue Saint-Benoît
                                    Paris 6ᵉ.

Ami. Quelques instants plus tard. Les personnes qui montaient ont fait demi-tour. Quand je suis sorti de l'immeuble,
j'ai vu mon père et l'homme, près de la voiture, sur le trottoir
d'en face, au coin de l'impasse. Mon père tournait la tête. Je
l'ai trouvé touchant. Il portait son chapeau, feutre gris
découpé dans le ciel de Paris. Alors, je me suis tenu à côté de
la porte, adossé au mur. Je les ai observés jusqu'à ce qu'ils
s'en aillent. Mon père regardait le mur, de son côté, et
l'inscription « défense d'afficher », bâtiment public, cette
école. Je me souviens d'un seul matin, avec toi, étourdis,
lendemain de la générale de ta pièce, nous fûmes réveillés par
les cris des enfants, première récréation du jour. Jean se
moquerait de moi s'il lisait ce passé simple. Ceci est ma
dernière lettre. Tu peux rentrer chez toi. Tu peux aimer qui tu
aimes en passant et surtout en ne t'arrêtant jamais. Ce que
j'écris là est cruel, je le sais. Je n'aurais jamais été obstiné si je
n'avais flairé, senti se fondre en toi, respiré, touché du doigt
et de la langue, paroles, nos paroles et nos regards échangés,
le désir profond de t'arrêter à moi, désir qui n'avait, et n'a
peut-être encore, d'égal que mon désir de m'arrêter à toi.
Ceci est ma dernière lettre. Tu peux rentrer chez toi. Vivre.
Circuler. Ne plus avoir peur de rien. Nous nous croiserons
peut-être dans la vie, ou dans la rue. Alors s'il te plaît,
seulement, rends-moi, de loin, le sourire que je te donnerai.
Ceci est ma dernière lettre. Je te rends ce que tu crois être ta
liberté et je reprends ce que je ne crois pas être la mienne.
C'est une bien petite histoire de presque un an. Ils nous ont
empêchés d'être ensemble et, intimidés l'un et l'autre, toi par
les échecs que tu as d'ores et déjà vécus, moi par ceux que je
ne veux pas vivre, nous n'avons pas eu le courage du risque.

Nous n'avons que joué le jeu de leur empêchement. Quand j'écris « ils », quand j'écris « leur », je mets mon père au pluriel car il a ceci de singulier qu'il se reproduit partout, immobile. La force des hommes qui se croient politiques est de ne pas bouger. Oui, je l'aimais, tout à l'heure, sous son chapeau mou, me tournant le dos. Ceci est ma dernière lettre. Je ne ferai plus de bêtises sur ta porte fermée. Je ne glisserai plus de messages. Je n'aurai plus l'esprit de domicile d'une rue Saint-Benoît. Je n'irai voir tes pièces qu'en spectateur anonyme et amoureux. Je serai le premier à crier bravo quand le rideau tombera : tu excelles à vivre dans ce que tu écris ce que tu ne veux ni ne peux vivre dans la vie. C'est le principe des adieux. Toute notre culture depuis le Siècle des lumières est bâtie, château de cartes, sur ce principe douloureux, et splendide, qui sous couvert d'humain et d'humanité fabrique des demi-dieux de toutes les sortes, de tous les milieux, de toutes les causes, et dans toutes les disciplines artistiques, tous et toutes admirables pourvu que la mort sanctionne l'amour, pourvu que l'échec provoque l'adieu. Tout ce qui est beau, opéra, philosophie, musique, idéologie, poésie, roman, médecine, science, peinture, architecture, tout est toujours brisé. Et en regard, j'écris bien regard, de ce principe, tout ce qui réussit est suspect, tout ce qui dure est vendu, appelant à la vente, commercial, donc méprisable. Nous ne sommes terriblement faits, et éduqués, modelés collectivement, que pour le drame qui finit mal. Notre histoire, Romain, c'est sûrement bien plus qu'une bien petite histoire de presque un an. Ceci est ma dernière lettre. J'ai observé mon père et cet homme pendant de si longues minutes. Des gens passaient, dans la rue. Ils allaient. Ils venaient. Certains riaient sans savoir. J'ai pris au moins le temps d'attendre en observant. Je savais bien que mon père ne viendrait pas vers moi. Il n'écoute et ne comprend que les silences et les regards de loin. Tout était dit, dans le drame, et l'adieu. Etais-tu, toi aussi, à distance, à nous observer ? Tu étais là, d'une manière ou d'une autre, et pour moi de la meilleure manière.

Il est 3 heures du matin. Je t'écris d'un café proche des Halles. J'irai poster cette lettre rue du Louvre. Il y a un bureau de poste ouvert toute la nuit. On y rencontre, j'imagine, de nombreux peureux pressés d'envoyer leurs messages. Oui, je veux que tu saches au plus vite le regard lisse de mon père, sous son chapeau, contournant la voiture, reprenant place et faisant claquer la portière. Je veux que tu saches le bruit de cette portière-là, claquée devant la porte de cet immeuble qui ne fut jamais vraiment chez nous et qui n'a toujours été que chez toi. Je veux que tu saches la fixité de mon regard quand l'homme, à côté de mon père, homme de grisaille, avait du mal à faire démarrer la voiture. Il s'y est repris maintes fois et s'énervait. Impassible mon père regardait devant lui. Je le scrutais. Puis la voiture a démarré. Par le pot d'échappement j'ai vu des gaz sortir en panache comme on le voit parfois, l'hiver. Je me suis, seulement alors, rendu compte qu'il faisait froid et que je grelottais. Ou bien tremblais. Je te revois, à Moncrabeau, faisant des grâces inhabituelles à ma mère et à Suzanne. Je te revois dans la grange d'Auzan, ramassant tes vêtements éparpillés. Tu venais de prendre la décision de repartir, mensonge de Lectoure. Je t'entends me dire, sur le chemin du retour à la maison, alors que nous traversions le bois de bouleaux, que tu n'as « jamais été vraiment jeune ». Je te revois jetant cette pièce de monnaie dans l'étang. Mais cette monnaie-là, il eût fallu une eau vive pour qu'elle signifie notre échange. Je suis né croupi. Je te revois rougissant de bonheur devant Juan. Je te revois embrassant Claire à la sortie du théâtre et m'adressant un clin d'œil alors qu'elle te rendait ton baiser. Je te revois place d'Antioche, repas de famille, une fois seulement, et pour cause, Suzanne se tenait si près de toi, Jean parlait de ton avenir. Tu me fis remarquer que le cartel était arrêté. Du bout du doigt, tu caressais le Mercure sur la commode de gauche, dans le salon. Je te sens, à t'écrire maintenant, me caresser du bout du doigt, tout occupé à la nature profonde de ton hésitation. Je te revois, nu, de dos, fermant la fenêtre de ta chambre, un certain matin, unique matin, parce que les cris de la récréation montaient jusqu'à nous, éveillaient en toi la peur d'une jeunesse que tu n'as pas connue, et en moi la fureur de celle que je connaissais trop. C'est ma dernière lettre. J'ai tout vécu, il me reste à vivre, ou à survivre, pauvre de moi, riche de rien, avec mon planeur, bien planté, dans ma tête. Et un planeur c'est un avion sans moteur qui fait l'amour avec le vent. Quand il y a du vent. C'est ma dernière lettre. Le vent est tombé. Le planeur a piqué. Je t'embrasse partout où je ne t'ai pas encore embrassé. Je regarde partout où nous aurions pu diriger nos regards ensemble, au risque de mauvaise littérature. Mais la mauvaise littérature, c'est les autres quand ils ont peur de la livrée du cœur. Comme mon père avait l'air fâché et décidé à aller jusqu'au bout quand la voiture a démarré ! Il penchait la tête de mon côté, légèrement, le regard perdu, le regard d'avant Cécile, d'avant les enfants que Cécile lui a donnés, le regard d'avant une famille, un regard d'horizon, comme une tendresse, coup droit, et une violence, revers. Je voudrais te dire tout ce que j'aurais pu et voulu te dire, t'écouter aussi à n'en plus finir, découvrir en toi ce territoire de plus en plus vaste et inviolé qu'est l'autre si on prend le temps de l'écoute et du partage. Mais partager, c'est aussi couper. Et nous voici coupés l'un de l'autre, autant par un père qui fend la nuit, flanqué d'un chauffeur-détective, que par nous-mêmes. Fais repeindre la porte de ta chambre. Ce cinquième étage était d'une belle altitude. Merci pour cette vue imprenable sur Paris. De l'étage noble de la place d'Antioche on ne voit rien. Tout est pris. Voici ma dernière lettre. Elle s'achève faute de papier. Une lettre écrite à la lumière d'un néon et sur du formica. Je me sens un tout petit peu bu de tout ce que j'ai vécu depuis le 27 mars de l'année dernière, de tout ce que j'ai voulu, écrit, dit, écouté avec toi, de tout ce que j'ai découvert, emploi du temps, emploi du corps, plongeon, obstination. Mais somme toute de tous les instants « passés ensemble » je me dis que tu n'as jamais cru à l'égalité de mon sentiment amoureux et que tu l'as détruit, rejeté en le prenant pour excessif, inégal, dangereux. Tu n'es qu'un hésité. Et je t'aime encore également, égalité, avec sérénité, à te le dire. L'exercice de mes lectures intellectuelles en vue de la rue d'Ulm me prouve que bien des penseurs et des artistes, ceux-là que mon père juge « parasites de la société », et que ladite société n'a jamais pu remplacer par qui que ce soit et à fortiori par quoi que ce soit, ont souvent, presque toujours, usé leurs esprits, leurs vies, se sont donnés à vie, se donnent parfois la mort, ou sont morts épuisés, à tenter l'impossible : atteindre la conscience collective, de leur vivant, rencontrer un peu d'amour vécu, et surtout convaincre de leur sincérité. On veut toujours l'artiste en représentation. On le juge en représentation, surtout s'il ne l'est pas. Je ne disserte pas, Romain. Cette fois, je t'abandonne. Artiste de notre rencontre, tu m'as décidé, placé, tenu dans ton esprit, en représentation. Le danger a commencé là. A ce fait. Si tu m'avais compris, senti, étreint, au plus égal de ma sincérité, nous n'aurions couru aucun risque. C'est ton hésitation à m'aimer comme je t'aime qui nous a signalés et qui a provoqué les poursuites, la poursuite de mon père. Je vais rentrer chez moi, tout à l'heure, après avoir posté cette lettre d'adieux. J'ai vécu avec toi un cycle, toute une vie. Tout comme certaines lectures m'ont rendu à la fois malade et guéri de tant d'expériences. A quoi bon la reproduction du malheur ? Il n'y aura personne après toi, pour moi. Il n'y aura que mon père s'il veut aller jusqu'au bout de son regard. Rupture. Je te charge de prévenir Jean et Suzanne, Claire aussi si tu la rencontres. Trouve les mots qu'il faut, je ne les connais pas. Dans les herbes ployées, je me vois dans tes bras et je suis le voyeur qui va faire demi-tour. Une fois suffit. Adieu, puisqu'il faut sacrifier au principe. Appelle-moi hier, comme convenu. Je t'adore tel que tu n'as jamais été. Bertrand.

Le 17 juin.

Chère Suzanne et cher Jean. Le mariage de Claire et de Gérard, pour moi, fut de deuil. Je ne l'ai pas montré. J'ai souri pour les photos. Je vous remercie de votre compagnie et de tout ce que vous avez su me dire en ne me disant rien. Tenir une main ou adresser un regard parfois suffit. La mort de Romain m'obsède. Il se jette, dans ma tête, de ce cinquième étage, et il y a une marque sur le trottoir au 5 de la rue Saint-Benoît. Romain a choisi de se taire. Je respecte ce silence. Nous devons tous le respecter. Je suis un raté. Un suicidé raté. Lui a eu le courage. Et je ne veux pas croire que le courage soit encore une hésitation. Tout cela est faux, simplement humain, si peu le fait d'une sexualité. Je sais que Romain vous a tout légué, y compris les lettres que je lui ai adressées et qu'il n'a pas jetées. Je sais aussi que vous voulez me les rendre. Je vous demande de les garder et de les lire pour mieux les effacer d'une mémoire amoureuse et sincère. Si cela est possible. Merci. Je ne passerai pas d'examen cette année mais je serai normalien l'an prochain, pour Romain, pour mes vingt ans et pour ceux qui aiment. Je n'accablerai pas papa. Je l'admire autant que je le crains. Il aime, lui aussi, à sa manière, et il n'y va pas de main morte. Comment se protéger de lui et de son amour ? Je vous embrasse. Bertrand.

12

« Ces lettres » murmure Claire « je les ai lues. Chez votre
oncle Jean. Suzanne était présente aussi, cet après-midi-là,
peu de jours après Barcelone. J'étais enceinte de toi, Loïc. Tu
es né le lendemain de cette lecture-là. Fais le calcul. Nous
allons fêter tes vingt ans dans cinq jours. C'était donc cinq
jours après le retour de Bertrand. Pour ses vingt ans. » Claire
sourit, fredonne, puis chante « si tu reviens jamais chez
Temporel, un jour ou l'autre... n'oublie pas ceux qui sont
passés là... » Elle rit « c'est bon signe, je me souviens des
paroles ». Elle baisse les yeux et chante de nouveau « d'une
guinguette au bord de l'eau... » Silence. Elle regarde ses
enfants « la suite ? C'est un peu naninanère, quand on ne sait
plus vraiment. Mais l'important, c'est de se souvenir du
début, du refrain, et de quelques mots, au moins. Nous avons
tous une chanson qui traîne en mémoire. Celle-là, c'est la

mienne. A cette époque-là, je la connaissais par cœur. Bertrand la trouvait " romantale et sentimentique " et la chantait bêtement, avec moi, pour me moquer ».

Claire regarde ses enfants, silence, fin de repas « oui, ces lettres, je les ai lues. Et je me les rappelle, elles, presque mot pour mot. Je voulais comprendre, savoir, rattraper Bertrand, prendre prise. Il était trop tard. La lettre n° 1, Romain Leval lui-même les a numérotées, est datée du 27 mars. De Moncrabeau. Deux jours avant, Bertrand et moi, veille de son départ, à Paris, étions allés voir *Hiroshima mon amour* au cinéma Georges V. En matinée. Après le film Bertrand m'a pris la main « restons ». Nous avons vu le film trois fois de suite. Il ne m'a lâché la main qu'à minuit, quand nous sommes sortis. Nous sommes rentrés à pied, place d'Antioche. Il avait l'air secoué, ému. Il murmurait « c'est beau », puis « c'est beau parce que c'est contrarié » et enfin « la nature de la beauté me fait peur car elle est toujours contraire ». J'ai revu ce film, plus tard, toute seule, et une autre fois avec Gérard. Je n'ai pas compris tout de suite ce que Bertrand avait voulu dire. Je n'ai saisi qu'après, après la mort de votre père ». Claire se tourne vers Stéphanie « c'est la première fois que je leur parle comme je leur parle. N'ayez pas peur d'entrer dans notre famille. N'ayez pas peur, non plus, de vous appeler Myriam. Je n'aime pas mon prénom mais j'y tiens. Un prénom, c'est un cocon. On ne peut pas le remplacer ».

Loïc sourit. Stéphanie pose les mains sur ses genoux, l'air petite fille. Elle regarde furtivement Yves qui a écarté devant lui, sur la table, assiette, verre, couverts et qui se tient assis, cassé en deux, comme un écolier attentif, coudes écartés, à plat, le menton sur les mains. Il serre les poings. Géraldine se tient de trois quarts sur sa chaise. Elle dit calmement à sa mère « décris-nous Bertrand, s'il te plaît, maman. Comment

était-il ? Tu l'aimais ou tu l'aimais bien ? Comment se fait-il
que tu n'aies pas d'album-photo ? Pourquoi grand-père
n'est-il jamais venu ici ? Pourquoi Sébastien ne nous a rien dit
ou ne nous a pas reconnus quand il est venu, l'an dernier ?
Pourquoi aujourd'hui, brusquement, ces confidences, si tu as
choisi de ne jamais nous parler de tout cela ? C'est quoi,
Moncrabeau ? Une grosse ferme ? Il est profond, l'étang ?
Bernadette, quel âge a-t-elle ? Cent ans, depuis le temps ? Et
ta mère, pourquoi ne parlait-elle que de son retour dès qu'elle
arrivait ici ? Pourquoi nous offrait-elle toujours des pyjamas
neufs, moches, en pilou, qu'il ne fallait surtout pas mettre tout
de suite parce qu'ils étaient neufs ? Nous avons toujours
dormi nus, comme toi. Cela choquait ta mère ? De quoi
avait-elle peur ? Ce soir, parce que tu as mis une robe, je
trouve que tu lui ressembles. Ta mère ne nous disait jamais
rien d'elle et ne nous demandait jamais rien de nous ».

Géraldine regarde Loïc « je continue ? » puis Yves « je ne
devrais pas ? » et sa mère « dis-moi pourquoi nous n'avons
jamais fait de voyage avec toi ? Et Luc ? Et Ruth ?
Anne-Marie ? Vous ne vous écrivez jamais ? Tu sais que les
lignes téléphoniques ne passent plus très loin d'ici. On
pourrait se brancher sur les Schulterbrancks. Trois ou quatre
poteaux, un fil, et on pourrait nous appeler. Nous pourrions
aussi appeler. C'est comme la télévision. Nous l'aurions. Nous
ne la regarderions pas. Mais nous l'aurions. Le téléphone ne
sonnerait pas, mais il pourrait sonner. Je ne te reproche rien.
Et si Loïc et Yves sont d'accord avec moi, nous ne te
reprochons rien. Rien que d'égal. Egalement. Une égalité.
Comme dans les lettres de Bertrand. C'est fou, de pouvoir
citer de mémoire des passages entiers de lettres que l'on a lues
seulement parce que tout était trop tard. Regarde-moi,
maman. C'est la première fois depuis longtemps que je te dis
maman, et que je ne t'appelle pas Claire. Regarde-moi. Yves

et moi, nous partons demain matin, pour voyager. Loïc et Myriam nous feront faire les premiers kilomètres. Jusqu'en Italie. Après, nous avons prévu de nous séparer. Loïc garde la 4L et Myriam. Yves et moi ferons de l'auto-stop. Nous avons tout acheté. Tout est prêt dans le coffre de la voiture. Nous ne savions pas comment te l'annoncer. Loïc avait prévu de partir en douce, au lever du jour. Je ne te mens pas. Tu vois la voiture, dehors ? Elle est dans le sens de la pente. L'an dernier, déjà, nous avons fait des essais de départ en roue libre. Loïc disait tout à l'heure, en quittant Aix, que c'était peut-être ça la solution, et qu'avec toi il valait mieux, pour un été, te quitter sur une mauvaise impression. C'est dur, mais je comprends Loïc. Tu n'as jamais été inquiète de nous. Vraiment inquiète. Yves, lui, a préparé un petit mot. Il l'a dans sa poche. Il nous l'a lu. Il peut nous le lire devant toi. Mais moi, j'avais décidé de te prévenir. Voilà. C'est dit. Parle-nous de Bertrand. Tu l'aimais ? Tu l'aimes bien ? C'était une parenthèse. Lequel de vous quatre faisait tout le temps des parenthèses ? Sébastien ? Tu l'aimais, lui. Très fort. Mais Bertrand ? Parle, maman. Nous pouvons très bien t'écouter, jusqu'à notre départ, quand le jour se lèvera. Alors, nous ne partirons pas en douce, mais doucement, sur une bonne impression. Et avec plein d'images ». Silence.

Stéphanie se lève, regarde Claire, Yves, Géraldine, baisse les yeux devant Loïc et lui dit « je vais me coucher. Demain matin, je te demande simplement de me laisser le plus près possible d'Aix. Je ne pars plus avec toi. Je ne pars pas avec vous. Je n'aime pas vos histoires. Voyagez tous les trois ». Elle se tourne vers Claire « je vous remercie, mais je tiens à Stéphanie. Bonsoir madame. Bonsoir madame Géraldine. Demain matin, on ne se dira rien. Je ne quitte pas une famille pour en retrouver une autre ». Stéphanie traverse la salle de séjour, hésite, sourit, puis disparaît dans l'escalier. Loïc n'a même pas esquissé un geste pour la retenir. Petite moue. Il dodeline de la tête. Il regarde son frère, sa sœur, et murmure « salauds ». Yves répond « ça veut dire merci ? » Géraldine se lève « je fais la vaisselle. Ne bougez pas. Je veux la faire toute seule. A vous de parler. Je vous écoute ». Le parquet grince, au premier étage. Bruit de la porte de la salle de bains. Loïc se lève, embrasse sa mère sur le front, collecte les assiettes sales et les porte dans l'évier. Géraldine enfile un tablier en sifflotant le *Bal chez Temporel,* Yves vide chaque verre d'un trait, clin d'œil à sa mère. Claire ne bouge pas. Elle se sent un peu ridicule dans sa robe. Elle murmure « Bertrand était très grand, très beau. Enfin, comme tout le monde, il a été jeune » puis « vous faites bien de partir en voyage ». Elle se lève. Yves met de la musique, en sourdine. Ils font la vaisselle. Loïc met en place le petit déjeuner, Géraldine plonge, Claire essuie et Yves range tout dans le placard, comme auparavant, pendant tant et tant de soirs, tant d'années, cette habitude de tout nettoyer, de tout ranger et de tout mettre en place pour le lendemain.

Claire ne sait plus si elle doit crier ou se réjouir, parler ou se taire, pleurer ou partager la joie de ses enfants parce qu'ils se sont créé une veille de départ et qu'ils jubilent, comme elle a jubilé, elle aussi, mais il y a si longtemps, et pour Moncrabeau seulement. Le sentiment alors était fort. Claire vibrait de tout son corps quand elle préparait sa valise de petite fille. Quelque chose la vrillait, du dedans, quelque chose de spirale, de brûlant, et au fur et à mesure qu'elle choisissait les vêtements à emporter, les livres, les cahiers, les objets adorés, son trésor, et qu'elle plaçait le tout précautionneusement dans sa valise de carton rigide, marron foncé, achetée au rayon « voyage », dernier étage des Magasins réunis, sa gorge se nouait. Elle allait de nouveau respirer la terre, l'herbe, l'air des sentiers et surtout celui des clairières.

Claire essuie les assiettes sans même s'en rendre compte. Elle ne sait toujours pas si elle va s'inquiéter ou accepter, reprocher ou laisser faire. Elle essaie de se souvenir d'une autre émotion de départ. Avec Gérard ? Mais ce fut tout le temps. C'était chaque jour le voyage, avec lui. Et sans bagage. Ce bonheur-là, insolent, Claire n'y trouve aucune faille. Aucun secours à en tirer. Elle essuie chaque verre en poussant le torchon, bien au fond. Une porte claque au premier étage. Yves hausse les épaules. Loïc sourit. Géraldine nettoie l'évier. Claire dit à voix basse « merci pour votre cadeau. Mais c'est un peu cruel de m'offrir une montre, les heures, les minutes, les secondes, la veille de votre départ ». Yves murmure « je t'en prie, maman, ne nous dis pas des choses comme ça ». Claire essuie le dernier verre. Il est propre. Elle le tend à Loïc pour qu'il le range. Il lui échappe et se brise par terre. Loïc tape dans ses mains « et un de moins ! » Géraldine prend un balai, une pelle et ramasse vite les bouts de verre. Elle a peur. Ils ont peur. Et pour ne rien dire de violent, pour ne pas manquer de patience devant eux, pour sauver l'instant, et le temps qui reste, temps d'avant le départ, Claire sort de la maison, fait signe à ses enfants de ne pas la suivre, et va droit vers la 4L.

Elle ouvre le coffre de la voiture. Des rucksacks, tout neufs, bien placés les uns contre les autres, bourrés de vêtements, coiffés de sacs de couchage. C'est touchant. Claire, du bout du doigt, palpe, caresse, et somme toute s'amuse. Tout cela de ses enfants n'est peut-être qu'un amusement, un amusement en marge d'un drame, un drame en bordure d'une société. Claire croise les bras, frissonne un peu. Elle n'aime pas ce clair de lune, cette lumière de nuit, ce petit vent qui coule des pierres, annonce le mistral, et surtout le ciel plein d'étoiles. Loïc s'est approché d'elle. « Maman ? Cette fois tu

n'es pas formidable. Tu nous caches quelque chose. » Claire
ne répond pas. Loïc ferme le coffre de la voiture, tourne la clé
dans la serrure, prend sa mère par le bras et l'entraîne vers la
maison. Au premier étage, la lumière d'une chambre s'éteint.
Yves et Géraldine attendent devant la porte. Claire se revoit
au bras de Gérard, gravissant les quelques marches du parvis
de l'église Saint-Ferdinand. Pire que de se revoir, elle se sent
au bras de Gérard, même peau, même contact, même
démarche, cette manière d'aller, fils ou père, un tout petit peu
plus vite qu'elle. Ce jour-là, tous regardaient Bertrand et
pensaient au récent suicide de Romain Leval. Ce jour-là,
Bertrand portait un malheur. Ce jour-là Bertrand était
devenu ennemi. Et quand Henri l'avait tenue au courant des
vraies raisons du voyage à Barcelone, de la nature exacte de
l'opération chirurgicale, Claire s'était contentée de se taire.
Bertrand lui avait volé son mariage.

Claire, sur le pas de la porte, soupire, respire et dit à ses
enfants « venez dans ma chambre, nous allons parler ». Dans
l'escalier, les devançant, arrêt, se tournant vers eux, elle
ajoute, sans ironie, comme un calme revenu « c'est peut-être
vous qui allez me quitter sur une mauvaise impression ».
Deux, trois marches, elle se retourne une seconde fois « mais
pour l'été seulement. Vous l'avez dit n'est-ce pas ? » En
entrant dans sa chambre, grange, atelier, présence à nu du
toit, coiffant, rassurant, faisant de cette pièce comme un
vaisseau, Sébastien, un lieu de silence buté, Luc, page
blanche d'une lettre, Bertrand, Claire murmure « votre été
sera sans fin ». Ni Loïc ni Yves ni Géraldine n'ont bien
entendu. Aucun des trois n'ose demander à Claire de répéter
ce qu'elle vient de dire. Ils se sentent coupables. Ce sentiment
inhabituel leur plaît. Il va de pair avec celui du départ.

Loïc s'approche du bureau, près de la fenêtre. Il veut ouvrir le tiroir, geste instinctif. Claire lui dit « non ! » Loïc étonné, geste interrompu, ouvre la fenêtre, et s'assoit sur le rebord. Jambes pliées, le menton sur les genoux, les mains sur les chevilles, il défait ses lacets, laisse tomber ses chaussures de tennis par terre, retire ses chaussettes et se masse les pieds. Une distraction pour ne pas répondre à sa mère, un programme d'occupation pour écouter sans participer, recevoir sans donner, attendre, attendre le départ. Mais nul n'est dupe. Loïc en premier. Il dit à sa mère « pour mon cadeau d'anniversaire, tu n'auras qu'à me le donner à mon retour. C'est mieux ». Claire répond doucement « mais je n'ai rien acheté. Je pensais le choisir avec toi ». Yves, un à un, regarde les tableaux et les place le long des murs. Géraldine, assise par terre, contre le matelas, un coude dans un oreiller, de l'autre main met en pile les livres. Claire se tient au milieu de la pièce. Elle attend que tous trois la regardent. Elle attend. Puis ils la regardent. Elle dit alors « ne me faites pas jouer le rôle de la mère amoureuse. Ne me faites pas dire ce que disent les mères déçues quand elles s'accrochent à leurs enfants. Ecoutez ce que je vais vous dire comme je vais vous le dire et non comme vous désirez l'entendre ». Géraldine la regarde « alors pourquoi as-tu mis cette robe, ce soir ? » Claire se caresse les bras, secoue légèrement la tête comme si elle voulait se décoiffer « j'avais peut-être un petit peu peur de vous. Je m'attendais à tout sauf à ce départ. Même si je m'y attends depuis toujours. Depuis vingt ans ? Vous comprenez ? »

Elle s'approche de la fenêtre, se baisse, ramasse les chaussures de tennis et les chaussettes de Loïc, place une chaussette dans chaque chaussure et pose le tout sur la table, bruyamment, de manière presque comique, en regardant son fils « tu comprends ? » Et vite, elle traverse la pièce, se dirige vers la salle de bains en ôtant sa robe. Yves, Loïc et Géraldine s'interrogent du regard. Bruit de porte de placard à vêtements. La voix de Claire « tu chausses du combien, maintenant, Loïc ? » Loïc ne répond pas. « Et toi, Yves ? » « Comme Loïc ! Je lui pique tout le temps ses godasses. » Géraldine se lève « c'est idiot. Partons ! » Loïc lui fait signe de rester, poing serré, levé. Géraldine se jette sur le matelas, les bras en croix, cheveux épars, et dit très fort « je sais tout ce que tu vas nous dire, maman ! » Claire revient, nue dans une chemise d'homme, trop grande pour elle, sa tenue de travail quand elle peint, pieds nus, et le visage éclaboussé, l'eau du lavabo, ce qu'elle appelle sa « gifle » quand elle a trop chaud. Géraldine se redresse « pardon, maman ». Claire s'assoit près d'elle, sur le matelas. Yves sort de sa poche un bout de papier qu'il déplie. Il lit.

« Aix, le 9 juillet. Chère Claire. Chère maman. C'est am stram gram qui m'a désigné comme rédacteur officiel de cette lettre et comme je n'ai pas l'intention de me remettre plusieurs fois à l'ouvrage, autant te dire tout de suite que les bagages sont faits, que nous partons voir du paysage et que nous ne savons ni comment te l'annoncer ni comment te faire aimer ce départ. Autant te dire, aussi, que nous partons sans le sou, que c'est tant mieux, que nous nous débrouillerons et que ce premier hiver à Aix nous a donné l'idée, et surtout le désir, d'aller voir ce qui se passe un peu plus loin. A Sauveterre, nous en avons assez de cueillir les mûres à l'époque des mûres, le tilleul à l'époque du tilleul, ainsi de suite, et surtout de donner des coups de pied dans les cailloux. N'aie pas peur. Nous ne prendrons pas froid, nous ferons attention, etc., etc. Et nous reviendrons avec les premiers jours de septembre. Nous t'enverrons des cartes postales. Profites-en pour rencontrer d'autres gens que nous, peindre des natures plus vivantes que jamais, et surtout continuer à ne plus rien attendre de nous. Si tu ne le fais pas, c'est au risque de te faire gronder à ton tour. Même si tu ne nous a jamais grondés, seul reproche que nous pourrions t'adresser. Lis bien cet avis, un avis à toi et à ta population, famille dont tu nous tiens à l'écart. Sortis de toi, l'un après l'autre, tu nous as, somme toute des faits et des événements, formule qui t'est chère, et qui a le sceau Prouillan, mis en bon état de partir et de faire usage de qui nous sommes. Papa est d'accord, j'en suis sûr. Et ce n'est pas si facile à dire. Alors, pas de rebours. Vis chaque jour, d'ici notre retour, comme un jour en plus et non un jour en moins. Au petit déjeuner, quand tu trouveras cette lettre, ne pleure pas, choisis plutôt d'éclater de rire. Nous t'entendrons de Digne ou du Mont-Cenis et nous saurons que nous avons raison. La raison du cœur. Autre devise Prouillan. Je signe pour les trois. Yves. »

Yves déchire la lettre « je ne sais pas ce que j'ai voulu dire par les jours en moins et les jours en plus ». Petits bouts de papier, comme des confettis qu'il jette en l'air, qui retombent par terre « et toi maman ? » Il regarde Géraldine « faudra encore balayer ». Il se tourne vers Loïc « tu n'as pas froid aux pieds ? » Il regarde sa mère « il passe quand, le marchand, pour les tableaux ? » Il baisse les yeux, ramasse les bouts de papier, les place un à un dans la paume de sa main gauche, en fait une boule et murmure « si tu nous donnais un peu d'argent, maman ? Nous ne le dépenserions pas, mais nous l'aurions ». Yves se lève, se dirige vers le matelas, s'agenouille devant sa mère, lui pince le menton, l'embrasse sur les lèvres, petit baiser à peine posé, en disant « merci d'avance ». Il se relève, regarde Géraldine, Loïc, « vous pourriez me remercier, vous aussi ! » Et il va jeter la petite boule de papier dans la cuvette des toilettes. Il tire la chasse d'eau. Bruit d'eau qui court. Dans le miroir au-dessus du lavabo, il s'adresse un sourire : tout se passe bien.

Quand il revient, Loïc embrasse Claire sur les deux joues, et s'allonge sur le matelas. Géraldine retrousse les manches de la chemise de sa mère. Claire se laisse faire. Yves les rejoint, s'assoit en tailleur, près du lit. Claire dit posément « pourquoi tant de précautions ? Bertrand appelait cela le principe des adieux. Je n'en veux pas. Il n'en voulait pas. Mais c'est inévitable ». Silence. Claire attrape le second oreiller et le plaque contre son ventre, douleur, douceur. Gérard est là, aussi, « écoutez-moi bien ».

« Je n'ai pas le souvenir d'être jamais partie en voyage. Mes départs étaient décidés d'avance. Le but du voyage était toujours le même. Moncrabeau, c'est un peu une grande ferme, dans laquelle des générations de Prouillan ont vécu, de leurs terres et du paysage, sans se soucier de monter à Paris. Puis ils sont montés, place d'Antioche, ils se sont mis en vitrine. La maison de Moncrabeau est restée la même, avec toujours trop de chambres, et toujours trop de clés. Mais l'esprit de ses habitants a changé. Paris s'est mis à nous tenir comme des marionnettes. Il n'y a, d'ailleurs, à Paris que des gens venus d'ailleurs qui tirent sur leurs racines et ne les arrachent jamais. De là est né ce que Bertrand appelait « la province des textes ». Si vous ne comprenez pas, tant pis. Ce que je vous dis n'est pas beau, c'est franchement vrai. La franchise de votre départ si vous voulez jouir de votre voyage.

« Ici, à Sauveterre, j'ai cru vous offrir quelque chose de différent. Et je n'ai fait que répéter un petit Moncrabeau, avec des tilleuls, des mûriers et des cailloux pour donner des coups de pied dedans. Vous pouvez sourire. C'est ça la raison du cœur, l'unique sujet. Nous ne sommes faits que pour nous répéter dans les mêmes tendresses inavouées, dans le même besoin d'argent, et dans le même désir de départ. Partez,

parce que je ne suis jamais partie. Je doute seulement un peu
de la qualité de votre voyage et de sa liberté. Somme toute des
faits et des événements, vous pouvez rire, j'adore rire avec
vous, moquez-vous, je vous ai façonnés, comme on m'a
façonnée. Et que vous le vouliez ou non, vous êtes du même
arbre, du même tronc et de la même sève. Méfiez-vous. Si
vous avez l'impression de vous casser de l'arbre, ce ne sera
qu'une impression. Il vaut mieux le savoir avant. J'y pensais
quand le verre m'a glissé des mains : j'ai refait avec vous ce
qu'on avait fait avec moi et mes frères. Nous sommes
incapables de différence. C'est notre seule capacité. Et nous
avons fait des racines partout. Rien ne nous arrachera jamais.
Nous savons parler de nos rêves mais nous ne savons plus les
vivre. Trop dangereux. Nous savons parler de justice, mais
nous faisons tout pour qu'elle ne soit pas juste. Ne me
regardez pas comme si je vous jouais une comédie. Votre
voyage commence là. Le sentiment exprimé n'est ni un calcul,
ni une représentation, mais un appel. » Claire respire
profondément, soupire gentiment.

« Au-dessus de la porte d'entrée à Moncrabeau, il y a une
inscription, *qui vivis pacem para bellum*. Luc, Sébastien,
Bertrand et moi, du temps où nous étudiions le latin, nous
attachions à en donner toutes sortes de traductions. Mais nous
n'avons jamais eu l'impression de trouver la bonne. Cela sans
doute veut dire que le calme d'un lieu est un rempart au
tumulte. Bertrand empruntait le plus souvent la porte arrière.
Il avait de l'humour. Cette inscription nous condamnait à une
vie en paix, à l'écart, dont nous ne voulions pas. Or je vous ai
livrés à une vie en paix, ici, à l'écart, et vous allez bientôt me
dire que vous n'en vouliez pas. Autant que je le dise avant
vous. La mauvaise foi, ou la passion, fait qu'on attribue à son
adversaire ce qui est éloigné de son sentiment. Le mien est
serein. Désolée, je n'ai pu que me reproduire, en vous. Et que

les reproduire en vous, eux, les Prouillan. Si Gérard avait été
là ! Partez. Partez vite. »

Loïc se redresse, un coude dans l'autre oreiller « arrête
maman, je n'aime pas ça ». Géraldine regarde son frère aîné
« moi je trouve ça très bien ». Yves prend une main de Claire,
et l'embrasse, sur le dessus « j'ai soif. Ne les écoute pas,
maman ». Il bondit debout, tape dans ses mains « je vais
chercher à boire ! » Silence. Loïc tourne la tête. Géraldine
baisse les yeux. Ils attendent. Loïc soupire. Géraldine se
mordille les lèvres. Claire murmure « je n'aime pas vos
regrets. Apprenez à vous exprimer vraiment, en temps voulu.
Apprenez ça. Au moins ça ! »

Yves revient avec une bouteille d'eau et des verres. Il sert
Claire qui lui dit « merci », Loïc qui murmure « non » et
Géraldine qui pose le verre par terre. Yves trinque avec sa
mère. Il rit. Géraldine dit à voix trop douce « et Bertrand ?
Qu'est-ce qu'il fait, aujourd'hui, à Moncrabeau ? » Loïc
répond « il attend ! » Claire se lève, s'approche de la fenêtre,
respire furtivement la nuit, à la sauvette, se retourne et leur
dit « je vous en prie, partez tout de suite ». Elle ouvre le tiroir
du bureau et, sous les feuilles écrites l'après-midi, prend une
enveloppe. Dedans il y a de l'argent. La réserve d'argent
liquide dans laquelle, depuis quelques années, Loïc, Yves ou
Géraldine viennent prendre des billets, quand ils en ont
besoin, parce qu'ils ne veulent ni n'aiment demander, tout
comme Luc, Sébastien, Bertrand et elle ont pendant des
années pillé le portefeuille d'Henri. Claire leur tend l'enveloppe. Aucun des trois ne bouge. « Prenez-le. Cet argent n'a
aucune importance si ce n'est, pour moi, de savoir qu'il vous
permettra d'aller plus loin. » Yves se lève, regarde Loïc et
Géraldine « faites quelque chose, tout se passe très bien ». Il
sourit, s'approche de Claire, prend l'enveloppe et la glisse

dans la poche arrière de son jean. Géraldine et Loïc sont là,
eux aussi, brusquement, heureux. Tout contre le bureau, tout
près de la fenêtre, entourée, embrassée, presque aux rires de
nouveau, Claire dit « je n'aurais pas dû vous parler des lettres
de Bertrand. Ce n'est qu'une toute petite histoire. Il le disait
lui-même. Mais c'est un peu notre histoire à tous. Vous avez
compris ? » Loïc embrasse Claire sur le front en se baissant un
peu, comme Gérard quand il avait, d'un baiser identique, le
soir du retour de Bertrand, signalé son désir de quitter la
place d'Antioche. Loïc dit « même si nous avions compris,
nous ne te le dirions pas ». Géraldine regarde sa mère « une
carte postale par jour, tu verras. C'est Michel qui va
s'amuser ! » Loïc prend ses chaussures de tennis. Yves pince
la joue gauche de sa mère. Un peu ridicule, dans sa chemise
trop grande, Claire leur fait signe de partir vite. Yves dit « et
Myriam ? » Loïc répond « elle a intérêt à se dépêcher ». Ils
sortent. Claire ne bouge pas. C'est très bien ainsi.

13

Alabama, ce soir, chante faux, parce qu'il n'a pas bu. Oswyn
est descendu aux machines sous prétexte de surveillance. En
fait, il veut boire seul, sous la mer, sous la ligne de flottaison,
trente-quatre mètres au-dessous, escaliers de poutrelles.
Comme chaque soir, il est parti avec sa torche électrique
autour du cou, une lampe de secours à la main et une bouteille
de l'autre. S'il criait d'en bas, on ne l'entendrait pas.
L'altitude du « bateau vide » (that she, shitty, empty boat) le
rend, dit-il depuis des mois, « saoûl à mort » (drunked to
death). Ce soir, Oswyn est descendu avant même la partie de
cartes que Stavros, Horst et un des deux Portugais lui
proposaient. Stavros se cure les ongles en sifflotant. Horst
s'est assis par terre, a retiré ses chaussures et a défait la
ceinture de son pantalon. Il aime se mettre ainsi à l'aise. Et il
a une grande théorie au sujet des sièges, fauteuils et chaises

du bateau, sur lesquels, dit-il, « le temps s'arrête encore plus ». Il regarde par terre, fixement. Il sourit. Il pense peut-être à la fille du Lillehammer Bar. De son côté, assis, les coudes sur la table, bras nus, manches retroussées, le visage dans les mains, René observe Horst aussi fixement que Horst observe le sol. Carlos et Juan font une partie d'échecs. Pendant le dîner, ils se sont insultés en espagnol, et se sont lancé des mots « cabrón » « jipijape » « hijoputa » « puneta » qu'aucun des autres ne comprenait, des mots à eux, déchirants comme des coups de griffe. Carlos et Juan se ressemblent. Ils ont les mêmes rides, les mêmes poils, les mêmes fossettes, le même rire, la même manière de cracher par terre, et surtout de se surveiller en ne veillant pas, apparemment, aux faits et gestes de l'autre comme si dans le groupe une intrigue était toujours possible. Ils se veulent cible. Ils n'ont jamais su jouer aux échecs. Ils font semblant. Ils réfléchissent, tour à tour, la tête dans les mains, chacun baissant les yeux devant l'autre, poussant la reine, la tour, ou le fou, n'importe comment, à droite, à gauche, en avant, en arrière, tant que les autres sont là et jusqu'à ce que tous les autres aillent se coucher. Alors ils se retrouvent seuls. Chaque lendemain, il y a toujours quelqu'un pour leur demander lequel des deux a gagné la veille. Carlos répond « c'est moi ». Juan « non, c'est lui ! » Ils sourient. C'est le seul moment où ils sourient. Et si on les observe bien, parfois, leurs genoux, sous la table, se frôlent, ou bien leurs pieds. Là, ils jouent. Très lentement. Ils défendent leur territoire, au beau milieu du territoire des autres.

Stavros a fini de se curer les ongles. Horst fait signe à Alabama d'arrêter de chanter. Il se lève, bedonnant, pantalon ouvert, remplit un verre de whisky et le tend à Alabama qui le refuse. Alabama se remet à chanter, encore plus faux. C'est un mauvais soir. Sébastien voudrait leur parler, inventer un jeu, trouver une idée, une distraction, user d'une langue unique autre que leur charabia et se faire comprendre clairement de tous. Mais pour dire quoi ? Le plus vieux des deux Portugais s'appelle Nelson. Il vient de préparer du café, pour tout le monde. C'est toujours lui, le café. Il a le regard éteint, sauf lorsqu'il scrute la mer, et une alliance trop large, plate, comme sertie dans l'annulaire de sa main gauche. Il est tout le temps en train d'essayer de la retirer de son doigt. L'autre Portugais, Jao, joue aux cartes, seul. Il fait une réussite. Toujours la même. Il n'est jamais arrivé au bout de cette réussite-là qui consiste à réunir les cœurs d'abord, les trèfles ensuite, les carreaux, et en dernier les piques, parce que les piques c'est le malheur. Un jour, en comptant avec les doigts, il a expliqué aux autres que ça ne réussissait « qu'une fois sur mille ». Il lançait ses mains devant lui, doigts tendus en riant, pour arriver à mille. Nelson force René à boire son café. René regarde Sébastien. Sébastien n'a jamais senti aussi fort l'odeur de métal du *Firebird*. René murmure « faut aller chercher Oswyn. Ou alors faut lui porter son café ». Horst, assis par terre, en riant, se tape la tête sur la cloison « eine kaffee, bitte, für herr Oswyn ! » Nelson renverse une tasse sur la table. Stavros va chercher un torchon. Juan éternue. Carlos le regarde furtivement. Alabama s'arrête de chanter, prend son whisky et le boit. Horst le pointe du doigt en riant encore plus fort. Jao emmène René aux toilettes. La première gorgée de café a été fatale.

Nelson va mettre de la musique pour couvrir le bruit habituel. Horst se lève et brouille les cartes de Jao. Sébastien ferme les yeux, droit sur sa chaise, en bout de table, là où il se tient toujours en attendant, mains à plat. L'odeur du métal est violente, plate, pénétrante. Elle s'infiltre, gagne le terrain du corps, stagne, et stoppe toute pensée. Quand un bateau navigue, sillonne, cette odeur-là de trop longue escale

s'estompe, embruns, cris des mouettes qui vont d'un continent à l'autre guettant l'éjection des ordures de l'équipage.
N'est beau que ce qui est vrai, vol de mouettes et ordures,
cageots rejetés à l'arrière du bateau. N'est vrai que ce qui se
déplace, ce qui va d'un port à un autre et revient au port
d'origine. Mais on ne navigue plus. L'odeur est là, plus forte
encore parce que Sébastien ferme les yeux. L'odeur est là,
obstinée. Devant le buffet de chez Berthier fils, le jour du
mariage de Claire, Sébastien revoit Bertrand s'approcher de
Ruth, l'embrasser presque sur la bouche, comme une
hésitation, une maladresse, un désir encore, qui sait ?
Bertrand, en tenant Ruth par les épaules, comme s'il avait
peur de tomber, leur avait dit « vous avez vu ce que j'ai dans
la tête ? » « Je t'en prie Bertrand. » « Si tu regardes bien,
Sébastien, tu verras un papillon noir. Il prend toute la place »
et, serrant Ruth dans ses bras, « a black butterfly ! » Il avait
ri. « Toi aussi, Sébastien, tu en as un. Mais il n'a pas grandi
aussi vite que le mien » puis, s'écartant, les pointant du doigt,
« et ne dites pas que j'ai bu. Si je bois, le papillon tourne de
plus en plus vite, et le planeur s'enfonce. Des images pour ne
pas rire. Je vais ouvrir les portes-fenêtres. Il fait si beau
dehors. »

Sébastien rouvre les yeux. Bertrand aussi avait peur de tout ce
qui était fixé d'avance, attaché de fait ou par principe. Il
ouvrait les fenêtres pour que ça navigue. Le fjord d'Overfjellet n'est rien d'autre que l'étang de Moncrabeau, en plus
grand et en plus beau. L'ouverture sur la mer ne sert à rien.
René revient. Il se sent mieux. Jao est resté dans les toilettes
pour nettoyer la cuvette et désodoriser. René s'essuie les
lèvres, se sert du café, le boit, hoquette, pose la tasse de
travers sur la soucoupe, se frotte le visage, se tourne vers
Carlos et Juan « passionnante votre partie ? » Il prend tout le
monde à témoin « c'est beaucoup mieux, de soir en soir, parce

qu'on va bientôt se quitter. Compris Nelson ? Tu peux traduire à Jao ? Et vous les amoureux ? Ola, los novios, entendido ? » Carlos et Juan ne bougent pas. « Et toi Horst ? Quand on jouit un peu trop vite, c'est le même prix, pas vrai ? » Horst sourit et regarde Sébastien. Sébastien murmure « je vous en prie, René ». René s'adresse à Stavros « qu'est-ce que c'était, ce que tu nous as fait manger ce soir ? Du poisson ou de la viande ? » Il rit. Ils rient. Carlos et Juan ont, légèrement et en même temps, tourné la tête. Si Sébastien quitte le carré, c'est la bagarre. Sébastien n'ose même plus fermer les yeux. René donne des coups de poing sur la table, tam tam, de plus en plus vite. Il s'arrête net « si on se déguisait ? » Sébastien répète « je vous en prie, René ». « Si on se parlait, c'est la même chose, non ? » « Je vous en prie, René. » « Si on jouait au ministre ? Moi, je ferais bien le ministre ! C'est ça, je vais vous donner des audiences ! » « René... » « Quoi, René ? Ça vous gêne, ce que je viens de dire ? Vous voulez encore le beau rôle ? Vous voulez que je joue au jaloux ? »

Jao revient des toilettes. Nelson lui tend une tasse de café. Alabama sort son harmonica du sac de toile dont il ne se sépare jamais, toile sale, cuirassée de crasse, dans laquelle il transporte des photos et des lettres, en vrac, et ce roman de Wolfe qu'il lit depuis des mois et dont il dit, à qui l'interroge, qu'il ne sait pas si c'est « fully true or totally rotten », complètement vrai ou totalement truqué, « as life is, when considered », comme la vie, quand on la prend en considéra-tion. Thomas Wolfe. Le roman s'intitule *Of Time and the River*. Parfois, pages cornées, Alabama ouvre le livre au hasard, et en lit un passage, à voix trop haute pour que les autres cessent de parler, pour qu'on mette la musique d'ambiance moins fort, ou bien est-ce seulement pour s'étourdir, se cogner à des mots maternels, à des descriptions

de lieux d'origine, à des personnes familières, à des faits qu'il
aurait voulu vivre et auxquels il n'oserait même plus croire.
Alabama se lève et va jouer de l'harmonica debout, derrière
René, comme pour le calmer. Il joue. Cela ressemble à une
polka. Il règne brusquement une atmosphère de saloon, un air
de fête, prélude à une fusillade de cinoche. Juan et Carlos se
regardent. Ils se scrutent et c'est comme une première fois
devant les autres, aveu ou provocation. Sans baisser les yeux,
d'un geste précis et aveugle, Carlos prend le fou, le place
plusieurs cases en avant, petit bruit sec, tape dans ses mains,
se frotte les bras, se lève et s'étire. René lui dit « tu as gagné ?
Pour une fois qu'on voit ça ! » Carlos ne répond pas. Juan fait
signe que oui en rangeant les pions. La polka d'Alabama
devient de plus en plus entraînante. Sébastien se caresse le
menton et les joues, coudes sur la table. Il a retrouvé son
visage lisse, cette peau qui se plisse au cou, sous les oreilles, ce
petit rien qui s'effondre et signale dans un visage, passé le cap
d'un certain âge, une lassitude que la barbe cachait. Le
barbier de Dunn s'y est repris à trois fois. Sébastien, rasé de si
près, se sent à nu un peu trop tôt. Il regarde les autres,
barbus, sans âge, et dehors cette lumière douce de la nuit de
l'été, derrière les hublots les brumes d'un soir qui n'en finit
pas de tomber, rais de soleil, soleil de velours, velours bleuté.
Le fjord les tient.

Alors, Alabama se met à danser, ours de cirque ambulant, en
répétant sans cesse, au plus strident, le thème d'attaque de la
polka. Essoufflé ou bien acharné, quand il reprend sa
respiration, on a l'impression qu'il va mordre l'harmonica.
Carlos sort sans rien dire. Juan le suit de peu en adressant aux
autres un vague signe de la main. René donne un coup de
poing sur la table « je leur ferai la peau à ces tapettes ! »
Horst le regarde « jaloux ? » Alabama s'arrête de jouer,
essuie son harmonica au pan de sa chemise, tape dessus pour

le vider, et le jette par terre, sur le sac, les lettres, et les photos, dont une, un portrait de femme, est criblée de trous d'aiguille. Mais personne n'interroge personne. Le silence est revenu. Jao ramasse les tasses à café. Nelson offre une cigarette à René, à Sébastien et à Horst. Alabama se roule un joint. Il le fumera seul, comme chaque soir, sans partager. Et chacun guette, inconsciemment, un cri d'Oswyn, un appel venu du fond du bateau, comme si cela était possible, tant de cloisons, de recoins, d'escaliers, de coursives et de portes. Oswyn, sous eux, au fond de tout, boit. Et eux, en haut, attendent, s'observent, essaient de se distraire, ce qui rend toute distraction impossible. Dans leur cabine, Carlos et Juan se déshabillent. Ils vont prendre leur douche et se coucher dans les bras l'un de l'autre sur le matelas double qu'ils installent chaque soir par terre et qu'ils font glisser, plié, chaque matin, sous la banquette du lit individuel. C'est ainsi. Peur et respect, indifférence et tendresse de chacun. C'est l'heure où, au carré, Sébastien n'a plus qu'un recours : penser à ce qui s'est passé dans sa vie, à défaut de concevoir l'à venir selon Bertrand.

« Mon goût du suicide n'a d'égal que mon instinct de conservation. » C'était un dimanche, place d'Antioche, quelques jours après la mort de Romain Leval. Anne-Marie observait Bertrand comme on observe un étranger qui n'a toujours pas dit son nom. Luc souriait. Il préférait entendre, dans cet aveu, de l'humour, rien que de l'humour. Ruth regardait sa montre pour partir au plus vite. Claire se tenait à l'écart, guettant un regard de Gérard. L'oncle Jean savourait un cognac. Suzy remettait en place ses bracelets. Bernadette nettoyait une tache sur le tapis avec un chiffon et du Perrier « les bulles boivent et ne laissent pas de trace ». Pantalon II attendait son sucre. Cécile tenait Pierre dans ses bras, bébé repu et endormi. Henri avait l'air heureux, détaché, ailleurs.

Ils étaient tous là. Bertrand venait de dire « n'ayez pas peur. Mon goût du suicide n'a d'égal que mon instinct de conservation ». C'était le dernier repas du dimanche avant le mariage de Claire et de Gérard, le dernier de tous ces repas-là, la dernière de ces rencontres obligatoires, un an avant le soir du retour de Barcelone. Pour parler, Bertrand ne regardait personne précisément. Un regard croisé l'eût arrêté. Chacun attendait de lui une parole, comme une délivrance, un signe, un commentaire, pour que le cercle, dans le silence et le principe de cette réunion de famille, se referme vraiment et ne mette plus personne en danger. Chacun pensait à la mort de Romain. Bertrand frappait « je veux être ce que je suis ! Et vous prenez cela pour une insulte ? » Puis « j'ai plein d'images dans la tête. Le goût de mon sexe, je suis né avec. Je ne veux pas de votre temps immobile. Ce temps-là étrangle, nous étranglera tôt ou tard. Trop tard pour agir. Nous faisons partie des pierres, du macadam, des égouts, des monuments et du métal des coffres. Ça vous amuse ? Je sais que vous m'écoutez. N'est-ce pas, Bernadette ? Ils écoutent ! Ils sont tous très bien. Nous sommes tous très bien. Nous parlons comme personne ne parle. Surtout toi, maman, quand tu ne dis rien. C'est la raison de l'amour que nous ne nous portons plus. Nous sommes trop bien, et trop rien. Et nous sommes là. J'aurais mieux fait de me taire, c'est ça ? »

Bernadette a souri, en quittant le salon, un chiffon dans une main, la bouteille de Perrier dans l'autre. C'était la dernière rencontre, le dernier vrai dimanche. La place d'Antioche sentait l'arbre qui pousse, malgré tout. Des premiers communiants exhibaient leurs costumes et brassards, les derniers brassards de premiers communiants, traversant dans les clous, flanqués de leur famille, en route pour des visites, elles aussi obligatoires, chez des grands-mères qui ne sortent plus mais offrent le goûter. Henri, sans répondre vraiment à

Bertrand, avait parlé deux fois « j'ai trop aidé. Je me suis rendu esclave de ceux que j'aidais » puis, levant les yeux, le regard vague, « quelle richesse de pensée pour si peu de signes de l'humanité ».

Sébastien les revoit. L'oncle Jean se lève « on m'attend au théâtre pour la caisse de la matinée ». Suzy « je t'accompagne ». Cécile rend Pierre à Anne-Marie. Pantalon aboie. Il faut le sortir. Bertrand hausse les épaules. Ruth l'embrasse. Tout le monde part. Cécile donne à Claire une trentaine d'enveloppes à poster. Des invitations pour le mariage. Claire murmure « encore ? » Elle regarde les enveloppes, lit les noms « je ne connais pas ces gens-là ». Cécile sourit « il faut qu'ils viennent ». Luc se penche pour embrasser sa sœur. Bertrand les observe. Cécile précise « c'est important pour ton père ». Henri a disparu sans rien dire. Sébastien s'approche de Bertrand « tu veux passer la soirée avec nous ? » Bertrand « non merci, j'ai rendez-vous avec quelqu'un. Un rendez-vous fixe ».

Sébastien se penche, instinctivement, comme s'il allait embrasser quelqu'un. René l'observe « ça gigote dans votre tête ? » Il se tourne vers Stavros « alors c'était quoi, du poisson ou de la viande ? Tu le dis ? Ose ! » Ils sont autour de la table, Jao, Alabama, Nelson, Stavros, Horst et René qui tire sa chaise tout contre celle de Sébastien « si vous ne dites rien, la soirée va mal se terminer. Nous voulons tous savoir ». Sébastien les regarde « quoi ? » « Je ne sais pas. Nous ne savons pas, mais nous voulons savoir ! Vas-y, Alabama. » Alabama termine son joint, dernière bouffée, en respirant profondément « we just wanted to know if you really were wishing to get stabbed by us ». Nelson traduit à Jao. Horst répète en regardant Sébastien droit dans les yeux « c'est ça ! Alors vous avez vraiment envie qu'on vous tue, qu'on vous

poignarde, ou qu'on vous balance par-dessus bord ? »
Sébastien murmure « c'est une blague ? » puis « qu'est-ce qui
vous prend ? »

René serre les poings sur la table « on s'est tous parlé depuis
quelques jours. Vous avez une manière de nous tenir sans rien
dire qui ne nous plaît pas. Et une manière de nous regarder
pour ne rien dire qui nous donne des idées ». René fait une
moue, comme s'il allait cracher, donne un petit coup d'épaule
à Sébastien « en fait, avouez, vous nous demandez de vous
tuer ». Il sourit « ça nous a pris aujourd'hui de nous en
apercevoir et d'en parler entre nous. Même Carlos et Juan.
Les lâches, ils sont partis les premiers alors qu'ils sont plutôt
du genre mamours après tout le monde. Oui, ça nous a pris
aujourd'hui comme si vous nous aviez donné un ordre. Genre
bataillon de la mort. Mais on ne le fera pas. Parce que votre
regard demande. C'est mon avis. On ne le fera pas. On veut
seulement savoir pourquoi ». Horst répète « pourquoi ? »
Alabama dit « why ? » Stavros regarde Sébastien, comme
pour l'alerter, et lui dit en roulant les r « je vous préviens,
René a donné un poignard à Oswyn. Oswyn a dit qu'il vous
attendrait toute la nuit, en bas. Il veut bien se charger du
boulot ». Silence. Les hommes se regardent. Sébastien
voudrait qu'ils éclatent de rire en même temps, et que tout de
l'incident se réduise à un instant de jeu. Mais les regards sont
fixes, francs. Ces hommes ont vraiment décidé quelque chose.
Sébastien veut se lever. D'un geste de la main, René le retient
et le force à s'asseoir de nouveau. Horst marmonne « nous ne
plaisantons pas ». Alabama se balance sur sa chaise
« funny ».

Sébastien ne se souvient pas d'avoir jamais eu peur, vraiment.
La brusque menace le surprend sans le troubler, l'étonne plus
qu'elle ne l'inquiète. René lui dit en riant « derrière votre

barbe, vous étiez camouflé. Sans votre barbe, vous n'avez plus le droit de nous donner des ordres. Par contre, on a envie de vous donner des baffes. Vous êtes toujours là, comme si on naviguait. Vous faites comme si. Vous êtes de ceux qui font comme si on naviguait encore, tous, partout. Mais nous sommes au point mort. Ce n'est même pas une escale. La nuit qui ne tombe pas, ça monte à la tête. Alors papa était ministre ? On nous avait caché ça ? Horst dit qu'il a vu une photo de votre père, avec Adenauer. C'est vrai ? Et ça nous a menés où ? Il n'y a que les chantiers allemands qui travaillent. Je dis tout en vrac. Vos minutes sont comptées ». Horst fait tourner une bouteille de whisky. Chacun boit. Stavros tend la bouteille à Sébastien en essuyant le goulot. René intercepte la bouteille, crache dedans, la tend de nouveau à Sébastien « et ne faites pas le dégoûté. Buvez. C'est pour chacun le même crachat ». Sébastien sourit, prend la bouteille, boit quatre, cinq gorgées, la voix de Horst « encore ! » six, sept « ça suffit ! » Sébastien pose la bouteille sur la table. Ce n'est plus un jeu. Il est heureux. Il regarde ses hommes, et leur dit « merci », sans ironie, pour de vrai, en s'essuyant les lèvres. Oswyn l'attend ? L'idée lui fait du bien. Il répète « merci ». Alabama écrase son joint. Il a les ongles du pouce et de l'index jaunis, ternis, fumés par le tabac. Il rit. Horst attrape la bouteille et la vide. Jao se lève pour aller en chercher une autre. René se met à donner des coups d'épaule à Sébastien, coups réguliers et de plus en plus forts comme s'il voulait le faire tomber de sa chaise. De l'autre côté de Sébastien, Stavros se met à faire de même. Prisonnier, Sébastien se cramponne à la table. Ils le tapent de gauche, de droite, en l'empêchant de se lever. Les autres rigolent. Même Jao qui revient en décapsulant la bouteille. René crie « va chercher les amoureux, de force et à poil, vite, faut qu'ils voient ça ! Ça fouette chez les officiers » ! Horst et Nelson se lèvent. Alabama rafle la bouteille des mains de Jao. D'un bond,

Sébastien se redresse, en faisant tomber sa chaise, recule, mains tendues, à plat, devant lui. Il ne se souvient pas d'avoir jamais serré les poings, comme Henri, dans les poches de sa veste quand tout allait mal. L'image du père lui traverse la tête. Puis l'image de Bertrand répétant, dans le vide, les mots « instinct » et « conservation », ce dimanche-là, il y a quelques instants, la mémoire navigue, devance, montre le chemin. Sébastien tend les mains encore plus fort, devant lui. Les autres s'approchent et le cernent. Horst et Nelson reviennent en poussant Carlos et Juan, devant eux, nus, bousculés, eux aussi, mais de l'équipe ou de brigade, dans le coup, une considération. Sébastien voudrait avoir peur. Autre image fulgurante, Ruth, le jour de son départ, l'embrassant sur les lèvres, effaçant du bout du doigt ce baiser à peine posé, et murmurant « tu aurais dû me laisser danser » puis « j'avais une illusion, tu me l'as volée. Tu es de ceux qui prennent mais ne rendent pas ».

Horst, Nelson et Carlos bloquent les trois issues. René, Jao, Stavros et Juan se tiennent à distance de bras de Sébastien. Ne reste que la porte qui s'ouvre sur le palier du dégagement 3, escalier abrupt qui mène, sept ponts, trou profond, directement aux machines. Horst pointe du doigt « c'est par là ! » Alabama se balance sur sa chaise. Juan se penche, attrape l'harmonica et le lui lance. Alabama crache en direction de Sébastien et se met à jouer un air lent, grave, une marche funèbre ou chant d'amour déçu. Alors Stavros crache au visage de Sébastien. René crache à son tour et dit à Juan « pisse-lui dessus ! » « No puedo. » « Vas-y, je te dis, ou alors crache, toi aussi. » Sébastien recule, entend des cris, rauques et gais, des cris de fête, une fête dont il n'est ni le héros ni la cible, fête de fureur, autre. René le pousse vers le palier « allez-y ! On vous portera disparu. On dira que vous vous êtes jeté à l'eau ». Tous convergent. René dit « et si vous remontez vivant vous aurez le choix entre l'*Apollo*, le *Septentrion*, le *Newton*, l'*Ambrasy*, le *Spirit* ou le *G.K. Hall* ! Si vous remontez, on ira vous poser sur une des autres carcasses jusqu'au jour du retour. Compris ? Allez ! » Carlos, Horst et Nelson empoignent Sébastien et le jettent dans l'escalier. Du haut, dans le vide, René ouvre sa braguette et se met à pisser. Sébastien dévale. Au quatrième pont, il s'arrête. Ils pissent tous au-dessus de sa tête. Il les entend rire. Il a peur. Il se sent mieux. Il veut rencontrer Oswyn. Ce n'est qu'une blague. Ils ont bu. Et pas lui. Il a eu peur des regards quand ses hommes ont convergé vers lui et l'ont empoigné. René hurle « et on s'en fout de ton rapport de service à la British Petrofuck and Co ! » Silence. Nuit. Rires. Puis le silence de nouveau.

Sébastien descend lentement au fond du *Firebird*. En rêve, souvent, depuis qu'il navigue, il se voit, tout petit, dans son crâne, en train de descendre, au fond, tout au fond de lui-même, cerveau, bulbe, colonne vertébrale. C'est un rêve soit de fièvre, soit de roulis. Un rêve de mauvaise mer. Là, tout est vrai, froid, noir. Cinquième, sixième, puis septième pont, Sébastien connaît le *Firebird* par cœur. Et quand il arrive, à tâtons, au coin de la coursive qui conduit à la salle des machines, les crachats sont presque secs, il s'essuie le visage. Une douleur à la tempe, il ne peut plus ouvrir l'œil gauche. Il se lèche le dessus de la main, c'est du sang, son sang qu'il goûte mais il ne sait pas d'où il coule. Sébastien appelle « Oswyn ? » puis « where are you ? » Il avance, droit, dans le noir. Sa chemise est déchirée. L'odeur de métal mêlée à celle des machines est encore plus forte. Il gueule « Oswyn ? Come here ! And kill me ! » Et d'un coup il tombe, à genoux, cassé, alors qu'il se sentait plus fort que jamais, prêt à tout. Personne. Il n'y a personne. C'est une blague. Et ce n'est pas une blague. Sébastien crache, dans le noir, devant lui, revanche. Puis il retient sa respiration. Il attend.

Il est tombé d'un coup comme s'il avait reçu le coup de poignard. Le jeu, c'est lui, il le sait. Cette colère des autres est tout entière sortie de sa tête et de ses rêves, provoquée par la seule attitude face à la vie qui le porte à se justifier, le pouvoir sur les autres, un commandement même dérisoire, un silence tenace, tout dans le regard pour dominer, sauvegarder encore, mais sauvegarder quoi ? Un père ?

En page de garde de l'exemplaire des *Mémoires d'Hadrien* que Sébastien pose, rituel, sur sa table de chevet, sous la mention « ce livre a été volé à Bertrand Prouillan. Prière de le lui rapporter », Bertrand a écrit, aussi, mais en plus petit et en travers, « on mesure la vivance d'une société ou de ce qu'il en reste à sa capacité de s'enthousiasmer, de se réjouir, ou les deux à la fois. Une société tout entière livrée à l'esprit de réserve ne scintille plus. Son ciel est sans aucune étoile. Rien n'est plus suspendu dans son espace. On ne sait plus contempler. Ce livre m'enthousiasme ». Et plus bas en lettres capitales « RIEN NE NOUS LÉZARDERA JAMAIS ». Sébastien rampe dans la nuit du couloir. L'idée de lézarde lui traverse l'esprit. Elle vient de Bertrand, encore. Elle tourne dans sa tête, papillon noir, et se plante en lui, planeur, images, images du frère mort-vivant. Cadeau d'anniversaire, vingt ans après.

Sébastien se relève, frotte ses pantalons et retrousse les manches déchirées de sa chemise. Il se redonne une contenance. Comment a-t-il pu se laisser faire ? Comment a-t-il pu demander à Oswyn de le tuer ? Pourquoi en est-il arrivé là, en bas ? Il crie « Oswyn ! » Sébastien a rampé comme il aurait voulu voir ramper son père. Sébastien vient de se relever pour se tenir debout, comme Bertrand se tenait debout, malgré tout, le dernier dimanche en famille. On est toujours à répéter un père que l'on veut tuer et qui vous tue. On est toujours à imiter un frère qui prend la parole, lui, et à qui on la retire, de peur d'être ou père ou fils, vraiment, de peur d'être quelqu'un. Salle des machines. Sébastien crie « Oswyn ! where are you ? » Silence.

L'exemplaire des *Mémoires d'Hadrien* est aussi criblé de notes, en marge et au crayon, « ce qui s'efface reste », « on est toujours le paysage de quelqu'un », « un recours au sensible, comme un au secours », « écrit en fait qui lit : seule la lecture est écriture », « chaque page, ce corps à corps », « la vérité est un hasard en marge », « quelqu'un, en coulisses, n'entrera jamais en scène », « nous avons oublié jusqu'au goût des mets, le sens du repas », tant et tant de notes, et aussi ce « je ne veux plus me ressembler » que, souvent, Sébastien se répète à voix haute, parlant seul, lançant la phrase comme une devise. Mais les années passent, il se ressemble de plus en plus. Il ressemble de plus en plus au père, jusque dans ses peurs quand il ne les connaît pas ou quand elles naissent un temps trop tard. Une lampe électrique s'allume. Oswyn était là, tapi, tout près de lui. Sébastien, ébloui, porte une main devant ses yeux. Oswyn dit à voix basse et rauque, sa voix toujours bue « why did you want me to kill you, sir ? » Pourquoi vouliez-vous que je vous tue ?

Sébastien se penche, arrache la lampe des mains d'Oswyn et la braque au sol, cadavres de bouteilles qu'Oswyn, surpris, fauche d'un geste. Elles roulent par terre, tout autour d'eux, bruit de verre vide, choqué par le métal. Oswyn essaie de se relever. Il ne le peut pas. Il allume la torche accrochée à son cou, tend une main pour que Sébastien l'aide. Sébastien accroche la lampe à sa ceinture et soulève Oswyn, ivrogne, géant. Et debout, en riant, après avoir poussé gentiment

Sébastien à l'écart comme on pousse le témoin d'un exploit à venir, Oswyn se met à donner des coups de pied dans les bouteilles vides qui volent en éclats, se heurtent, tessons, goulots, bris. Il répète en tapant encore « alone », « I want to be alone ». Seul, il veut être seul, lui, aussi. Puis il se calme, se donne des coups de poing alternativement dans la paume de chaque main, regarde Sébastien et murmure à voix cassée « that's my cemetery » puis « that was my cemetery », c'est mon cimetière, c'était mon cimetière. Oswyn, alors, glisse une main dans la poche arrière de son pantalon, en extrait un couteau à cran d'arrêt, qu'il tend à Sébastien en faisant jaillir la lame. Il le lui donne. Sébastien le prend. Oswyn réfléchit « you know Mame ? » Sébastien ne connaît pas *Mame*. Il fait signe que non. Oswyn, amusé, secoue la tête comme s'il allait dire quelque chose d'inévitable et de sans aucune importance « it's a musical ». Une comédie musicale. « And in that musical, an old lady says to an older one : how old do you think I am ? The other one answers : somewhere between forty and death. » Et dans cette comédie musicale, une femme âgée dit à une femme encore plus âgée : quel âge crois-tu que j'ai ? L'autre lui répond : entre quarante et la mort.

Sébastien recule d'un pas, écrase du talon un morceau de verre, rentre la lame du couteau et reprend en main la lampe. Oswyn a l'air étonné « dont you laugh ? » Sébastien n'a pas envie de rire. Il rebrousse chemin, plus vite, à la lumière cette fois. Il entend, contre les parois du bateau, le heurt désordonné des vagues qui viennent battre, là, dans le fjord, l'immense coque vide. Il sent aussi comme une pression, une présence, un flux. On respire mieux sous la ligne de flottaison. Un élément retrouvé. Mieux qu'en haut, tout en haut. Oswyn suit Sébastien en titubant un peu, main gauche courant à plat sur la paroi du couloir. Sébastien se dit qu'Oswyn « caresse le

bateau caressé par les vagues ». Il se retourne, attend Oswyn
au coin de l'escalier, dégagement 3, sept niveaux à la
verticale. Oswyn grogne, lèvres humides, et dans le regard ce
brin de malice qui fait qu'on l'aime et qu'on le laisse toujours
tranquille, histoire de coins à lui, d'odeur de machines et de
cimetières de bouteilles vides. Il rejoint Sébastien, le prend
par l'avant-bras et murmure « sorry Sir, it was a joke ».
C'était une blague. Désolé. Sir.

Le géant passe devant Sébastien. Entre les niveaux 6 et 5,
franchie la ligne de flottaison, Oswyn paraît s'essouffler. La
torche, autour de son cou, oscille de droite, de gauche, à
chaque marche, chaque pas, éclaire n'importe comment,
devant, comme un roulis. Sébastien braque sa lampe sur
chaque prochaine marche, pour qu'Oswyn pose bien son pied
et assure son équilibre. Sébastien sait qu'il ne doit plus aider
Oswyn à se tenir debout. Il sait qu'il ne faut pas toucher cet
homme. Niveau 4, niveau 3, niveau 2, une escalade. Dans
l'escalier, une odeur d'eau de Javel. Jao a lancé des seaux
pour nettoyer. Oswyn grommelle « it stinks cleanliness ». Ça
pue le propre. Sébastien, 216, 217, 218, arrête de compter les
marches. Il dit à voix haute, brusque pensée adressée à Ruth
« je m'interdis de croire que j'ai voulu le malheur de notre
séparation ». Oswyn se retourne, manque de trébucher.
Sébastien murmure « rien. Je parlais à ma femme. I was just
speaking to my wife, OK ? » Il fait signe à Oswyn de gravir les
dernières marches. Oswyn rigole « during the war of Seces-
sion, OK was the good report for no One was Killed. You
knew that, Sir ? » Guerre de Sécession, rapport quotidien, on
compte les morts de la veille. OK, ça voulait dire pas de
victime. En haut de l'escalier, à l'entrée du carré, Oswyn
cligne des yeux. Il fait encore jour. Il se met à gueuler en
gallois, mots fous, jetés, hurlés, que Sébastien ne comprend
pas et ne peut plus se traduire.

La table a été nettoyée, les chaises rangées, les fauteuils alignés, vidés les cendriers et au garde-à-vous, à intervalles réguliers, bien remis en place, les tabourets devant le bar. Les hommes sont partis. Règne une odeur de tabac et d'alcool qui joute avec celle de Javel. Alabama a seulement laissé son sac, par terre, avec les lettres, les photos, la photo criblée, et l'harmonica. Alabama oublie tout, toujours, derrière lui, comme s'il voulait qu'on le pille ou qu'on le fouille. C'est sa manière d'appeler. Il voudrait qu'on lui pose des questions et, comme on ne les lui pose jamais, il joue ou chante de la musique, ses musiques à lui, de son pays. Mais c'est où, l'Alabama ?

Oswyn va droit derrière le bar. Il prend une bouteille, pose deux verres, croise le regard de Sébastien, range la bouteille et retire les verres. D'un geste lisse, il caresse le comptoir, tout du long une fois, tout du long une seconde fois, dans l'autre sens, avec application. Oswyn a une manière de sourire des yeux qui intrigue. On le croirait, à regarder ainsi, lueur de bonheur, prêt à verser quelques larmes d'enfant contrarié dans un rêve ou dans ses jeux. Des larmes qui piquent, brûlent et creusent un sillon dans la joue, de ces larmes dont on n'est plus jamais capable, après. Or, Oswyn a presque l'âge de la retraite. Où reviendra-t-il et chez qui ? Et pour quoi faire ? Sébastien pose le couteau à cran d'arrêt sur la table. Il se tourne, se penche, range l'attirail d'Alabama dans le sac de toile, pose le sac sur une chaise, proprement. Il range lui aussi. Il veut que tout soit rangé. Oswyn l'observe. Ils s'échangent un sourire, vague, amusé, sourire de gêne ou de connivence. Oswyn hausse légèrement les épaules, s'essuie la bouche, se frotte le nez, met les mains dans les poches de son pantalon, sort de derrière le bar, pataud, et se dirige vers le couloir qui conduit aux cabines. Sébastien l'observe, du carré. Oswyn ouvre une porte, disparaît. Porte refermée en silence, comme si tout le monde dormait.

Mais chacun écoute, observe encore. Le silence et l'écoute des cloisons, remparts, quand chacun retrouve son lit, ses affaires, ses rêves, un guet et à l'attente des autres. Il n'y a plus de sommeil possible sur le *Firebird*. Plus que vingt et un jours. Et ce silence-là, cet ordre retrouvé, cette netteté du carré, décor qui dort, et attend la représentation du lendemain, habituelle et forcée, tout cela étreint Sébastien et l'inquiète plus fort que les menaces, le poignard, et la nuit des profondeurs du bateau. C'est l'ordre retrouvé du salon de la place d'Antioche quand Bernadette venait d'épousseter les bibelots, les commodes et les bronzes, de secouer les tapis, de remettre en place fauteuils, guéridons, et interdisant aux enfants d'y entrer comme si seuls les adultes avaient le privilège de tout déplacer et faire vivre, comme si seul Henri, père, maître, avait le droit de violer en premier cet espace, lieu de rencontre de la famille qu'il n'habite que de ses silences ou de ses brusques colères, mais jamais d'un geste, entre les deux, geste d'accueil, geste touchant, simple, qui l'eût signalé de ne plus vouloir être ce qu'il avait été décidé qu'il fût, unique fils, éternel frère aîné, propriétaire. Sébastien s'étonne du détour de sa pensée, de la présence répétée, à ce jour, obsession, glas d'un anniversaire, de celui-ci, père, qui ne se reconnaîtrait jamais tel que la mémoire de son fils le figure, et de ceux-là, frères, sœur, beau-frère, belles-sœurs, et surtout Ruth, qui furent acteurs de la famille, de simple et heureuse compagnie, jusqu'à ce jour-là, jour du retour de Bertrand.

Sébastien pour la première fois depuis vingt ans, avec l'étrange pouvoir de se dire que c'est vingt ans jour pour jour, se souvient de ce geste qu'il a eu alors que Ruth donnait le sein à Laura, geste décent qui lui fit couvrir le sein de sa

femme, non parce que les autres regardaient, mais parce que
le doute venait de le saisir de la nature exacte de son penchant
pour Ruth, du rôle de mère qu'il lui faisait jouer, l'arrachant à
sa danse, et se l'appropriant. Ruth était devenue proie et lui
propriétaire. C'est en propriétaire qu'il avait caché le sein de
Ruth, ce qui avait fait sourire Claire. Quelques jours plus
tard, elle allait mettre au monde Loïc. Claire venait de sourire
au doute ressenti par son frère, un doute qui n'avait d'égal
que la peur de voir se briser sa passion partagée avec Gérard
tout comme Luc semblait s'inquiéter d'Anne-Marie qui ne
répondait plus à ses regards, et se tenait près de Cécile,
imitant Cécile. Claire venait de prendre Sébastien en flagrant
délit de décence. Et Sébastien, observé, jugé par sa sœur,
s'était dit que tout finirait entre Ruth et lui, plutôt tôt que
tard. Il savait que Bertrand allait rentrer mutilé, diminué,
proie, lui aussi, d'eux tous. Quand les familles n'ont pas de
victimes, elles se les créent. L'oncle Jean avait dit, le soir où
Sébastien était venu lui annoncer le départ de Ruth, « la
décence est la pire des agressions. Entends cela comme un
bon mot si tu ne veux pas écouter ».

Sébastien ramasse le couteau à cran d'arrêt. Il sort à bâbord.
Le soleil tombe enfin. Sébastien fait jaillir la lame du couteau
et la tend vers le large, l'ouest, si loin le continent des
Amériques, et crie « je ne veux plus me ressembler » puis « je
m'interdis de croire que j'ai voulu le malheur de notre
séparation ».

Sébastien imagine que Ruth l'entend, que Laura et Paul
écoutent, que Ron, un peu gêné, se tient à l'écart. Quelle
heure est-il à Toronto, en ce moment ? Sébastien regarde sa
montre. Le verre en est brisé. La montre s'est arrêtée. Ils se
sont vraiment battus pour rien. Les crachats ont séché mais
Sébastien se sent empreint. Il se frotte le visage, de haut en

bas les joues, le menton, le front. Il veut effacer, gommer des doigts et des paumes ces marques qui ne se voient pas du dehors, mais si nettement du dedans, marques de haine et de peur. Toute une fraternité ne peut que s'exprimer ainsi. Si au moins il y avait un peu de bois sur le *Firebird,* une rampe, un banc, une caisse, une coque de bateau de sauvetage, non, il n'y a rien que du métal, s'il y avait une bâche ou une toile, Sébastien planterait le couteau, un fois, deux, trois, et frapperait à coups répétés, comme on frappe en meurtre passionnel, détail pour circonstances atténuantes. Mais rien n'atténue plus, jamais. Sébastien caresse la lame du bout du doigt, se fait volontairement une entaille à l'index de la main gauche et porte le doigt dans sa bouche, goût de son sang. Combien de fois Luc, Claire, Bertrand et lui ont-ils fait de même, en se promettant, par cet acte, de ne rien accomplir de vital que ce qui leur plairait de faire, et décider de leurs vies respectives sans que leur père dicte et tranche, ordonne et désespère ? Le doigt dans la bouche, le couteau à cran d'arrêt dans l'autre main, Sébastien regarde les plaies sur son bras. Il rit, il respire, le nez tourné vers les Amériques. Le soleil bascule. Il y a dans le ciel une lumière pourpre qui se nimbe et se bleute au contact des montagnes et rocs du fjord. Le mica scintille doucement. La mer est du même sombre vert des forêts qui tombent à pic, escarpées. Le minéral hurle à la nuit si on sait écouter. Sébastien respire le corps de Ruth. Il fait courir son nez des chevilles aux genoux, des genoux aux hanches, des hanches au buste, du buste au menton, et il pose sur les lèvres de celle qui fut femme, sa femme, soumission, un baiser, léger. Ruth le regarde les yeux grands ouverts. Il crie. Sébastien crie, jette le poignard dans la mer, retire le doigt de sa bouche, et frappe de ses poings la rambarde, coups répétés, à se briser les poignets, une douleur pour chasser une image. Puis il place les deux aiguilles de sa montre cassée à la verticale de midi ou minuit, comme le cartel de la place

d'Antioche. Il lui faut marcher, maintenant, et respirer un
peu.

Il attendait tout de ce jour, sauf cet état amoureux si proche
de celui de révolte, ce tournant qui soulève les images du
passé et les place en désordre, au plus vif de la mémoire, pour
un geste de violence, un affrontement, une date et sa
signification, une odeur, un regard ou un manque. En
tournant le dos à l'ouest et aux Amériques, en se dirigeant
vers l'est du *Firebird* et sa proue, Sébastien se sent en train
d'abandonner encore Ruth, Laura, et Paul. Il s'éloigne d'eux.
Parqué, il s'en va. Moncrabeau, aussi, avait d'étranges
limites. Les limites décidées par un grand-père qui n'aimait ni
les broussailles ni la nature livrée à elle-même et qui avait fait
dégager d'immenses surfaces d'herbe et de pelouses, ponc-
tuées à tous les horizons de laies de peupliers, de jeunes
ormes, de résineux ou de cytises. Et au-delà des laies, de tous
côtés, même au-delà du bois de bouleaux, on ne pouvait que
se heurter au mur d'enceinte, parfait, construit en fin de siècle
dernier pour durer des siècles encore. De la maison ou de
l'étang, on pouvait rêver et croire que cet espace dégagé
offrait d'infinies voies de fuite dans toutes les directions. Mais
si on se mettait à courir vers ci, vers là, le mur bientôt se
profilait derrière les frondaisons des arbres choisis, plantés,
placés, à l'ombre desquels on se sentait sous surveillance.
Bertrand disait « ce sont nos gardes » et prétendait qu'ils
avaient une manière de frissonner, l'été, ou de grincer,
l'hiver, qui signalait leur désir de fuite. On pouvait sortir par
les portes et portails, emprunter les voies d'accès. Ce n'étaient
plus alors des escapades mais rien que des promenades
d'enfants, d'adolescents ou de jeunes hommes tenus en
propriété par l'idée de tous les pères de leur société qui, à
force de prétendre ne relever d'aucun titre, n'appartenir à
aucune caste, secrètement défendaient le silence sans hargne

et vigilant d'une « France du milieu qui seule a gagné la Révolution et en jouit comme d'un gâteau dont il reste toujours une part ». De Bertrand encore. Sébastien n'aime pas tenir ce raisonnement. Il se sent alors prisonnier. Il n'aura donc navigué que lourd de l'attirail de ces pensées, de ces faits, vaguement heureux, par la voix de Bertrand, d'avoir dit, au moins quelques fois, une vérité. A quoi bon ?

En proue du *Firebird*, Sébastien regarde le *Newton*, l'*Ambrasy*, le *G.K. Hall*, plus loin le *Spirit*, l'*Apollo* et le *Septentrion*, falaises noires, tonnes et tonnes de métal qui flottent, commerce mort. La lumière est belle. La nuit ne tombera pas vraiment. Très vite le soleil se lèvera de nouveau. Cela fera un jour de moins avant le départ. Les hommes, tout à l'heure, agiront comme si rien ne s'était dit, ou fait. Dans la nuit de la salle des machines, un bref instant, Sébastien eût préféré que rien de l'incident ne relevât de la blague et qu'un poignard se plante, dans son ventre. Le bateau est fermé, comme Moncrabeau. Sébastien regarde à gauche son père, à droite Bertrand. Il se sent encadré. Devant lui le fjord sinue et s'étrangle. Derrière, au loin, Ruth l'oublie, Laura et Paul vivent une autre vie, ou bien la même. Rien vraiment ne peut modifier la décision des familles. Les fuites impossibles ne peuvent que se répéter. C'est un premier bon heurt que de l'admettre. Refrain de Bertrand « il n'y a de beau et de bon dans le bonheur que le heurt ». Sébastien se sourit. Tout à l'heure les hommes lui souriront aussi. Il fera de bons rapports à la « British Petrofuck and Co ». Chacun y trouvera son compte pour d'autres emplois, en d'autres lieux, avec toujours les mêmes bagages d'ambition et de déceptions. L'état de famille, état amoureux ou de révolte, n'est qu'une perpétuelle répétition. Et si redites il y a, elles sont de conviction et d'espoir. L'espoir d'en sortir quand on sait qu'on n'en sortira pas. La révolution n'est plus là où elle se dit être.

Le romantisme n'est jamais là où il s'annonce. L'identité de
chacun n'est que ce « droit à l'émotion » dont Bertrand
parlait à ses frères et à Claire, non pour imposer un état
d'esprit rebelle, mais pour proposer un principe d'action
quand tout les vouait à la soumission à un rite, à la répétition
d'un spectacle. Ils sont là, le père, et le frère, parce que c'est
le 9 juillet, parce que vingt ans après, parce que tous
savaient, même Cécile, et personne n'a rien fait. Le charcutier
de Barcelone a pu retirer un bout de cerveau en paix pour, un
an ou deux ans plus tard, poser ses scalpels et admettre,
travaux pratiques, qu'il n'avait rendu que des infirmes à ces
familles qui font toujours n'importe quoi pour demeurer
intactes ou se croire telles. Ils sont là, Henri à gauche, et
Bertrand à droite, personnages du jour. Ils sont revenus. La
leçon du « droit à l'émotion », seule Claire semble l'avoir
vécue. Mais seulement après la mort de Gérard. Sébastien se
penche, en proue, surplomb de la mer. Il aime ce vertige, tout
comme il aime le silence du couloir, des portes refermées,
chacun dans sa cabine, même Oswyn, après les boissons et les
colères.

Sébastien se sent de tout son corps dans le corps de Ruth. Il
est entré dans ses jambes, dans ses bras, dans son crâne. Il est
elle et elle est là, en lui, elle se penche, avec lui. Elle est lui.
Elle marche quand il marche. Elle se couche quand il se
couche. Elle est le voyageur clandestin que nul ne peut voir.
Elle s'agite quand il s'agite et parle quand il parle. Rien
n'arrache vraiment cette peau devenue peau, jusqu'aux
sourires ou rires de Sébastien dont Sébastien sait, à leur jeté,
qu'ils eussent été l'expression de Ruth en pareille circons-
tance. Depuis dix-sept ans, Sébastien s'est arrêté tout entier
dans le corps de Ruth. Quand il a froid, il se dit qu'elle a froid.
Quand il remue les doigts, c'est elle qui remue les siens,
curieuse manière qu'elle avait de pianoter dans le vide, à la fin

des repas, place d'Antioche, signalant ainsi à Sébastien son désir de repartir. Les premiers mois de leur séparation, Sébastien et elle se sont échangé des lettres poignantes, chacun s'accusant de la rupture, chacun s'étonnant de l'étourdissement qui avait provoqué ce désir de s'arrêter l'un et l'autre, de se donner l'un à l'autre, mariage, pour finalement retrouver le sentiment de méfiance qui est celui de la première rencontre, méfiance qui revient, cinglante, et brise ce qui dans l'esprit amoureux se figurait scellé, uni, réuni à tout jamais. Souvent Sébastien pense, image, que Ruth est devenue son pyjama. Un pyjama qu'il ne quitterait plus.

Souvent, dans les bras d'autres femmes, buté, obsédé par l'idée de se déshabiller de cette présence, amour fixe, Sébastien essaie de jouir, pour lui, et lui seul. Mais il entend alors dans sa tête, parce qu'il ferme les yeux, le doux halètement de Ruth qui jouit à sa place et avant lui, retenant sa propre jouissance et faisant de lui un impuissant, bandant, qui plonge mais n'atteint plus jamais l'exploit, ciel qui se déchire, nuages qui se crèvent, et ce silence d'après, triste, qui invite déjà à d'autres émois. Plus jamais cela. Ruth interdit. Comment s'appelait cette femme rencontrée dans l'avion, de retour de Marseille, l'an dernier, le jour du passage à Sauveterre, et qui, dans le silence de moquette d'une chambre du Hilton d'Orly, nue, couchée, insatisfaite, avait dit à Sébastien, la voix éraillée, en lui caressant le front « toi, tu as une femme dans la tête ! Et elle n'est pas près d'en sortir ! » Quel était son prénom ? Sébastien, prostré sur le lit, une fois encore humilié, avait porté les mains à ses oreilles pour ne pas écouter, geste de Ruth quand elle lui saisissait le visage, se mettant sur la pointe des pieds, bras tendus. Elle ne voulait pas que Sébastien entende ce qu'elle allait lui dire. Sur les lèvres de Ruth, assourdi par les mains fortement plaquées de sa femme, Sébastien lisait alors « 1.4.3. », leur chiffre, « I, love, you ».

Et là, en proue, cassé en deux au-dessus du vide, Sébastien joue avec le vertige et la chute. Il répète « one, four, three » puis « I, love, you ». Il bande. Il ouvre sa braguette. C'est la main de Ruth qui le travaille et le tient, mouvements de moins en moins lents. Il jouit, dans le vide, autre écume des vagues, en regardant le fond du fjord. Il ne peut plus jouir qu'ainsi. Là. Devant. Seul. Aidé. Habité. Tout a commencé vraiment au moment de la séparation. Tout commence vraiment depuis dix-sept ans. Passé le temps des premières lettres d'après le divorce, le temps des manques dont on s'accuse, des omissions que l'on admet, leur correspondance se fit moins pressante, moins chargée de regrets pour devenir rare, puis plus rien. Les versements trimestriels et les lettres obligées, c'est tout. Et alors qu'ils s'écrivaient de moins en moins, Sébastien sentait Ruth glisser en lui, ou bien s'habillait-il d'elle, comme s'il avait eu peur de l'oublier, un jour, mauvais tours d'autres rencontres. L'oncle Jean avait dit à Sébastien « tu es, comme ton père, de ceux qui ne vivent que ce qu'ils n'ont pas vécu. Et je sais, en te disant cela, que tu ne nous rendras plus visite ». Tante Suzy n'avait fait aucun commentaire. Elle voulait seulement voir les dernières photos de Laura et de Paul « comme ils ont grandi ! » Ce fut un adieu. Bertrand aussi, enfermé à Moncrabeau, abandonné là, interdit à chacun de se revoir. Sébastien ferme sa braguette. C'est sa main, cette fois. Crépuscule, ou matin, comment savoir ? la lumière est si douce. Il se dirige vers la poupe. Deux cent dix-sept mètres de plaques de métal qui choquent et grincent. Environ trois cents pas de promenade, chemin du retour. Il sait que sitôt nu, se glissant dans son lit, c'est Ruth tout entière, de nouveau, qui se glissera en lui, et avec lui. Rien. Il n'y a rien à faire.

Passerelles, coursives, le voici au carré, puis dans le couloir. Une porte s'ouvre sur son passage, c'est René, qui penche la tête et dit simplement « ça va mieux ? Nous aussi ! » Il claque la porte. Sébastien n'a eu ni le temps de répondre ni le temps d'exprimer une réponse en regardant René autrement que surpris.

Dans sa cabine, Sébastien remarque que Jao est passé, a préparé le lit comme dans un hôtel, et posé des serviettes propres, service qui ne lui était plus rendu depuis des mois. Il est de nouveau l'officier.

Sorti de la douche, il s'essuie, tamponne d'alcool les blessures aux bras et aux mains, pose une compresse sur sa tempe et sur l'œil. Il jette les lambeaux de la chemise. Il s'allonge sur la banquette, attrape l'exemplaire des *Mémoires d'Hadrien*, l'ouvre au hasard et lit une note de Bertrand, en marge, écriture tassée, comme un ultime message « j'ai un secret que je ne connais pas encore après lequel je cherche : on me demande de donner, jamais de recevoir ». Sébastien laisse tomber le livre. Il veut que Ruth dorme en lui. Il veillera. Dans le livre, une enveloppe sur laquelle on peut lire « à Sébastien Prouillan, la mémoire du cœur interdit », message de Bertrand remis à Sébastien le jour de son mariage. Bertrand lui avait dit « c'est pour toi, et toi seulement. Lis-le le plus tard possible. Le plus tard avec nous, c'est toujours trop tôt ».

14

Antoine range les cartes et le tapis de bridge. Eliane vide les cendriers. Christine fait les comptes des trois parties. Luc observe ses amis, bras croisés sur la table, dos voûté, tête dans les épaules. Distrait, il a mal joué, il le sait. Loin de le blâmer ou de lui faire, entre chaque donne, des remarques, ou, après chaque annonce, des reproches, Christine semblait se réjouir de l'inattention de Luc. Antoine et Eliane n'avaient pas de jeu, rarement l'ouverture, ce minimum de points requis par convention pour ouvrir, parler, même en barrage. Pendant les trois parties, Antoine s'est contenté de sourire et de murmurer sportivement « aux innocents les mains vides », « qui peut le plus peut le plus » ou encore « oh pardon, excusez-vous », dont l'humour dérisoire n'était pas sans rappeler à Luc cette manière que Bertrand avait de mettre un mot contraire à la place d'un mot attendu. Bertrand appelait

ça « l'humour dérapé » et soutenait « tout dialogue commence à cet exercice ». Face à Antoine, bon partenaire
pendant les trois parties, Eliane s'est amusée à ne jamais dire
« je passe » sur le même ton, au moment des annonces, et à
ne jamais lancer aucune carte d'entame, en défense, sans
avoir fait semblant de mûrement réfléchir. Luc s'arrangeait
pour faire le mort. Christine jouait la carte. C'était toujours à
Eliane d'entamer. De donne en donne, rien à faire, Antoine
et elle n'avaient pas de jeu. Christine et Luc en avaient trop.
Trois parties vivement menées.

Antoine dit « c'est comme si nous n'avions pas joué », puis
« une partie dans le vide » et, reprenant place à table, face à
Luc, s'adressant à Luc « parle si tu dois parler ! Arrête de
nous jouer cette comédie ». Antoine retrousse les manches de
sa chemise, se frotte les avant-bras, adresse un sourire crâneur
à Christine, fait signe à Eliane de venir s'asseoir à côté de lui
et d'apporter les cendriers. La pièce dans laquelle ils se
tiennent sent l'abandon, comme la maison, odeur tenace de
volets fermés, de lieu secondaire qui ne fut jamais aimé et où
on ne fait que passer. Antoine vient de se laisser surprendre
par cette odeur forte que rien ne chasse vraiment même s'ils
restent un certain temps. Christine annonce pour le principe
« la première partie était de 14, la seconde de 11 et la
troisième de 17. Mais nous ne jouions pas pour de l'argent ».
Elle déchire la marque, veut se lever pour aller jeter les petits
papiers dans la poubelle mais Luc la retient « restez, je vous
en prie. Antoine a raison ».

Antoine rougit, comme un enfant. Eliane s'est assise contre
lui. Elle a l'air surprise. Elle regarde son mari, prend
Christine et Luc à témoin « c'est comme ça que je t'aime,
Antoine. Comme ce soir. Comme maintenant ». Elle embrasse Antoine sur la joue et lui dit « ce petit brin d'humour

que tu avais quand je t'ai connu, je croyais que tu l'avais perdu ». Elle sourit à Christine « il disait de notre mariage que ce n'était qu'une histoire d'humour ». Elle regarde Luc « tu es le patron d'Antoine, et puis après ? Il te doit tout ? Il ne te doit rien ! Nous n'avons pas eu de jeu, ce soir, même pas de quoi nous défendre. Cela plaçait encore mon Antoine en second. Qu'est-ce que j'aurais voulu vous faire chuter ! »

Eliane rit, hausse gentiment les épaules, adresse un clin d'œil à Antoine « ça va mieux ? » Antoine secoue la tête, ni oui ni non. Eliane lui dit au creux de l'oreille, à voix assez haute pour que Christine et Luc entendent « tu as dit ce qu'il fallait dire. Merci ». Elle regarde Christine « c'était à lui de le dire, n'est-ce pas ? » Elle tend une main, vers Luc, à plat sur la table « alors parle, maintenant ! »

Luc n'a pas bougé. Eliane retire sa main en la faisant glisser sur la table. Christine recule sur sa chaise, attrape un journal, le déplie, et lit un article à voix aiguë, monocorde, ridicule, comme si elle avait préparé cette lecture « c'est un mensuel que veulent lancer les responsables de cette nouvelle revue. Avant la parution définitive, un numéro zéro vient d'être présenté. Objectif : faire savoir où sont les nouveaux acteurs, les nouveaux lieux, les innovations, les blocages ». Christine sourit et murmure « je continue ? » Luc et Antoine échangent un regard. Luc baisse les yeux. Eliane est fière d'Antoine. Christine poursuit « autre objectif de cette nouvelle revue : parler de ce qui fera, peut-être, le monde de demain, à un public mûr », Christine rit « ce sera pour nous, vous croyez ? » et lit de nouveau « moins théorique, le mensuel présentera reportages, enquêtes, informations pratiques, expériences de vie différente, photos, petites annonces ou communiqués dits " rubrique contacts " bref tout, pour tous ceux qui, même installés, ont soif de l'air neuf qui souffle déjà, quelque part » fin de citation. Christine pose le journal à plat sur la table, pointe du doigt l'article et dit « c'est là. C'est écrit. C'est drôle, vous ne trouvez pas ? C'est quoi, les expériences de vie différente ? Ça veut dire quoi, l'air neuf qui souffle déjà, quelque part ? Mais où ? Et quelque part, ça ne se dit pas. Il paraît que c'est le fessier. Voulez-vous que je vous donne un coup de pied quelque part ? »

Antoine, Eliane et Christine éclatent de rire. Luc veut se lever. Christine, à son tour, le retient « non, restez, je vous en prie. J'ai fait exprès de vous lire cet article. C'était pour rire de ce que nous sommes en train de devenir. Luc, s'il vous plaît, parlez ». Christine lâche la main de Luc. Luc baisse les yeux de nouveau. Christine fait glisser sa chaise et s'approche de lui. Elle se tient tout contre lui et l'interroge du regard. Antoine de l'autre côté de la table murmure « il y a longtemps que je ne m'étais pas senti aussi bien ». Il embrasse Eliane dans les cheveux, maladroitement, et se tourne vers Luc « qu'est-ce que tu leur as dit, à la télévision ? Qu'est-ce que tu t'es dit, toute la journée ? Qu'est-ce que tu te dis, tout le temps ? Tu entends, mais tu n'écoutes pas. Heureusement que je suis là, toute l'année, pour écouter à ta place. Tu gardes ta place, je garde la mienne. Je ne t'aime pas, Luc. Tu ne veux pas être aimé. Si au moins j'étais sûr de ton écoute, là, maintenant ». Il se tourne vers Eliane « tu ne me dis pas bravo ? »

Antoine se lève, attrape le journal, le froisse, en fait une boule, va droit vers la cheminée, place le papier dans l'âtre, brindilles, bouts de bûches calcinées qui sont là depuis les vacances de Pâques. Il allume le feu, se redresse, tape dans ses mains. Puis il se dirige vers la porte, l'ouvre, vers la fenêtre, l'ouvre, et tape de nouveau dans ses mains « nous attendons, mon petit Luc ». Il revient, s'assoit sur la table,

tout contre Eliane, la serre entre ses genoux et dans ses bras,
pose son menton sur le haut de la tête de sa femme. Eliane dit
« tu me fais mal », Antoine répond « je t'aime ». Eliane
murmure en faisant une grimace « c'est la même chose ». Ils
rient, tous les deux, puis Christine, tous les trois, puis Luc,
tous les quatre. Luc prend une main de Christine et
l'embrasse. Luc dit « j'ai une famille, dans la tête, qui pose
pour une photo. Comme une photo de classe. Mais la photo
ne peut pas être prise. Il y a toujours quelqu'un qui bouge... »

Silence. Luc reprend « nous avons tous une famille dans la
tête. Toi Antoine. Toi Eliane. Et vous, Christine. Mais dans
ma famille, il y a toujours quelqu'un qui bouge, pour la photo.
Quelqu'un qui veut s'échapper. Quelqu'un qui ne veut pas
poser. Bertrand affirmait " pas quelqu'un de fou, mais
quelqu'un de flou. Et un flou, c'est un fou en mouvement ".
Bertrand disait des choses que je ne voulais pas comprendre.
Il disait aussi " la poésie n'utilise pas les mots, elle les crée ".
Il avait du mal à les créer, ces mots, pour ne pas avoir à les
utiliser. Comme nous tous. Il déchirait ses poèmes. Ou bien,
s'il écrivait au crayon, il les gommait, faisait semblant de les
relire, et en inventait d'autres, comiques. Il soufflait alors sur
ses doigts, comme pour faire des bulles, et nous nous taisions.
Il parlait souvent du planeur qui s'est abîmé, l'été 47, à
Saint-Cirice, non loin de Moncrabeau. Un planeur noir. Près
de l'épave, Bertrand avait trouvé un gant. Un gant de
l'aviateur. Il disait " c'est le gant qui a cru pouvoir
commander le vent ". C'était mon frère. Je ne l'écoutais pas
vraiment ».

Le feu craque dans la cheminée. Un air entre, par bouffées,
du dehors, chargé d'odeurs de mousses et de fougères. Une
lueur aussi, celle de la lune. La maison respire. Eliane, sous le
menton et dans les bras d'Antoine, retient son souffle.

Christine pose ses mains à plat sur les mains de Luc. Luc
hésite. Il trouve sa voix trop sûre à évoquer ainsi ces images et
ces souvenirs qu'il rejette depuis des années et qui n'ont eu de
cesse de le harceler. Tout cela trop vrai, flagrant, touchant,
pour être vécu et prendre place dans une vie désirée tracée,
tracée d'avance, vie d'ingénieur et de fils aîné. Luc se souvient
du jour où il a été témoin du mariage de son camarade de
promotion Antoine avec Eliane. Il se souvient aussi d'Antoine témoin de son propre mariage, quelques mois plus tard.
Il dit « c'est Anne-Marie qui bouge le plus sur la photo. Elle
n'a jamais voulu poser avec nous. Elle n'était pas sortie de sa
famille qu'elle en retrouvait une autre et qu'elle devait en
créer une troisième. Elle n'a jamais voulu d'autre enfant que
Pierre. Souvent, pour me provoquer, ou me dire son amour, à
sa manière, elle langeait Pierre en l'appelant Luc. Le jour où
Bertrand est revenu de Barcelone, lorsque nous avons,
Anne-Marie et moi, quitté l'appartement de la place d'Antioche, je voulais prendre Pierre dans mes bras, il dormait,
Anne-Marie m'a dit " je descends cet escalier pour ne plus
jamais le remonter. Tu ressembles à ton père. Je ne veux pas
devenir Cécile ". Voilà. Sur la photo, Anne-Marie bouge.
Elle dévale l'escalier avec notre fils dans ses bras. Cet escalier
est sans fin. Pierre, pour moi, n'a que l'âge fixe de ce jour-là.
Tu comprends Antoine ? Et toi Eliane ? Et vous Christine ?
Ne me regardez pas ainsi. Cette histoire de photo m'est venue
à l'esprit en fin d'après-midi, alors que vous posiez tous
devant la table du dolmen. Ce n'est qu'une image, mais les
images ont ceci de bon et d'irremplaçable qu'elles fixent les
sentiments et aussi les inspirent. Je ne croyais pas Bertrand
quand il nous l'expliquait ».

Luc sourit comme s'il se moquait de lui-même. Christine
retire ses mains, les place sur ses genoux. Le regard dirigé
sous la table, elle retire ses sandales, frotte ses pieds l'un

contre l'autre. Luc sait qu'il vient de perdre Christine. Elle
vient de renoncer à lui ou de perdre patience. Luc sent aussi
qu'après l'avoir invité à parler Antoine et Eliane ne l'écoutent
plus, non plus, et ne songent qu'à se retrouver seuls, une
fiançaille de nouveau. C'est leur genre. Ils ne se sont jamais
installés nulle part. Luc dit à voix plus basse « un seul ne
bouge pas sur la photo de famille. C'est mon père. Il fixe
l'objectif. Il me regarde. Il nous regarde. Il est là, comme
quelqu'un qui observe une cible pour ne pas la manquer. Il
voulait nous réussir. Bertrand disait aussi " éclatée, écartelée,
notre famille est écarlate. Tout cela ne peut finir que dans le
sang. Très exactement comme tout a commencé ". Je vois
mon père, il ne bouge pas, lui. Et j'entends Bertrand dire
" écarlate " en prononçant le mot trop distinctement. Vous ne
m'écoutez plus ? » Luc serre les poings. Christine secoue la
tête. Ses cheveux tombent devant elle et la cachent. Elle tend
les jambes sous la table, elle plaque les mains sur ses hanches.
Cassée en deux sur sa chaise, elle murmure « mais si, nous
vous écoutons ». Eliane lève les yeux vers Luc « nous
t'écoutons ». Faux.

Alors, Luc poursuit dans le vide, et pour lui-même, furieux
d'avoir commencé à parler, curieux pour toute revanche de
voir combien de temps ils tiendront à ne plus l'écouter après
l'avoir traqué. Luc, pourtant, connaît la leçon de vide. Les
premiers à dénoncer sont toujours les premiers à se dérober
quand débute l'aveu. Respecter cette règle est sans doute à
l'origine de tous les abus de pouvoir. Luc le vit et en vit, secret
de sa carrière professionnelle. Antoine peut le moquer. Luc le
regarde en riant « il y a un chien sur la photo. Il bouge parce
qu'il veut qu'on le sorte. Et quand ce chien meurt, on le
remplace par un autre chien, identique ». Luc rit encore plus
fort « et il y a une domestique. Elle ne fait que passer. Elle
passe. Elle sait tout, mais elle ne juge rien. Elle n'attend

même pas ses gages. Elle est la seule à savoir pourquoi elle est là : elle rend service. Elle nettoie. Elle range. Elle coud. Elle sort le chien. Elle se sort avec le chien. Elle fait des gâteaux. Elle nettoie les chaussures. Elle va ouvrir la porte. Elle attend. Elle s'appelle Bernadette. Tu te souviens d'elle, Antoine ? Même pas. Elle ne faisait que passer. Elle est toujours payée pour ça. Je continue ? »

Luc se lève « si mon père entrait, là, maintenant, pour me tuer, je ne serais pas étonné. Je crois même que je n'attends que ça. Attendre, parfois, est la seule manière de se défendre ».

Luc s'approche de la fenêtre « je ne peux, Christine, vous parler qu'en vous tournant le dos. C'est ma manière de faire face. Je n'y peux rien. Je suis de fabrication standard, comme vous. Très français ou trop bourgeois, c'est la même chose. Votre regard me juge mais vous ne me changerez pas. Anne-Marie couche en travers, dans ma tête, et prend toute la place. Les années passent. Je n'ai jamais pu me défaire de l'inquiétude du courrier. J'attends toujours d'elle une lettre de retour. Comme le parfum " Je reviens ". Nous avons vu cette publicité, au cinéma, ensemble. Vous m'avez pris la main, à ce moment-là. Sur l'écran, on voyait des couples, très jeunes, très beaux, se réunir dans des restaurants, dans des gares, dans des aéroports, dans la rue. Et à chaque fois, le nom du parfum, " Je reviens ". J'avais la main froide, n'est-ce pas ? Vous étiez la jeune femme de ces couples, mais je n'étais aucun des partenaires possibles. Chaque matin, quand je me rase, je suis bien obligé de me voir dans le miroir, au-dessus du lavabo. Je me dis que chaque jour je perds une chance d'être reconnu d'Anne-Marie si elle revient jamais vraiment. L'approche de la cinquantaine. Quelque chose de changé dans la pertinence du regard. Anne-Marie et moi avons été fous l'un de l'autre. Mon regard d'alors la faisait rougir. Je me croyais évadé. Petit à petit, elle a compris que l'évasion était impossible. Le meurtre du père, le bel œdipe si fort en vogue depuis un siècle, n'est qu'une idée de plus pour renforcer la famille telle qu'elle est, dans l'idée qu'elle se fait et se fera toujours d'elle-même ».

Luc hésite. Christine ne bouge pas. Antoine fait la moue. Eliane ferme les yeux. Tant mieux. Luc poursuit « et ma famille est exemplaire en ceci qu'elle n'a aucun exemple à livrer en partage. Elle a ceci de vivant qu'elle meurt petit à petit dans l'ombre et dans la peur de ne plus avoir ce qu'elle a, de ne plus être ce qu'elle n'a jamais été. Oui, Christine, je sens que je viens de vous perdre. Parce que je souhaite vous perdre. Il n'y a pas de place pour vous. Il n'y a même pas de place pour moi. Je vous dois cet aveu : nous n'existons plus depuis longtemps. Et nous sommes là, pour très longtemps encore. Nous avons proliféré à la lumière fausse des idéologies et à l'ombre des portefeuilles en bourse. Des mariages convenables. Des écoles polytechniques. Je vous aime, Christine, mais de loin. Je suis retenu. C'est la retenue. Je suis né fixé d'avance. Anne-Marie me plaisait parce qu'elle était conforme à l'idée de cette fixation. Elle était convenable et de bonne famille. Je pensais m'évader, avec elle, par le dedans. Il faut croire que de ce côté-là non plus il n'y a pas d'issue. Oui, je ris. C'est drôle. Nous avons tous essayé d'échapper à la photo obligatoire, chacun à sa manière. Je souhaitais la mienne ordinaire. Ça n'a pas marché. Chacun pour soi. Chacun en soi. Et quelqu'un, pour moi, en travers de la tête, toujours là ».

Luc se retourne. Christine s'est levée. Elle se tient près de la cheminée. Elle vient de mettre en place une bûche, brusque flambée. Eliane se dégage de l'emprise d'Antoine, se lève, s'assoit sur la table, prenant une main de son mari et la posant sur ses genoux. Antoine murmure « je suis crevé. Et vous ? Je ne sens plus mes bras et mes jambes. Ils étaient lourds, ces rondins. Pardon Luc. Ce n'était qu'une diversion ». Christine se dirige vers l'évier, remplit d'eau une casserole, allume le gaz, et pose le tout sur le feu « café pour tout le monde ? » Eliane se tourne vers Luc « et Antoine, dans toute ton histoire ? Tu te sépares de lui, aussi ? »

Luc traverse la pièce, pose en passant une main sur l'épaule d'Antoine, et va près de la cheminée, bras et doigts tendus, comme pour se réchauffer les mains « quand on commence à avoir la certitude d'aider quelqu'un, c'est qu'on ne l'aide vraisemblablement plus ». Il secoue la tête « je cite mon père, qui citait vraisemblablement le sien, et ainsi de suite. L'idée même d'aider quelqu'un est un mensonge. Plus personne ne se penche, jamais, vraiment. Il ne faut pas parler. Surtout si on vous presse de le faire. Surtout si on ne peut plus faire autrement. Tout constat est pris pour une plainte. Et aujourd'hui, parce que c'est aujourd'hui, parce que ma famille pose depuis vingt ans pour une photo impossible, parce que rien ne nous réunit que le constat de n'avoir jamais été vraiment ensemble, je me dis qu'en ce moment Sébastien pense la même chose, que Ruth et Anne-Marie pensent à nous, que Claire se débat avec un accident d'auto dans sa tête, que Bertrand sait tout juste tenir sa fourchette pour goûter à son gâteau d'anniversaire, que ma tante Suzanne caresse les colliers de perles qu'elle n'a plus en faisant semblant de les arracher, que Bernadette attend le retour de mon père, et que mon père... »

Luc s'arrête, phrase en suspens et se moque « faut pas parler comme ça, n'est-ce pas ? Nul ne parle ainsi, jamais. Pourtant, Eliane, c'est ce qui me brûlait les lèvres. C'est aussi,

Christine, ce qui me tient à l'écart de vous. Cet écart tout entier contenu dans le voussoiement que vous m'adressez. Grâce à lui, j'ai pu vivre un plus long temps avec vous qu'avec d'autres femmes. Je sais, avant même la rencontre, que nulle, jamais, ne remplacera la première. Anne-Marie n'a rien d'extraordinaire. Rien. Ni moi non plus. Mais elle fut la première et le demeure. Et ne me dites pas que cet aveu est complaisant. Je ne connais pas de cas où un être de seconde ou de nième rencontre l'ait emporté sur l'être de la première ». L'eau bout. Christine la fait couler dans la cafetière, café en poudre. Elle dit « mais vous êtes mon premier, Luc » puis « je vous demanderai simplement un certificat du genre : je soussigné, Prouillan Luc, Henri, Joseph, né le 28 janvier 1931 à Paris, XVIIᵉ arrondissement, certifie que Christine Eulart a aimé à mon service du 27 janvier au 9 juillet et que... » Elle éclate de rire. Luc donne un coup de pied dans les bûches, étincelles.

Eliane se lève, va prendre des bols dans le bahut, le sucre et des cuillères. Elle revient vers la table, bras chargés, maladroite. Antoine met le tout en place. Il y a quelque chose de touchant dans leur silence. Une connivence. Les regards se croisent et se fondent. Christine les observe, cafetière à la main. Les meilleurs amis de Luc pourraient être les meilleurs amis de tout le monde, et les meilleurs amis de tout le monde ne sont jamais là, vraiment, comme il le faut, quand il le faut. Un bonheur apparent, même s'il devient flagrant par instants, ne peut jamais soutenir l'autre, ami, et l'inviter à mieux vivre. Christine se dit que l'amitié, comme le bonheur, a trompé son monde, drôles d'idées, mythes des temps en cours. Elle regarde Luc « vous avez raison, plus personne ne se penche vraiment. Le faire, c'est s'exposer à toutes sortes de méprises ». Elle se dirige vers la table, pose la cafetière. Puis elle choisit, dans une pile de revues, sur une chaise, contre le mur, un magazine qu'elle feuillette en disant « depuis que nous sommes arrivés ici, je pioche au hasard de la presse pour me faire une idée d'où nous en sommes. A défaut de savoir qui nous sommes. Ecoutez bien, j'ai une autre perle pour vous. Voici en sept titres le résumé de la pensée de notre actuel chef d'Etat. Et ce n'est pas sans rapport avec votre photo, Luc ».

Christine lit « premier titre : nous sommes à un moment important, que je comparerai au passage d'un détroit ». Christine commente « comparerai, au futur, c'est plus sûr ». Elle poursuit « second titre : nous ne devons pas chercher à rester adaptés à un monde qui s'en va. Troisième titre : une société ne peut pas vivre longtemps sans croyance collective. Quatrième titre : à l'heure actuelle, le système politique mondial ne s'achemine pas vers un conflit ». Christine sourit, aparté « alors vers quoi ? » Elle lit « cinquième titre : le pessimisme peut dériver d'un essoufflement biologique de l'espèce ». Antoine hausse les épaules. Eliane sert le café. Luc remet les bûches en place. Christine dit très distinctement « sixième titre : nous allons vers un monde non maîtrisé alors que, dans le passé, il l'était... Avec trois points de suspension s'il vous plaît. Et enfin, dernier titre : la société de consommation a dévasté une partie de nos côtes, de nos montagnes, de nos villes. Voilà. C'est tout. Tout n'est pas dévasté ». Christine tend le magazine à Antoine « tu veux vérifier ? » et à Luc « vous voulez lire ce qu'il y a sous chaque titre ? »

Eliane dit « buvons le café. Demain matin, je vous en ferai du vrai ». Luc, accroupi devant le feu, regarde les flammes, hésite, se redresse, se relève et s'approche de la table « demain matin ? Je serai parti ». Il met un morceau de sucre dans le bol, trempe ses lèvres « je suis toujours parti avant

même d'arriver. Comme au bureau, Antoine. Ça ne te fait pas
rire ? On me prend pour un bourreau de travail. Je le suis.
Seulement parce que je ne pense pas à ce que je fais, quand je
le fais. Je suis un parfait cadre dirigeant. Plus aucune capacité
d'attention. Le sens des organigrammes et des décisions, c'est
tout. Le profit décide ». Il lève son bol comme s'il voulait
trinquer « à nos départs ! » Il boit une gorgée « à nos amours
respectifs ! » Il prend une cuillère, fait fondre le sucre, boit de
nouveau « à la famille écarlate ! » Il s'essuie les lèvres avec la
main et lève le bol très haut « au chef de l'Etat et à mon père !
Merci Christine ! » Il vide le bol, le pose sur la table et le fait
glisser, d'un geste violent, en direction de la cafetière contre
laquelle il se casse. Luc prend un air étonné « tiens, le bol
s'est cassé, pas la cafetière ! Curieux, vous ne trouvez pas ? »

Eliane tend une main vers Luc « calme-toi ». Luc se tourne
vers Christine « à l'essoufflement biologique de l'espèce ! »
Pause, « à ceux qui même installés ont soif de l'air neuf qui
souffle déjà quelque part ! » Antoine dit à Luc « c'est idiot de
repartir. Plus que quatre jours. Christine a sûrement envie de
rester. Il n'y a pas de confort ici, mais... » Christine a fait
signe à Antoine de ne plus rien dire. Luc quitte la table, se
dirige vers la porte et s'y tient, sur le pas, face à la nuit et à la
lune, face aux frondaisons sombres du bois qui cerne la
maison. Rien n'a été débroussaillé. Il y a, contre le mur de la
maison, deux transats dont les toiles sont déchirées et qui
attendent là, certainement depuis longtemps, qu'on les
restaure, qu'on leur redonne une fonction. Luc, chez lui, rue
de Téhéran, dans le campement de l'appartement de location,
jette toujours ce qui se casse, quand ça se casse, ça se troue,
ça se déchire, quand ça ne marche plus. Il jette. Antoine et
Eliane, eux, gardent mais ne réparent pas.

Luc a besoin de rentrer rue de Téhéran, de s'y retrouver seul, la tête toute traversée. Solitaire, isolé ou s'isolant, l'urgence de l'autre, unique, aimée, lui paraît moins douloureuse. Il peut alors veiller à l'idée quotidienne du retour d'Anne-Marie si elle doit revenir un jour, redevenir proie. Luc veut aussi rentrer rue de Téhéran et y attendre son père, si son père doit lui rendre visite, visite impromptue, visite figurée du jour. Henri finira bien par sonner à la porte. Luc regarde la nuit, devant lui. Bertrand aussi attend, et Claire, et Sébastien. Il manque un acte au théâtre de la famille écarlate. L'acte attendu pour que l'on puisse accuser l'assassin d'être assassin et la victime d'être victime, comme si l'un n'était pas l'autre, et inversement. Un acte pour que l'on puisse dire « c'est l'histoire de » et très précisément raconter en quelques mots ce qui, en fait, échappe au résumé, n'a ni début ni fin, rien que des impressions, des détails, des sentiments, et qui appelle à la vie. Luc, en tournant le dos à ses amis, dit à voix très haute, face à la nuit « demain, j'aurai oublié tout ça ! »

Luc s'adosse au montant de la porte, bras croisés, un genou replié. Il tourne la tête vers l'intérieur de la maison, le feu, les bols, la table, les jeux de cartes, les revues sur la chaise, les chaises, des dalles du sol, et les murs dont chaque année Antoine dit « je vais repeindre moi-même, mais seulement si Luc m'augmente ». Luc observe Christine. Elle est belle. Jeune. Elle se tait. Elle n'y croit plus. Il voudrait bien s'en persuader. Il murmure « chaque soir, quand je me couche, je me dis demain Anne-Marie ne sera plus là. Elle ne bougera plus. Elle n'occupera plus toute la place. Nous pourrons prendre la photo. Et je pourrai jeter la photo comme je jette quand c'est fini. Foutu ». Christine regarde Antoine, Antoine regarde Eliane, Eliane ramasse le bol brisé et va le jeter dans le cageot qui sert de poubelle. Antoine dit en riant à sa femme « le ramassage des ordures, c'est demain, faut pas l'oublier ». Il se tourne vers Luc « et chaque matin, Anne-Marie est toujours là, dans ta tête ? » Christine se lève « je vais me coucher. Si vous partez, Luc, ne me réveillez pas, je vous en prie. Je reste ici ». Elle regarde Eliane et Antoine « à demain. Merci ». Elle quitte la pièce. Son pas dans l'escalier et dans le couloir du premier étage, une porte que l'on ouvre et que l'on referme.

Eliane s'approche de Luc « pourquoi te fais-tu mal ainsi, toujours ? » Antoine les rejoint. Il annonce « demain, je remplace les toiles des transats ! Demain, les ordures et les toiles ! » Eliane murmure « je t'en prie, Tony, ce n'est pas le moment ». Antoine prend Eliane par la main « il y avait longtemps que tu ne m'avais pas appelé Tony. Tu vas voir ! » Et il l'entraîne dehors. Eliane a juste le temps de dire à Luc « tu viens avec nous ? » Antoine gueule « non ! Nous n'avons pas besoin de lui ». Derrière les arbres si proches de la maison, maison enfouie, lune pendue, déjà sur un déclin, Eliane et Antoine disparaissent. Antoine crie à voix haute dans la nuit « c'est toujours le moment de rire quand c'est pas le moment ! »

Luc se retrouve seul sur le pas de la porte. Le feu ne flambe plus. Silence au premier étage, et silence aux alentours. Un chien aboie au lointain, puis deux, puis trois. Ils se répondent, se provoquent, comment savoir, ou bien simplement se signalent-ils ? Luc ne se sent ni froissé par ce qui vient d'arriver ni fier de ce qui va inévitablement se passer, son départ. Il se sent même mieux et plus en accord avec lui-même, libre de vivre avec son image, photo, et son sentiment, unique, pour lequel il se bat, qu'il défend, et qui ne doit à aucun prix devenir un ressentiment. L'indifférence générale des autres n'est rien en regard de l'attention quand ils vous la portent, la suggèrent, y font croire, juste le temps nécessaire à la preuve et à la provocation de l'aveu, pour mieux la retirer, comme on retire un tapis sous les pieds de quelque personne pour la faire tomber, et se moquer d'elle parce qu'elle tombe. En ce trait, les amis excellent. A peine ont-ils donné l'impression de se pencher, d'être prêts à l'écoute, qu'ils se redressent, narguent et s'en vont en riant. Luc vient de tomber dans un piège qu'il a souvent tendu lui-même, dans l'exercice de sa profession de patron, et qui lui vaut sans doute sa promotion à la Légion d'honneur. A moins qu'en intriguant pour la lui faire avoir Henri ait ainsi choisi de dire à son fils qu'inévitablement il lui ressemblait. Piétiner plutôt que piétiné.

Luc se laisse glisser le long du montant de la porte. Il revoit Cécile, derniers mois de survie, en clinique. Elle ne voulait ni fleurs ni livres ni gâteries. Elle ne parlait plus. Un turban de coton remplaçait ses cheveux, couronnant cette tête méconnaissable qui semblait rétrécir. Elle n'avait plus que le regard pour être reconnue. Son bras gauche était ligaturé, hors du drap, le long de son corps. Plantés dans ses veines, des trocarts. Des tubes en sortaient, suspendus, reliés à des éprouvettes et à des bocaux, tout un attirail pour la tenir en vie. Seul comptait pour elle ce lecteur de cassettes qu'elle avait demandé à Bernadette, n'osant toujours rien suggérer à Henri, et dans lequel, faisant signe au visiteur ou à l'infirmière de garde, elle demandait qu'on lui place et branche de la musique. Il fallait alors poser le casque d'écoute, relever un peu le turban. D'un regard, Cécile disait merci. Elle ne voulait que des symphonies. On lui montrait diverses cassettes, Suzy avait même apporté de la musique de variétés. Cécile choisissait toujours les symphonies. Un seul livre la passionnait. Elle le feuilletait de l'autre main, un genou légèrement relevé, *Les Secrets de l'orchestre,* livre dans lequel tout était illustré, expliqué, le hautbois, la flûte, le cor anglais, le violon, la composition de l'orchestre, l'organisation des masses sonores, les secrets de la direction. Le tout dans un langage destiné aux enfants pour leur éducation, et qui en fait, mascarade des formules simples, n'était qu'un langage d'adulte démontrant trop, s'acharnant à rendre tout compliqué. Cécile, le casque d'écoute sur la tête, lorsque Luc lui rendait visite, choisissait telle ou telle page, indiquait le passage, et demandait du doigt à son fils aîné de le lui lire, à voix assez haute, pour qu'elle puisse entendre en même temps la musique et, qui sait, comprendre comment tout cela de beau pouvait se lier, se fondre et se lever ainsi. Cécile est partie en apprenant la musique. Alors que tout au long de sa vie elle n'avait jamais exprimé d'autre intérêt que pour sa famille et la sauvegarde de ses rapports avec Henri, Cécile est partie sur des descriptions de bombarde, de trombone, de saxophone, de cymbales, d'alto, d'épinette et de violoncelle, lues tour à tour par Claire, lors de ses deux aller et retour à Paris, Sébastien, entre Cherbourg et Rotterdam, plus souvent Bernadette, en milieu de journée, et Luc quand il sortait du bureau, à l'heure où les couloirs des cliniques commencent à fleurer le potage et le poisson bouilli. Luc aurait voulu pouvoir partager avec sa mère cette découverte de la musique. Il lisait ce qu'elle lui demandait de lire mais n'entendait pas ce qu'elle écoutait en même temps. Pour ce détail, il se mit à souffrir plus durement encore du départ de sa mère car jusqu'au bout ils n'auraient rien vécu ensemble, pleinement tous les deux, autre couple. La cassette préférée de Cécile était l'enregistrement de la *Cinquième Symphonie* de Sibelius, parce que, semblait-il, elle y trouvait tous les instruments et parfois, en l'écoutant, paraissait bouleversée de reconnaître tel timbre ou telle sonorité. Pour elle aussi, tout se passait dans sa tête, un orchestre à la place d'un mari. Une manière comme une autre de plier bagage et de partir sur une bonne impression.

Luc regrette de ne pas avoir parlé de Cécile devant Christine, Eliane et Antoine. Luc s'en veut de n'avoir pas dit l'essentiel de la photo. L'essentiel on ne le formule qu'après, quand plus personne n'est là, pour écouter. Luc croise les mains sur ses genoux, cale le haut de sa tête sur le montant de la porte. Il respire profondément. L'appareil, le casque d'écoute et les cassettes sont désormais enfermés dans le haut d'un placard, place d'Antioche. Luc a entendu son père dire « quand je pense que ta maman ne s'en est même pas servi. Bernadette et les infirmières m'ont dit que oui. Mais ce n'est pas possible. Ta maman n'a jamais aimé la musique. Elle n'a jamais su ce que c'était. Ni moi non plus ». Luc n'a pas osé dire le contraire à son père. S'il avait essayé, son père ne l'aurait pas cru et se serait ancré encore plus fortement dans l'idée que tout ce matériel n'avait été qu'un caprice de moribonde. Après la mort de Cécile, Henri ne disait plus, en parlant d'elle à ses enfants, « votre mère » ou « ta mère » mais « votre maman » ou « ta maman ». Trop tard.

Luc sait qu'il va partir. Il lui faudra faire discrètement dans la chambre qu'il partage avec Christine. Il n'aime guère les explications et, coupable, se sait capable des pires injures ou de reproches absurdes, tout ce qui, dans le théâtre de l'oncle Jean, fait claquer les portes, rebondir les scènes et les actes. Luc ne voudrait pas non plus croiser Eliane et Antoine. A moins que ceux-ci n'aient encore plus peur que lui de cette confrontation et ne se tiennent au guet, derrière les arbres, jusqu'à son départ. Combien de fois Luc, ainsi, est-il parti sur une mauvaise impression, laissant ceux qui l'aiment et qui l'entourent sur un pincement de cœur ou l'inquiétude de ne pas avoir dit ou fait ce qu'il eût fallu dire ou faire. Luc dit à voix haute « demain, j'aurai tout oublié ! » Mais il sait que ce n'est pas possible.

Il veut aussi rentrer à Paris, pour son boulot, profiter de l'été pour contrôler, vérifier, préparer le travail des autres, et se tenir dans ce bureau, dernier étage d'immeuble de verre avec vue panoramique sur le Sacré-Cœur d'un côté, le Panthéon et la tour Eiffel de l'autre. Il a besoin de se retrouver là, de pouvoir se dire qu'il est à l'œuvre pendant que les autres sont en vacances, alors que sa nature lui fait prendre vacance en lui-même, douze mois sur douze, occupé à ne pas comprendre ce qui le coupe de tout et de tous, avec pour seule expérience de fuite l'échec d'Anne-Marie. « Tu es incapable de jouir de ce que tu as quand tu l'as. Tu n'as que la capacité de souffrir de ce que tu n'as pas été ou de ce que tu n'as pas su être. Je t'embrasse et t'aime plus que jamais. Je veux vivre une autre vie. C'est tout. A.M. » Ce petit mot d'Anne-Marie, Luc le garde dans son portefeuille. Il le connaît par cœur, passion intacte, signe de retour possible.

Cécile bouge sur la photo. Chaque fois qu'Henri lève la voix, elle porte la main gauche à sa gorge, instinctivement, sans même s'en rendre compte, comme si on allait l'étrangler. Puis, dans un second temps, prenant conscience du geste, se sentant trahie dans sa peur, du même geste remet en place sa coiffure, à hauteur de nuque, de chaque côté de son visage, peur maquillée en une coquetterie qui ne lui ressemble pas. Sur la photo, Cécile a encore des cheveux. Ce geste la trahit, geste provoqué porté par la voix d'Henri.

Sur la photo, Pantalon I, Pantalon II ou Pantalon III, il y a toujours un caniche pour faire irruption avec sa laisse dans la gueule. Il veut aller faire le tour des marronniers de la place d'Antioche. Il bouge parce qu'il remue la queue ou parce qu'il fait tout beau. On lui donne un biscuit sec pour qu'il rende la laisse. Sur la photo, l'oncle Jean est toujours en train de se pencher, mais sur un carnet. Il prend des notes. Suzy, elle, ne tient pas en place. Sa robe la serre trop à la taille, comme les robes des poupées qui envahissent son lit, enfants de chiffon. Sur la photo, en décor de fond, il y a une ferme fortifiée, devant un étang. Au-dessus de la porte de la maison naïvement reproduite, tellement conforme à l'image que l'on se fait d'une maison de famille, on peut lire, sur la toile peinte, « qui vivis pacem para bellum ». Sur la photo, Sébastien fait la grimace parce qu'on ne l'a pas autorisé à mettre son costume à col marin. Bernadette ne veut pas poser. Elle trouve toujours un prétexte, un plat à surveiller ou quelqu'un qui vient de sonner à la porte, pour sortir du champ. Sur la photo, Bertrand tient délicatement une maquette de planeur dans ses mains. Il a peur de la briser. Claire dévore des yeux Sébastien. Sur la photo, Henri pose, au premier rang, tout comme il poserait volontiers au bas du perron d'un palais élyséen, un jour. C'est une des photos possibles. On n'attend plus que Ruth, Gérard, Romain et Anne-Marie. Anne-Marie ?

Luc ferme les yeux. Cette photo-là est prise. Mais ce n'est pas la bonne. Ce ne sera jamais la dernière. Il se lève. Il se sent courbatu. Il se revoit accompagnant la masse de béton, le faux dolmen, pourquoi ? Il s'entend répondre au reporter de télévision, mais témoigner de quoi ? Dès demain, du bureau, il donnera les coups de téléphone nécessaires pour que cette séquence ne soit pas diffusée. Dès demain, au bureau, il fera le compte de ceux qui lui écrivent pour le féliciter de sa promotion à la Légion d'honneur et surtout le compte de ceux qui n'écriront pas. Luc est un salaud et il le sait. Il sait aussi que les vrais salauds ne se reconnaissent jamais. Luc se lève, éteint la lumière de la pièce à vivre, et sort en direction du bois, des arbres, des mousses, des fougères. Il appelle « Eliane ? Antoine ? » Puis il se tait. Il veut voir. Il veut les surprendre.

Sur la photo, aussi, manque toujours un des quatre enfants. Ils se relaient, une fois l'un, une fois l'autre, chacun son tour, pour aller piller discrètement le portefeuille du père, parce que le père ne donne jamais d'argent de poche, parce que le père prétend que ses enfants n'ont besoin de rien. Et pendant que Luc, Sébastien, Claire ou Bertrand, sous prétexte d'aller aider Bernadette, d'aller chercher un vêtement, un livre ou qui sait quoi, passe par le bureau où Henri a laissé la serviette de cuir noir dans laquelle se trouve le portefeuille riche de billets et se sert, les trois autres entretiennent la conversation, disent des choses qui fâchent le père et le retiennent. Personne n'est dupe. Ni Bernadette ni l'oncle Jean qui connaît le scénario, ni Cécile ni Suzy, ni même Henri qui, pillé, se sent encore plus père.

Sur la photo, comme à un jeu d'enfant, chacun guette le « petit signe » qui donne le départ et, en attendant, chacun joue à la « statue », un, deux, trois, je me retourne, interdit de bouger. Si tu bouges, alors reviens à la ligne de départ, et ainsi de suite.

Sur la photo, chacun est face à la mort. Bertrand citait Bossuet, évêque de Condom, « qui ne vint jamais à Condom, qui n'a jamais dû passer par Moncrabeau, et qui pourtant a dit », geste du bras, le ton du sermon, « cette mort, en face, qui répand tant d'ombres de toutes parts sur ce que l'éclat du monde voulait colorer ». Tout le monde bouge sur la photo. Luc se met à courir dans le bois. Il s'arrête. Il ne doit pas se signaler. Il veut surprendre. Il veut voir. La lumière de la lune c'est encore trop de lumière.

Luc mesure son pas, veille à ne poser le pied que dans la mousse ou l'herbe, à ne surtout briser aucune branche ou brindille. Il avance, caressant le tronc des arbres, écartant les fougères, se créant un sentier. Il veut voir. Il sait qu'il est dans la bonne direction. Il sait qu'Antoine n'a pu entraîner Eliane que vers là où il se dirige. Le couple des autres éveille chez le tiers un instinct qui donne très exactement la direction, sens aigu de la topographie et des lieux où les amants se réfugient quand soi-même on erre.

Ils sont là, couchés, nus, l'un contre l'autre dans un lit de fougères arrachées à la hâte. Ils sont là, allongés, genoux contre genoux, face à face, se caressant mutuellement le front, se saisissant la nuque pour mieux s'embrasser. Leurs baisers sont brefs, furtifs, répétés. Ils s'observent les yeux grands ouverts. Autour d'Antoine et d'Eliane, des vêtements épars, et les sandales jetées un peu plus loin, sans doute du bout du pied. Un désordre dans le tableau. Luc retient sa respiration. Il se sent protégé par la fascination qui réunit ses deux amis, uniquement à s'observer, contact des genoux, et à échanger ces baisers répétés, du bout des lèvres, baisers étonnés, ravis, cachés. Luc est heureux de les voir ainsi employés au plaisir égal de leurs corps et à la surprise de leurs regards. C'est ça qu'il est venu voir. Souvent, au bureau, Luc reproche à Antoine sa servilité et son peu d'ambition. Antoine lui répond alors qu'il n'a besoin de rien d'autre que de ce qu'il a, fragile, et de le conserver « le plus de temps possible ». Luc sait en les voyant, là, côte à côte, peau brune d'Antoine et peau étonnamment blanche d'Eliane, peau qui prend plus encore la lumière de la lune, qu'à se moquer des bonheurs plus petits on ne peut que souffrir de ne jamais connaître ce grand bonheur qui obsède, conditionne, et qui n'existe que dans le malheur des ruptures, des silences, des fuites ou des malentendus.

Cette ferveur que les autres emploient à ne se dépasser que pour s'exprimer dans des vanités glorieuses. Luc ne fait que l'employer à s'égaler dans une absence héritée, regard fixe du père au premier rang de la photo. Mais Luc ne veut ni ne peut l'admettre. Et si Antoine lui répète « désormais, avec tout ce qui se passe dans le monde, il ne faut plus bouger », Luc préfère entendre cet aveu comme une démission, ou une lâcheté. Il ne veut pas de cette sagesse. C'est un fait d'orgueil. C'est aussi la leçon de l'oncle Jean, voyeur de la famille, qui, à trop parler de l'artiste qu'on ne reconnaissait pas en lui sans doute parce qu'il en était un vrai, avait fini par convaincre la nouvelle couvée de sa famille d'adoption qu'elle était de la « race des gladiateurs ». Même Henri, enfin nommé ministre, avait dit, sablant le champagne, à son beau-frère, devant Luc, sans Anne-Marie, Sébastien, sans Ruth, Claire, sans Gérard, en l'absence de Bertrand désormais à Moncrabeau et devant Cécile « mais moi aussi, je me suis battu ! » L'oncle Jean lui avait dit, comme d'habitude, « pourquoi mais ? »

Luc voudrait ne plus avoir ni à juger ni à se juger. Il voulait voir un couple possible, il l'a vu. Il veut partir. Mais au premier pas de recul, une brindille craque sous son pied et le signale. Eliane se redresse cachant sa poitrine. Antoine se lève brusquement. Luc prend la fuite, fou, vu, le sang à la tête. Jamais ils ne comprendront pourquoi il est venu. Et pour quelle émotion. Jamais.

Au premier étage de la maison, la lumière de la chambre d'amis est allumée. Christine, silhouette, se tient accoudée à la fenêtre. Luc, essoufflé, surgit des broussailles. Il s'est blessé le front à une branche basse. Il s'arrête net. La lampe plafonnière de la chambre, ampoule nue, l'éblouit. Luc cligne des yeux, tend une main devant son visage, paume tendue vers Christine, pour faire écran. Christine rentre, ferme la fenêtre, éteint la lumière. Luc se retourne. Du côté des arbres, aucun bruit et cette odeur de fougères, plus forte

encore, qui le poursuit. Il a vu et il a été vu. Il porte une main
à son front. Il saigne. En fuyant, il lui a semblé que les arbres
se plaçaient devant lui pour interrompre sa course. Il s'est
aussi blessé les mains, les genoux en tombant et se relevant,
titubant, affolé. Il ne s'était jamais vu, ainsi, tout entier proie
d'une peur, parce que pris en délit. C'était un autre,
brusquement fou. Les arbres semblaient vouloir arrêter en lui
le fuyard, comme dans un cauchemar. Luc arrache un pan de
sa chemise déchirée, se tamponne la blessure et, tête basse,
fonce vers la maison, traverse la pièce à vivre, se précipite
dans l'escalier, couloir du premier étage et ouvre violemment
la porte de la chambre. Christine lui dit « vous n'avez rien fait
de mal, Luc, rien ».

Dans la nuit de la chambre, Luc réunit ses vêtements. D'une
main, maladroitement, il jette le tout en vrac dans sa valise,
leur valise. Christine se débrouillera avec le peu d'affaires
qu'elle a emporté. Christine murmure « vous vous êtes
blessé ? » Le portefeuille, les papiers, les clés de la voiture, le
trousseau de la rue de Téhéran, la montre, un blouson et une
veste. Luc n'a rien oublié. Il sort dans le couloir, claque la
porte.

Sur la table, dans la pièce à vivre, il y a les jeux de cartes, trois
bols seulement et la cafetière. Tout autour de la table des
chaises en désordre. La maison, brusquement, a un parfum de
vie, braises dans la cheminée et senteurs du dehors. Luc sort.
La voiture est là. Il jette ses affaires dans le coffre et la valise
par-dessus. Il fait le tour, ouvre la portière avant, se place au
volant et démarre. Phares. Marche arrière. Il braque. Puis
marche avant. Devant lui, en bordure du chemin, Antoine et
Eliane. Antoine tient Eliane par la taille. Ils lui font tous deux
un petit geste d'adieu. La photo est floue. Il ne faut jamais
rien dire. Jamais.

15

José, assis par terre, contre la porte, bloque l'unique issue de la chambre. Les volets sont crochetés et la fenêtre fermée. Antonio, couché le long du mur, recroquevillé sur lui-même, les avant-bras repliés sur son visage, dort. En cas d'alerte, d'un geste de la main, José pourrait réveiller son frère. Bertrand est assis sur le rebord du lit, les coudes sur les genoux, les mains jointes, il regarde José. De temps en temps, mains à plat, paume contre paume, Bertrand tape dans ses mains comme s'il voulait rythmer une danse, donner la cadence à une ronde. Il veut rentrer dans la grande maison. Il ne comprend pas pourquoi on le retient. Il tape. José et Antonio ont reçu l'ordre paternel de ne pas laisser sortir « el Bertrand ! » et de le garder pour la nuit. Juan a dit à Lucio « demain on verra ce qu'on fera. Mañana es otro día ! » Demain, un autre jour, quel jour, autre vraiment ? José avait regardé son père, inquiet. Antonio venait de lui dire à l'oreille

« discute pas. Il a raison. On ne sait jamais ». Et pendant que Merced et Jeanne faisaient la vaisselle, silence nu de cette soirée, une fois n'est pas coutume la télévision n'était pas branchée, Juan et Lucio raccompagnèrent Léon et Mathilde au village, José et son frère rangeaient les plats, les verres, les couverts et Bertrand se tenait assis à sa place, à table, caressant le bois, du bout du doigt, dessinant des figures imaginaires, un rond pour un visage, un trait pour le nez, un trait pour la bouche, deux points pour les yeux, et d'un revers de main effaçait le tout, pour recommencer, autre visage ou même visage, comment savoir ?

Lucio est revenu en premier. Tous ont entendu le claquement du portail que Juan fermait, au-dehors, grincement des gonds, heurt de ferraille, jusqu'au cliquetis de la chaîne et du cadenas, bruit que José et Antonio avaient oublié depuis des années. Juan fermait le portail pour l'événement du jour, pourquoi et par quelle peur ? Lucio a retiré lui-même le tablier de Merced et lui a dit « viens, c'est trop veiller, Jeanne et les petits rangeront tout ». Et sans rien dire ni même saluer Bertrand, ils sont montés se coucher dans la chambre de José et d'Antonio, laissant à Bertrand leur chambre, pour une nuit.

Juan ensuite a fermé les volets de la pièce du bas. Bertrand l'observait. Juan évitait de croiser ce regard fixé sur lui. Jeanne rangea le reste du gâteau auquel, fourchette levée, Bertrand avait refusé de goûter. Merced avait essayé de l'aider, mais Bertrand lui avait fait signe de ne pas insister. Ce qui aurait pu être une fête, malgré tout, ne l'avait pas été. Tout était propre désormais, rangé. Jeanne se lava les mains et se les essuya à un torchon qu'elle suspendit à un fil au-dessus de l'évier. Juan fit signe à ses deux fils de lever Bertrand et de le conduire à la chambre « demain je

téléphonerai à monsieur Prouillan. Ça ne peut plus durer ».
Puis, faisant signe à Jeanne de passer devant lui dans
l'escalier, attendant que sa femme arrive au premier étage,
entre dans leur chambre et referme la porte, s'adressant à ses
fils, et aussi à Bertrand, mais sans tenir compte de lui, comme
s'il n'existait plus, Juan avait ajouté « à partir de maintenant,
c'est lui ou nous. Le vieux n'a qu'à le reprendre. Léon est
d'accord sur ce point. Vous comprenez ? » Antonio avait fait
signe que oui, puis José, imitant son frère, mais le père et les
deux fils s'étaient échangé un regard, devant Bertrand, regard
de doute, colère passagère de l'un, assentiment obligé des
deux autres, qui disait bien et clairement le contraire de ce qui
venait d'être affirmé. En fait, tout continuerait demain
comme l'avant-veille.

Adossé à la porte, assis, le menton sur les genoux, José sait
que Bertrand a compris ce que Juan a dit mais n'a pas vu ou lu
vraiment le regard échangé de père à fils, après. Bertrand,
confusément, n'a retenu que la menace. Sans doute parce que
Juan avait attendu que Jeanne ne soit plus là pour parler
devant ses enfants, sans doute aussi pour le bruit du portail,
de la chaîne, du cadenas, celui des volets que l'on ferme, et le
silence de la télévision éteinte, écran opaque qui ne montrait
plus rien. José regarde Bertrand « ce n'est pas vrai. Papa
plaisantait. Il ne dira rien à personne ». Et Bertrand, sur la
couverture du lit, se remet à dessiner des figures, un rond,
deux traits, deux points, un geste de la main pour effacer. Il
recommence comme tout à l'heure sur la table. José murmure
« à qui penses-tu ? » Bertrand continue à dessiner. « A qui ?
Tu peux me le dire. Je sais très bien que tu m'entends. C'est le
moment ou jamais, tu ne trouves pas ? »

Brusquement, Bertrand bondit du lit et se jette sur la porte
pour essayer de sortir. José a juste eu le temps de se lever et

de s'interposer, à bras-le-corps. Antonio, réveillé en sursaut, à genoux, comme au rugby, a saisi Bertrand à la taille et le retient aussi. Ils repoussent Bertrand et le plaquent sur le lit, José serrant les poignets et Antonio les pieds. José dit à Bertrand « t'es fou ! Tu vas réveiller tout le monde. Tu ne comprends pas ? Ils ne vont rien faire. Ils sont payés pour ça. Nous sommes payés pour ça, compris ? » Bertrand se débat, grogne, ouvre la bouche comme s'il voulait mordre. Plus il se débat plus les garçons le tiennent. Il se cambre, essaie de se dégager de droite, de gauche, par à-coups puis, brusquement, aussi brusquement qu'il a bondi du lit, soupire, comme une grande respiration, renonce et se calme, masse inerte. Antonio dit à son frère « ne le lâche pas. Il va recommencer ». José répond « je crois pas » puis « t'as vu, il a fait comme aux gosses, dans la clairière, la gueule ouverte ». Bertrand ferme les yeux. Il respire par la bouche. Sa blessure à l'arcade sourcilière se remet à saigner. José regarde son frère « qu'est-ce que je fais ? » « Laisse-le pisser tout son sang. » « Mais il va y en avoir sur le lit. » « Alors, laisse-moi faire. Va chercher une serviette. » Antonio se jette sur Bertrand, le chevauche et le plaque à hauteur de ceinture, attrape les poignets que José lâche du même geste. Tout est parfait, policier, presque marrant, pour eux deux, brusquement, comme dans un film vu et revu et pourtant ils sont là, avec un ordre. Bertrand doit rester là et il faut tout faire pour.

José revient, essuie la blessure de Bertrand. Antonio murmure à son frère « il entend rien, il voit rien et puis il entend tout, il voit tout ! Finalement je me demande si papa... » José flanque une main sur la bouche de son frère « tais-toi ! » Tous deux, agenouillés sur le lit, face à face, se regardent. José ôte sa main. Antonio lui dit « qu'est-ce qui te prend ? » « On va le rentrer. » « T'es fou ! » « Non. C'est pas chez lui, ici. Il veut rentrer. » « Mais... » « Il n'y a pas de

mais. C'est ce que tu penses. » José se penche sur la blessure
de Bertrand. Le sang ne coule plus. Bertrand ouvre les yeux.
José lui dit « on va te ramener. Mais jure-nous que tu ne
partiras pas ! » Antonio se penche aussi, prenant appui sur les
épaules de Bertrand. Bertrand, les yeux grands ouverts, les
observe, avec rien dans le regard, rien qu'un étonnement. Il
prend appui avec ses pieds sur le rebord du lit, se cambre de
nouveau. Antonio le chevauche plus fort encore, José lui
attrape les poignets « du calme. Laisse-nous faire ». José, le
premier, saute du lit, la serviette à la main « on sait jamais, si
ça se remet à couler » puis Antonio, et tous deux, debout,
attendent que Bertrand, calmé, se lève, seul et sans aide.
Bertrand hésite, bouche ouverte, l'air hébété. D'un geste
doux qui surprend Antonio, José caresse le front de Bertrand,
comme une invitation. Bertrand glisse du lit, se lève, titube et
se laisse emmener.

Dans l'escalier, José devant, Antonio derrière. Ils encadrent
Bertrand. Le doigt sur les lèvres, José fait signe de ne pas faire
de bruit. Bertrand fait courir sa main droite, à plat, sur le
mur, comme si ce contact lui donnait l'équilibre et la
direction. En bas de l'escalier, José ouvre la porte qui donne
sur la cour. Antonio dit à son frère « et si les chiens
aboyaient ? » « N'y pense pas. C'est le seul moyen. Tu
verras. » Mais, sitôt dans la cour, Bertrand leur échappe, se
précipite vers la grille, s'y cramponne, la secoue vainement,
s'y cogne le front. La plaie sourcilière se remet à saigner. Un
chien aboie, puis deux, puis trois. La lune est là. Antonio et
José arrachent Bertrand à la grille, le forcent à s'agenouiller
devant eux, lui tordant les bras. Ils ont peur. Ils guettent des
lumières au premier étage. « Je te l'avais dit » murmure
Antonio « fallait pas ! » José se penche vers Bertrand, visage
contre visage « ton père viendra pas ! Tu entends ? On va te
remettre chez toi. C'est ce que tu veux, non ? » Bertrand les

regarde et l'un et l'autre et fait un petit signe de tête pour dire vaguement oui. José se redresse et dit à son frère « tiens-le, je vais chercher des lanières au cas où il ferait le con ».

Antonio se retrouve seul avec Bertrand. Si Bertrand essaie de bouger, il lui tord encore plus fortement le bras, le contraint à baisser la tête. Et s'il essaie de tout son corps, contraction, élan, de se relever, c'est un coup de genou en plein visage ou un coup de pied au ventre qu'Antonio lui flanque. Antonio n'aime pas ce qui se passe à Moncrabeau et Antonio n'a jamais rêvé de nulle part ailleurs. Antonio aime les coups qu'il donne en cachette de son frère, de son père et de son grand-père. La cachette, et les coups, c'est tout. José amuse Antonio parce qu'il y croit, comme ça, dans le vide. Il croit à tout. Et il est capable d'aimer. Mais lui, Antonio, se dit que ça n'en vaut vraiment pas la peine. Et si, pour une fois, il n'est pas tenu, il tient et frappe. Bertrand geint. Antonio incité par les plaintes tape et cogne encore plus fort. José revient avec des lanières de cuir qui autrefois servaient aux chevaux. Antonio arrête. Il a frappé pour trois générations. Ça ne sert à rien. Il le sait. Mais ça fait du bien. José dit à son frère « qu'est-ce qui s'est passé ? » Antonio sourit « il bougeait, et puis il n'avait qu'à manger sa part de gâteau, comme tout le monde ».

Les garçons relèvent Bertrand, le ligotent, mains dans le dos, tout autour de la ceinture, serrent, le tiennent chacun à bout de lanière, le poussent de l'avant, l'obligent à marcher, le poussent plus fort encore et le forcent ainsi, sanglé, à courir vers la grande maison. Les chiens ont cessé d'aboyer. Un silence est retombé. La lune semble perchée, attentive. Bertrand trébuche, s'étale de tout son long sur le chemin, se relève sous les « oh ! » et les « ah ! » de José et d'Antonio. Forcé, il se remet à courir, tenu en laisse. Animal. José est

heureux parce qu'il rend Bertrand à son lieu. Et puis, c'est
amusant. Presque un jeu.

Merced, couchée sur le dos, dans le lit de José, a entendu des
bruits dans l'escalier et dans la cour, mais elle a préféré
n'alerter personne. Dans le lit d'Antonio, de l'autre côté de la
chambre, Lucio dort les poings serrés sur le ventre, la tête
tournée vers le mur. Merced ne se souvient pas d'une seule
nuit où ils auraient été séparés de lit. Elle ne trouvera pas le
sommeil. C'est la première fois.

Dans la chambre voisine, lit conjugal, Juan tourne le dos à
Jeanne. Et Jeanne sait que c'est mauvais signe. Recroquevillé
sur lui-même, les mains pelotonnées devant sa bouche comme
il le fait pour se réchauffer les doigts, les jours d'hiver, avant
de prendre une pelle, une scie ou une fourche, Juan a l'air
tout occupé à ce sommeil profond des jours de tourment qui
fait que, le matin, au premier regard échangé avec sa femme,
Jeanne se croit accusée, coupable. Elle a peur. Et si elle veut,
alors, d'un geste affectueux lui dire un bonjour, il la repousse.
Sitôt pris son café, il part pour travailler, sans rien dire et sans
regarder personne. Demain, Jeanne sait que Juan se réveil-
lera de cette humeur-là. Jeanne a compris que ses fils avaient
ramené Bertrand à la grande maison et c'est tant mieux.
Jeanne se souvient de sa mère qui ne lui disait jamais, en cas
de bêtise, « ça te servira de leçon » mais « ça te servira
d'impression ». Jeanne ne dormira pas. Juan lui tourne le dos.
C'est quoi, une impression ? Tellement plus qu'une leçon ?
Des chiens ont aboyé. La lune fait une drôle de lumière à
travers les volets.

José entre dans la grande maison. Il allume la lumière du
perron. Antonio pointe du doigt l'inscription sculptée au-
dessus de la porte et, prenant Bertrand par le bras, lui dit « tu

peux nous expliquer maintenant ce que ça veut dire, là-haut ? » « Laisse-le, Tonio. Il dira rien. Tout ce qu'il veut, c'est qu'on lui parle un peu. » José, jouant avec le bout de lanière, attire Bertrand vers lui, puis contre lui, dans le vestibule « t'es content, monsieur Bertrand ? » Bertrand à bout de souffle les regarde. José dit à son frère « fini les coups ! Ferme la porte ! Défais la longe ! Libère-le ! » « C'est toi qui décides maintenant ? » « Oui, c'est moi. »

Le premier salon a été vidé de ses meubles, ordre de madame Prouillan, parce que son fils risquait « de les abîmer en passant ». C'est une pièce vide dans laquelle résonnent les pas. Puis le petit salon, dégarni lui aussi, mais où règnent encore un secrétaire fermé à clé et deux fauteuils de cuir. Enfin une porte et le repaire de Bertrand, ancienne chambre et bibliothèque de ses parents. Sur un plateau, il y a le petit déjeuner apporté le matin par Jeanne. Plateau intact. Rien n'a été touché. Le lit n'est pas défait. José dit à Bertrand « te voilà de nouveau chez toi. Couche-toi. Nous ne partirons que lorsque tu seras couché et que tu dormiras ».

Bertrand fait quelques pas, porte une main à son front, se palpe le coude, le buste, les genoux, comme s'il faisait l'inventaire des coups reçus. Lentement, il se dirige vers la table à laquelle il se tient, jours ordinaires, depuis vingt ans, des heures entières à ne rien faire que dessiner et feuilleter des livres en écarquillant les yeux. Il ouvre le tiroir de la table, glisse une main dedans et, à tâtons, met du désordre dans ces crayons qu'il n'utilise que pour tracer des signes courbes, spirales, tourbillons, cyclones ou dédales carrés, qui ressemblent à des labyrinthes et auxquels le clan Lucio, de bonne garde, inspectant parfois le contenu des panières avant de les jeter, donne toutes sortes d'explications « c'est ce qu'il a dans la tête » « ce sont les caves de la grande maison » « c'est

Paris » « ce ne sont que des gribouillis ». Quand Jeanne va faire des courses à Lectoure ou à Saint-Pardom, elle rapporte souvent des crayons neufs, si possible gras, les seuls que Bertrand use vraiment. Et de temps à autre, en faisant le ménage, elle remplace la lame du taille-crayon. Dans le tiroir, il y a aussi des gommes, un stylo dont Bertrand ne se sert plus et une bouteille d'encre. L'encre, en séchant, a laissé, sur les parois, un dépôt, comme un tartre bleu, depuis le temps. Antonio se tient près de la porte. La grande maison l'intimide et le révolte, il ne veut pas faire la différence. Il a frappé, en cachette de José, parce qu'il voulait obtenir de Bertrand un mot, ne serait-ce qu'un vrai mot, autre chose qu'un de ces bruits de gorge qu'il entend depuis qu'il est petit et qui ne disent ni fureur ni satisfaction de quoi que ce soit. José s'est approché de la table. Au fond du tiroir, il y a une lettre dans une enveloppe, que Bertrand prend, et tend devant lui à l'aveuglette. Il y a aussi des photos. Bertrand les jette sur la table, de l'autre main, en vrac. José murmure « qu'est-ce que tu veux que je fasse ? »

Bertrand lui donne la lettre. D'un geste, main remontant de la gorge à la bouche, il lui demande de la lire à voix haute, et du même mouvement, main à plat, signe de calme, de la lire lentement.

La lettre dans les mains, José hésite, regarde son frère. Antonio hausse les épaules et va s'asseoir sur le rebord d'une chaise, à l'entrée de la salle de bains, comme en visite obligée. Juan dit toujours « chez eux, faut jamais s'asseoir vraiment ! » Bertrand ramasse une photo sur la table, la photo d'un homme dans une rue, qui éclate de rire en regardant l'objectif, photo en pied de quelqu'un qui marche et qu'un photographe surprend. José entrevoit la photo. Bertrand se dirige vers la fenêtre, l'ouvre à deux battants, reflet de lune sur l'étang, en contrebas, et ce petit vent de campagne qui souffle doucement, vallons, bosquets, prairies, vent de nuit, vent paisible porteur de cette odeur d'herbe drue qui cingle un peu et réveille les sens. Bertrand prend place dans le fauteuil, face à la fenêtre. Il tourne le dos à la chambre et à José qui lit l'enveloppe « monsieur Bertrand Prouillan, 2 place d'Antioche Paris 17e ». Antonio sourit dans son coin.

C'est une vieille lettre. L'enveloppe en a été palpée souvent et le papier, au toucher, fait penser à un buvard qui ne pourrait plus rien boire. C'est une longue lettre gonflée de feuilles pliées. Une lettre moelleuse. Comme disait Jeanne quand sa mère lui écrivait encore « une lettre qui a le cœur gros ». Bertrand tient la photo devant lui, très proche de son visage. José se dit qu'il ne voyait donc rien, ou si peu, dans la clairière du bois de bouleaux et qu'il n'entendait que vaguement les cris des enfants. José sait que si tout du corps de Bertrand fonctionne encore normalement, il lui manque quelque chose dans la tête qui le rend sourd, aveugle, et pourtant, les années passant, José parle et regarde Bertrand comme si Bertrand allait répondre et regarder, normalement. José s'approche du fauteuil. Debout, à voix claire, lentement, il lit.

« Rue Saint-Benoît, le 21 mars.
« Mon cher Bertrand. Voici un peu plus d'un an que nous nous connaissons. Voici quatorze mois que notre rencontre me tourmente. Voici que je ne trouverai pas les mots pour t'écrire quand tu les trouves, toi, pour m'adresser ces messages qui, tour à tour, me harcèlent, me fascinent, me font fuir ou me rapprochent de toi. Je souffre tout autant à les recevoir qu'à ne pas les trouver si je me surprends à les attendre, alors que je les crains... » José s'arrête de lire, s'assoit sur le rebord de la table et interroge Bertrand du regard. Bertrand pose la photo sur ses genoux, tourne

légèrement la tête vers José, esquisse un sourire. Antonio,
caché de Bertrand, pointe l'index de sa main gauche sur sa
tempe en vrillant du doigt, geste spontané adressé au fou ou à
la folie. José rougit. Bertrand attend. Il poursuit.

« ... Voici aussi que je me trouve dans une situation qu'il
m'est souvent arrivé de moquer par peur sans doute de la
vivre un jour et qui s'appelle " de l'amour ". Je n'écris pas
" l'amour " tout court, mais bien " de l'amour ", comme s'il
s'agissait d'une matière première essentielle, matière vivante,
nourriture, terre fertile, eau, air ou feu. Oui, Bertrand, je
romps le silence qui fait que depuis tant de mois je ne réponds
ni à tes lettres ni à tes messages ni même à ton élan, le brisant
obstinément, pour te dire, d'un seul coup, le seul coup
véritablement portant, donc important, tu vois, je t'imite, que
j'ai " de l'amour " pour toi et que je suis envahi. Parlons " de
l'amour ", si tu le veux bien, ici, au risque de faire sourire en
nous ceux que nous fûmes ou ceux que nous serons,
incapables, ou capables seulement de cet amour qui ressemble
à l'amour et qui n'est pas " de l'amour ". Toute lettre, hélas,
est un diagnostic. On attend d'elle, comme de toute poésie, de
tout théâtre, de tout roman, de toute musique ou de toute
peinture, une explication, par trop logique, de faits, ou une
absurdité hermétique à base d'impressions qui n'ont plus
aucune relation au vécu. Or, il n'y a de vécu que ce qui est
lancé vers l'autre. Je capitule. Voici que je lance à mon tour.
Je ne veux plus te savoir malheureux de ne plus pouvoir nous
réunir. Je ne veux plus de ce qui nous sépare, en moi, et de
ceux qui veulent nous séparer. J'ai rencontré ton père, hier.
Tout ce qu'il m'a dit entre dans la logique du diagnostic. Il
veut te sauver. Mais de quoi ? " De l'amour " ? De l'amour
qu'il n'a pas su vivre lui-même (en me parlant de ta mère,
il me disait " cette femme ") ou qui lui a été refusé de
fait, d'éducation, ou encore de mentalité collective, fous que

nous sommes devenus de ne même plus pouvoir vivre nos vies ? »

José pose le premier feuillet de la lettre sur la table, au milieu des photos. En vrac, toute une famille que José n'a jamais vue et dont Léon a dit, à la fin du dîner, au moment de se lever de table, conclusion « dès qu'on touche aux Prouillan, ça grouille là-dedans ! » Cette fois, pitrerie, Antonio pointe les deux index sur ses tempes, double geste, et tire la langue à José pour le faire rire. José fait semblant de ne pas le voir. Il ne comprend pas très bien la lettre qu'il lit, mais il la ressent fort, tout comme il ressentait fortement le regard buté de son père sur le chemin de retour d'Auzan. Juan, alors, semblait tout aussi heureux d'avoir retrouvé le fuyard, sans drame provoquer, que furieux d'avoir de nouveau à le traîner, à le garder. Second feuillet.

« Je n'aime pas le mot de répression, mon petit tibi, mais force est d'admettre que ce qui eût pu être une rencontre en lisière de chacune de nos vies est devenu, par la présence de ton père, son type d'affection, une histoire de détournement, de police, de détective, bref une histoire de mœurs qui dénature ton élan, volonté d'être reçu, et ma méfiance, qualité première " de l'amour " quand on va recevoir. J'ai essayé, hier, d'expliquer à ton père que la demande provocante émanait tout autant de toi que de moi, qu'on était toujours détourné par l'autre, que la majorité était affaire uniquement de sensualité, et qu'il valait peut-être mieux que tu t'accomplisses avec moi que de te perdre avec dix ou cent. Il n'a entendu là que manières et raisonnements de principe pour le tromper. Cette cause n'a pas été écoutée. Je doute fort qu'elle le soit jamais vraiment, même si un jour on essaie de la défendre ouvertement. Nous serons toujours en marge parce que nous tenons à notre marge. Notre identité est avant tout dans le masque, l'interdit, et la nuit. Nous serons toujours réprimés car nous nous réprimons. Et à t'écrire ainsi, à traiter de nous deux, je me sens ridicule. Tout cela résonne comme si je parlais de nous tous et d'un à venir, hommage à toi, s'il y en a un. Nous serons toujours des interdits de séjour. Nous nous interdisons le séjour. Tu peux me traiter d'hésité. J'ai, d'avance sur toi, treize ans d'espoirs déçus, les seuls dignes de ce nom. Et cela ne peut plus durer. Je n'hésiterai pas, tout à l'heure, à me jeter, comme je t'écris. C'est le même plongeon. Je m'attendais à tout sauf à toi. Je me croyais cuirassé et tu m'as investi, petit malpropre qui es venu salir ma porte. »

La photo glisse des mains de Bertrand et tombe par terre. Bertrand pose les mains sur ses genoux, se tient droit dans le fauteuil, ferme les yeux. Antonio s'assoit carrément sur sa chaise, jambes croisées. José pose précautionneusement le second feuillet de la lettre, sur la table. Poursuite de la lecture.

« J'ai dit ensuite à ton père tout ce qu'il ne fallait pas lui dire, la réalité de ma vie, l'écart, " de l'amour " écarté ; " de l'amour " qui s'écarte et ce qui fait que, depuis que je suis armé de mon corps, capable tant de jouir que de m'émouvoir, je n'ai jamais pu sauvegarder la durée d'un rapport avec qui que ce soit, aimé de moi, de mon sexe. A chaque fois, couple qui se formait, nous devenions cible. Et si, dans le jeu des intrigues caractéristiques de notre milieu, nous ne l'étions pas ou plus, alors nous agissions volontairement ou malgré nous comme si nous étions visés. En cela, et cette fois hommage à tes images, j'ai toujours sacrifié au principe des adieux. Tu as raison. Mais on n'a pas le droit de savoir ces choses-là à ton âge. Ce savoir-là de l'échec amoureux, réussi puisqu'il y eut tentative, est un outrage aux idées tenaces que l'on se fait " de l'amour ". Tant d'ennemis, alors, montrent leur visage. Quand tu as fait irruption dans ma vie je venais, illusion, de renoncer à toute attente. Je voulais n'attendre plus personne et tu es arrivé. Par le théâtre et ma première pièce jouée, enfin, je pensais pouvoir, représentation de mon texte, échapper à ma propre vie et au souvenir de Richard, Serge, Christian et Claude-Henri, quatre prénoms qui cachent. quatre histoires dont je me demande pourquoi la mémoire ne retient que les fins douloureuses, curieusement identiques, jamais les instants de plénitude et de partage. Et c'est dans le théâtre où je me réfugiais que je t'ai rencontré. Le troisième regard, je l'ai gardé pour moi. Je me suis dit tout de suite que tu étais celui qui me pousserait dans le vide, une fois pour toutes. Les chats de gouttière ne retombent pas toujours sur leurs pattes. Ils s'en tirent du troisième et du quatrième, jamais du cinquième étage. Je le tiens d'une concierge qui les aime bien. Du jour où je t'ai rencontré, Bertrand, je ne me souviens pas d'avoir écouté d'autre langage que celui de ma peur de te revoir et de te laisser entrer dans ma vie. Comment disais-tu dans la seconde lettre de Moncrabeau ? Inutile de vous dire que je vous aime, alors je vous adore. »

Troisième et dernier feuillet de la lettre. José s'agenouille près du fauteuil. Il veut voir Bertrand de plus près et qui sait l'entendre dire autre chose que « merci » « c'est bien » ou « à demain ». José lit.

« Adieu donc. Et salut à ton père. Rien de plus triste qu'un orgueilleux qui n'a pas d'ambition et rien de plus dangereux qu'un orgueilleux quand il devient ambitieux. Méfie-toi de lui. Il saura te convaincre du pire. Il reviendra toujours quand tu t'y attendras le moins et surtout, violence, quand tu t'y attendras le plus. De retour de cette confrontation avec lui, hier, il m'a montré des preuves disait-il " accablantes " de

toutes nos rencontres et même une photo de moi, prise dans la
rue à mon insu, j'ai voulu, ici, faire un feu de bois dans la
cheminée. J'ai mis du journal et des bouts de cageot sous la
bûche qui était là depuis longtemps, pour le décor. Tout a
flambé si fort que j'ai cru à un incendie. Je voulais un feu pour
me réchauffer les mains, un feu à regarder, un feu pour
réfléchir à toi, et je mettais le feu à la maison ? J'ai rempli
d'eau un bac et, comme je l'avais entendu dire, j'ai versé
lentement pour que la vapeur monte et éteigne, petit à petit.
J'ai jeté de l'eau sur du feu. Acte simple. Je pensais à toi. Bien
sûr, il n'y eut pas d'incendie. J'ai dû éponger une flaque de
cendres qui se répandait sur le parquet. J'étais encore inquiet.
Tout avait flambé si fort. Je n'avais jamais entendu autant de
bruits de sirènes boulevard Saint-Germain, rue Bonaparte et
rue Jacob, tout autour. Alors je me suis posté à la fenêtre. Un
feu de cheminée c'est comme un petit volcan qui crache sur un
toit. Je guettais le panache. Il n'y avait rien. Les sirènes,
c'était pour d'autres adieux. De la fenêtre, j'ai regardé la rue,
le trottoir, les passants. Cette maison n'est rien si tu n'y viens
plus chercher ce que tu as placé en moi. Je préfère partir. Je
préfère partir sur une vision de toi, couché, un certain matin,
le seul vraiment. Si je relis cette lettre, je sais que je ne
sauterai pas. J'arrête. Vite l'enveloppe. Dis à ton père que ce
n'est plus la peine d'aimer comme il aime. Dis-lui aussi que ce
n'est plus la peine de porter plainte. Je viens de rédiger
l'enveloppe et de coller le timbre. Cette lettre, qui la
postera ? Je choisis le silence. Respecte-le. Il y a " de
l'amour " dans l'air, je vais essayer de l'attraper. A tout de
suite, petit rongeur. Il faut bien que je te fasse sortir de moi.
Romain Leval, décédé. Pas hésité. »

José ramasse la photo et la tend à Bertrand « c'est lui ? »
Bertrand la prend, se lève, ferme la fenêtre, pose la photo sur
la table, gestes lents qui se veulent précis. Il tremble. José,

debout, lui tend le dernier feuillet de la lettre. Antonio s'est approché « pourquoi ils gardent tout, ces gens-là ? » José fait signe à son frère de se taire. Bertrand remet les photos et la lettre, en vrac, dans le tiroir. Il regarde les garçons et leur dit « merci » puis « beaucoup » et « à demain ».

16

« Tu veux prendre une douche froide ? » Suzy, assise sur le
rebord de son lit, retire ses chaussures « chaque fois que j'en
porte des neuves, je ne pense qu'à elles. J'ai l'impression
qu'elles m'entraînent là où je ne devrais pas aller ». Suzy
regarde ses pieds, à plat sur la descente de lit, les remue, se les
frotte « je ne suis plus faite pour les talons. Mais je l'ai fait
pour toi, Henri tu m'écoutes ? » Henri est resté dans le salon.
Silence. Suzy se souvient des soirs, tard, après un souper, une
fête ou un spectacle, quand Jean se tenait au salon, un long
temps, à mi-chemin de son bureau et de leur chambre. Lui
aussi se taisait, l'écoutait parler de tout et de rien, « de tout et
de tout » disait-il en regagnant la chambre, s'il venait de noter
une remarque, il était heureux, « de rien et de rien »
avouait-il, penaud, si Suzy n'avait rien dit que d'ordinaire.
C'était un peu jouer à *Cache-cache,* autre titre d'une pièce de

Jean Martin qui eut du succès à Broadway. « Un succès imprévisible » disait Jean, pour tout de suite préciser « pléonasme ! »

« Riquet ? Je me suis juchée pour toi, pour être à la hauteur qu'on te prête pour pouvoir te craindre ! J'aurais tant voulu aller à l'Elysée, avec toi, une fois. Tout dans l'absence du regard. Un début de révérence. Toucher la main des présidents. Glisser sur le parquet des salons comme un " cygne sur un étang glacé ". Une image de qui ? Devine. De Bertrand ! Le soir du bal des dix-huit ans de Claire ! Tout le monde s'est ennuyé ce soir-là. On ne pouvait même pas se réfugier à la cuisine, les tapis roulés bouchaient la moitié du passage. Les chambres, n'en parlons pas, les meubles du salon y étaient entreposés. Le buffet de chez Berthier fils ? Toujours le même, petits fours *ad vitam aeternam.* La baignoire de ta salle de bains était pleine de sacs de glaçons. Pour une fois, les Glacières réunies s'étaient arrêtées chez toi. Tout le monde est parti très tôt. Il a fallu faire fondre tout ça, pour que tu puisses prendre un bain que tu exigeais justement parce que la baignoire était pleine. Ça ne fond pas si facilement que ça, la glace des glaçons. Quand il n'y en eut plus, l'eau chaude coulait froide. Tu étais fâché. Tu étais drôle quand tu te fâchais. Tu es anodin quand tu te fâches, désormais. Tu as perdu ce petit brin de terreur qui faisait que tu régnais sans savoir aimer. J'y pense parce que, ce soir-là, j'avais aussi des chaussures neuves, payées cash, pas comme celles-ci. Je me demandais ce que je faisais chez toi. Nous nous le demandions tous, d'abord, jeunes gens, jeunes filles, qui se disaient entre eux " tu les connais ? " " Non. Ce sont les enfants d'amis des parents. " " Pourquoi ont-ils tout retiré ? " " Pour qu'on puisse danser ! " " Mais personne ne danse. " " On ne peut pas danser quand on ne se connaît pas. " Quelle idée, Henri, d'avoir choisi cet orchestre qui ne jouait que des valses, des tangos et, suprême audace, des tcha tcha tchas ? On ne crée pas la fête. Elle se crée d'elle-même. Claire se sentait mal à l'aise dans cette robe longue, taillée dans une robe de Cécile. On avait simplement rajusté les bretelles et acheté un ruban de soie blanche pour la ceinture, pour faire mode. Claire, ce soir-là, n'a dansé qu'avec ses frères. Elle ne fut heureuse qu'à ces moments-là, peut-être parce qu'ils riaient de ce qui se passait. Cécile et toi vous teniez dans l'entrée, à saluer qui arrivait, à vous inquiéter de qui partait si vite, et à attendre encore qui n'arriverait plus. C'était le bal forcé. Pantalon n'arrêtait pas d'aboyer dans la chambre du fond parce qu'on l'avait enfermé. Ce ne fut beau vraiment que quand il n'y eut plus personne que nous, un ami de Luc, Antoine je crois, et deux copains de Sébastien, en uniforme de la marine. L'orchestre jouait encore. C'est Jean qui leur a demandé d'arrêter. Et quand Pantalon, libéré, a fait son entrée dans le salon, il a glissé de toutes ses pattes " comme un cygne noir sur un étang glacé ". C'est le seul moment où nous avons ri, ce soir-là. Et pour rire encore de bon cœur, Bertrand a fait valser Cécile, sans musique. Les musiciens buvaient une coupe de champagne. Sébastien a invité Bernadette. Luc m'a invitée. Nous dansions. Et comme Jean te suggérait d'inviter Claire, honneur au père, tu lui as répondu « non, toi ! Moi je ne danse pas ». Ça ne te rappelle pas une pièce de Jean ? Elle n'a pas eu de succès, mais tu l'as vue. Nous étions ensemble, dans la même loge. Tu n'as pas bronché, à la fin, quand tout le monde dansait sur pas de musique et quand le père refusait d'inviter sa fille en disant très exactement, très exactement, ce que tu avais dit, dans la vie. »

Silence dans le salon. Suzy se lève, place les chaussures dans leur boîte, les plie dans le papier soie « je ne les remettrai peut-être jamais » elle sourit « ou alors pour la générale de *La*

Mainmorte ». Elle rit « c'était très beau, chez toi, ce soir-là, mais seulement vu du dehors, de la place d'Antioche. Tout était allumé. La façade ! Il y avait un gendarme devant la grille et un vestiaire en bas de l'escalier. Ne me laisse pas parler, Henri, ne me laisse pas seule dans ma chambre. Viens. Ou bien rentre chez toi ».

Henri apparaît dans l'embrasure de la porte « comment peux-tu te souvenir de tous ces détails ? » Suzy, d'un geste, défait la ceinture de sa robe « je ne veux plus te donner la réplique. Jean nous a joué un trop bon tour en nous observant quand tu n'observais rien ». Suzy retire sa robe et la pose à plat, délicatement, en travers du lit, comme un costume de théâtre. Elle remet en place les plis, vérifie s'il n'y a pas de taches et caresse la rose en tissu. D'un geste elle se décoiffe et d'un autre geste, sans gêne, ôte son panty-collant, se retrouve en soutien-gorge, face à son frère, qui n'ose pas entrer vraiment dans la chambre, qui n'ose pas non plus rentrer chez lui, qui redoute ce qui se dit et qui ne peut pas ne pas succomber au plaisir curieux de vivre la scène du jour jusqu'au bout plutôt que de se retrouver à se la jouer avec lui-même, soliloque de la place d'Antioche.

Suzy le regarde « dans la rue, en me raccompagnant ici, j'ai cru que tu allais parler enfin, dire les mots qu'il faut comme si cela était possible. Et cela ne l'est pas. Tu ramènes tout à des reproches. Tu penses n'avoir rien à te reprocher ». Elle défait son soutien-gorge « je n'ai pas peur de l'eau froide, je reviens ». Elle disparaît dans la salle de bains, laissant Henri planté, surpris d'avoir vu sa sœur nue, vieille et nue, vieillie comme lui. A la tête du lit, petites et grandes, en chiffon, en porcelaine ou en celluloïd, il y a cette multitude de poupées que Suzy remet en place chaque matin quand elle refait son lit. Il y en a même une qui date de Moncrabeau du temps où

Suzanne, petite fille, promenait ses bébés dans un landau miniature. « Je vais » disait-elle « les faire respirer. Elles ont besoin de bon air. » Parmi les poupées, quelques animaux en peluche, un singe, un lapin, une girafe, un lion, toute une ménagerie de fétiches tournée vers le visiteur, public attentif au regard fixe. Le temps peut passer, ils sont toujours là au rendez-vous. A la tête du lit.

Suzy lance de la salle de bains « si tu restes dans la chambre, éteins la lumière du salon ! » Elle rit. Bruit d'eau, fracas dans la baignoire, autre éclat de voix, comme pour se donner du courage, cri peureux et ravi, elle se douche. Henri s'assoit sur le rebord du lit. Les poupées l'observent, se dit-il, « sans rien penser ». Il connaît ce regard collectif. C'est celui des conseils d'administration, des séances de l'Académie ou du Conseil économique quand il siège, encore, à écouter dans le présent des décisions à prendre, ce qui est pris, décidé d'avance, sans jamais aucun rebondissement, écart de toutes les initiatives véritables, passé qui rebondit. Poupées et animaux en peluche, c'est un peu comme si toute la famille était là, famille humaine qui aurait capitulé devant le père, famille sans regard lisible et qui se tourne vers lui, Henri, plus même pour interroger mais simplement rester en place.

Sur un mur, dans une rue, un jour, Henri a lu cette inscription « beaucoup tombent en amour ». Si sa première réaction fut celle de l'amusement du saugrenu de la formule, sa seconde avait été de poursuivre son chemin de piéton en faisant semblant de n'avoir rien vu ni lu et en vérifiant si nul ne l'avait surpris en train de lire. Le mot « amour » d'abord l'avait comme effrayé tant on ne veut pas le voir ainsi, en grand, écrit dans la rue et livré à tous comme un appel. Dans la formule il y avait également le verbe « tomber » qui fâche fort ceux qui, à ne pas se poser la question de l'amour, se croient debout en route, debout pour rien et route vide. Le verbe tomber avait enfin, charnière entre lui et amour, ce « en » comme on entre en religion ou comme on entre en guerre. Restait le « beaucoup », inhabituel, multitude, placé là pour frapper encore plus nettement, coup franc, quand spontanément le conformiste eût choisi un « nombreux sont ceux qui » ou un évasif « plusieurs ». Non, Henri avait bien lu « beaucoup tombent en amour ». Et il avait réagi, devant l'inscription, comme un fuyard pour, le lendemain, entre deux rendez-vous, revenir, coupable du crime de lecture, et passer sur le trottoir d'en face afin de vérifier s'il s'agissait bien d'une inscription réelle et non rêvée. Elle était là. Posté de l'autre côté de la rue, Henri pouvait lire et relire. C'était peu de temps après la mort de Cécile. Henri ne se sentait de deuil qu'en ceci qu'il donnait brusquement, et pour un rien, une extraordinaire importance à de petits détails comme si ceux-là, messages, s'étaient mis à se multiplier, le tirailler et le solliciter continuellement. Le troisième jour, obstiné, il était revenu lire l'inscription mais le mur avait été nettoyé. Si on s'approchait un peu, l'encre acrylique avait laissé une trace à fleur de pierre, trace légèrement plus claire, comme si les mots écrits en grand sur le mur de cet immeuble de la rue de Grenelle avaient bu la patine et la crasse des ans. Henri, troisième confrontation, s'était senti abandonné au message, tout de front heureux de ne plus le voir clairement jeté, narguant les passants qui comme lui ne veulent que passer, et inquiet de s'en estimer le messager. Avait-il été le seul à remarquer et à comprendre un peu ? Henri défait le nœud de sa cravate et le bouton du col de sa chemise. Suzy crie de la salle de bains « tu ne dis rien ? »

Comprendre, tout comprendre. Devant les poupées et les animaux en peluche, près de la robe étalée, assis, les mains sur les genoux, au rebord et au bout du lit, face à la coiffeuse

couronnée de cartes d'invitation, Henri revoit l'inscription et
se dit qu'un instant dans une vie peut-être suffit à penser
d'une part, satisfaction, qu'on est malgré tout armé de
conscience, et d'autre part, défense, qu'on a frôlé le pire.
Capacité de ressentir et de vouloir partager. Luc peut bien
sourire en aîné, Sébastien peut fuir, Claire se taire et Bertrand
demeurer là où on l'a mis, pour eux aussi, comprendre c'est
refuser le partage, c'est déjà ne plus ressentir. Jean pouvait se
moquer, Suzy peut toujours attaquer, Henri se dit que tomber
en amour, c'est comme la tombée de la nuit, rien qu'un
moment où l'on risque de se retrouver seul et à tâtons, sans
plus aucun point de repère pour continuer la route. Henri
s'est voulu et se veut arrêté. Henri sait que tomber en amour
c'est le heurt et non la chute, le chemin et si peu le ravin. Mais
jamais il ne l'admettra. Et ceux qui tombent se cachent.
Même Cécile.

Elle se cachait ce jour-là, il y a, il y a ? C'est démission que de
compter le temps. Tout est présent, si l'on écoute. Tout est du
jour qui se déroule, passage, surveillance d'un lendemain
conforme pour celui-ci, vainqueur, qui perdra, ou désir de
jours futurs d'une autre nature pour celui-là, vaincu, qui
gagnera. Cécile se cachait ce jour-là. Ils étaient tous deux, en
visite, au bord des chutes du Niagara, comme deux amoureux,
peureux de leurs vingt ans de mariage. Henri vient de
calculer, malgré lui. C'était l'année de cet anniversaire-là. Luc
allait entrer en math spé, Sébastien venait d'être reçu à math
élem, Claire allait passer son premier bac et Bertrand lisait
trop. Bernadette était obligée de l'appeler plusieurs fois pour
les repas et souvent il portait son livre à table pour ne pas,
disait-il, « rompre avec lui ». Cécile, ce jour-là !

C'était un après-midi de la fin d'un mois d'octobre, une de ces
brèves journées de l'été des Indiens, qui, là-bas, au Canada,
fait couler un air chaud qui étonne, alors que déjà l'hiver

s'annonçait. Un congrès, mais lequel et pourquoi, avait conduit Henri en mission officielle. Une fois n'est pas coutume, Cécile l'avait accompagné quand, pendant des années, elle avait refusé tous les voyages pour rester à la maison, avec les enfants. Peut-être aussi parce que Henri ne souhaitait pas vraiment qu'elle le suive dans de pareilles manifestations, le voie et l'entende dans l'exercice du pouvoir absurde qui le conduisait à représenter pour rien. Pendant les quelques jours du congrès, on avait distrait les dames en leur montrant Montréal et ses environs. Mais après le déjeuner de clôture, ils avaient pris l'avion pour Toronto. Le lendemain, ils frétaient une voiture pour se rendre au lieu des chutes. Cette escapade amusait Henri. Il avait répété plusieurs fois que « ça n'en valait pas la peine », que le lieu était « saccagé et touristique », mais il ne voulait pas « regretter de ne pas y être allé ». Ainsi, tous deux, s'étaient-ils retrouvés sur la banquette arrière d'une Packard, à guetter le paysage ensoleillé et les arbres d'un automne surpris, feuilles jaunes, rouges, et par endroits, au lointain, bleutées. Cécile ne disait rien. Elle regardait. Encore une fois Henri l'obligeait. Il y avait dans le silence de son épouse une inquiétude, une interrogation ou un appel. Depuis très longtemps, peut-être même depuis leur mariage, ils ne s'étaient pas trouvés seuls, ainsi, tête à tête, en plein jour et en voyage. Henri, saisi de doute, n'avait plus osé parler. Cécile le tenait en ne disant rien. Elle était émerveillée. Et au doute d'Henri succéda l'admiration, comme un désir de première rencontre. Cécile était belle. Henri ne s'en était jamais vraiment rendu compte. Cécile était beaucoup plus belle que Jacqueline et les autres. Cécile avait un regard, un regard pour lui et lui seulement. Henri prit la main de Cécile, la caressa, l'embrassa furtivement. Le chauffeur les surveillait, peur du rétroviseur. Cécile ne broncha pas. Ce n'était ni trop tard ni trop tôt.

Henri s'allonge à côté de la robe, sous le regard des poupées. Il observe le plafond, ferme les yeux, porte la main gauche à son front comme s'il voulait chasser une image de sa mémoire. La position est inconfortable. Il s'est allongé, genoux pliés, et garde les pieds par terre. Il ne faut pas salir le couvre-lit quand on est chaussé, instinct d'éducation. Dans sa baignoire, debout, nue, Suzy laisse couler l'eau froide. Elle tend la main, se mouille les doigts. Elle n'ose pas. Il faut qu'elle prenne une autre respiration. Henri sait, au fracas de l'eau, que sa sœur ne se douche pas encore. Elle hésite mais, bravade, elle le fera.

L'image revient. Henri se revoit, descendant de la Packard. Le chauffeur a ouvert la portière. Henri tend la main à Cécile. Cécile lui adresse un sourire sans lassitude ni tendresse, vague sourire de compagnie. Pour sortir de la voiture, elle n'a pas répondu au geste de son mari. Henri est resté la main en l'air. Il n'a pas aimé que le chauffeur le remarque. Ils avaient deux heures devant eux. Les chutes étaient là. Cécile se mit à devancer Henri, serrée à la taille dans un imperméable gris, une écharpe de soie nouée autour du cou, coiffée de ce bonnet de feutrine rouge vif, unique chapeau qu'il lui connut jamais et dont elle commandait, de deux ans en deux ans, le même modèle, elle aussi chez Berteil. La mémoire tisse et trame, continuellement à l'ouvrage du jour, un seul jour, le même jour, si l'on s'interroge.

Et plus ils s'approchaient des chutes, plus l'air brassé, baigné de soleil, portait en tourbillons ces infimes gouttelettes en suspens qui leur mouillaient le visage. Très vite Henri eut une goutte au bout du nez qui le chatouilla. Le fleuve Niagara, immense et large torrent, semblait couler vers eux entre les rochers, écume, ressacs, pour brusquement prendre un virage à angle droit et plonger, se précipiter dans un vide, écran de

quelques centaines de mètres, d'une hauteur impression-
nante. Il y avait tout autour des parkings, des hôtels, des
tours, un mirador en béton. Il y avait même un aquarium et
un musée de cire, Wax Museum, tout ce qu'Henri craignait et
avait moqué d'avance. Mais Cécile, devant lui, occupée au
seul spectacle des chutes, l'entraînait. Longtemps elle se tint
contre la barrière, à l'endroit de la terrasse le plus avancé, le
plus en bordure et au niveau du fleuve, là où l'eau, claire,
forcenée, brusquement chute, blanchie, cassée par le vide. Un
arc-en-ciel, jeu des rayons de soleil, se tendait, planté, parfait,
au-dessus du bassin, en contrebas. Un arc-en-ciel fixe,
immuable. La force du fleuve à se jeter sur tant de largeur et
de si haut, avec une telle fureur, rendait impossible la crainte
de le voir s'effacer et disparaître. Il y avait quelque chose de
constant dans ce jeu de lumières, soleil, buée, halo bouillon-
nant et glacé, crépitement, bruit assourdissant de l'eau qui
devenait une douceur parce que continu, continuellement la
chute, si peu une colère de la nature, un incident ou un
déchirement, mais un pouvoir sans cesse renouvelé, le
pouvoir de se jeter. Henri n'osait plus s'approcher de Cécile.
Cécile, fascinée, regardait, se penchait même un peu,
légèrement, comme si elle voulait oublier la présence de la
barrière et faire abstraction de tout.

Henri, les poings dans les poches de son manteau, attendait
que Cécile se retourne. Il se tenait légèrement à l'écart. Il
avait besoin, lui, du sentiment de la barrière. Il se prit à
penser que cette eau avait coulé longtemps avant eux,
coulerait longtemps après eux, et que le spectacle organisé des
alentours, les millions de visiteurs, les hordes de jeunes
mariés, les calculs d'érosion faits par les géologues n'étaient
rien en regard de la leçon du fleuve et du vécu des vies. Cécile
tardait à se retourner. Il eut peur qu'elle ne se jette elle aussi.
Il fit trois pas, saisit Cécile par le bras « ne reste pas là ».

Un moment elle s'était tenue contre lui, comme si elle allait l'embrasser. Henri se souvient du contact de l'imperméable mouillé, du visage embué de Cécile et du sourire net, éclat premier, qui déchira les lèvres de sa femme. Il n'avait jamais su l'aimer, par peur sans doute de s'attacher. Elle était vive, secrète, prête à tout livrer de son secret. En cela il avait puisé la force de l'indifférence, frayeur de n'avoir que moins, ou si peu, à lui offrir en partage. Un bref instant, regard croisé, Henri comprit que Cécile savait tout de lui, ne lui reprocherait jamais rien et sauvegardait, en elle, ce peu de curiosité, ce petit rien en éveil, qui la distinguerait et la nommerait toujours unique, meilleure. Henri se sentit doublement abandonné, devancé et confondu.

Il aurait voulu lui dire « attends-moi », « explique-moi » ou encore « parle-moi » mais de nouveau elle longeait la barrière, cette fois en surplomb du bassin. Des mouettes, en aval des chutes, à cette limite où l'eau redevient claire, guettaient les poissons soulevés par les remous, repas, festin, tournoiement de ces oiseaux eux aussi couleur de buée et d'écume. Cécile mit une pièce de 25 cents dans un appareil « Magic Vision ». Les yeux collés à cette boîte de métal, elle la fit pivoter vers le bas, les mouettes, puis vers le rideau des chutes, image grise et uniforme, et vers le haut, frange du ciel, pour enfin chercher la base de l'arc-en-ciel et, lentement, penchée, déhanchée, en dessiner le demi-cercle. Elle fit signe à Henri de prendre sa place « c'est beau, tu sais ». Henri n'osa pas. Elle lui dit « tu te refuses toujours tout » et elle se dirigea vers le pavillon du « Scenic Tunnel ».

Henri la suivit pour ne pas la perdre. Il s'essuya encore une fois le bout du nez. Le col de sa chemise était tout mouillé, comme un collier. Au guichet, Cécile paya les entrées. Ils descendirent deux étages à pied et se retrouvèrent au vestiaire où on les habilla de bottes et de cirés noirs. On les coiffa aussi de suroîts à larges rebords, qu'il fallait nouer sous le menton. Et tous deux, comme déguisés pour une tempête, attendirent que l'ascenseur remonte. Henri avait froid. Cécile le prit par la main. Les portes de l'ascenseur s'ouvrirent. Un groupe d'hommes ou de femmes, tous identiques dans cette tenue de deuil, luisante, sortit en silence. Ce fut au tour d'Henri et de Cécile de descendre. Il n'y avait qu'eux deux. Le liftier attendit d'autres clients mais il n'en vint aucun. Les portes se refermèrent. Un vent sifflait dans la cage d'ascenseur qui se heurtait au métal. Sitôt livrés en bas, l'ascenseur remonta. Henri et Cécile se retrouvèrent seuls au bout d'un couloir de béton, en pente, lumière électrique, murs blancs, suintants, sol mouillé. Ils étaient dans le roc des chutes. De sourdes vibrations se propageaient dans leurs corps. Henri cria « n'y allons pas ». Cécile lui lâcha la main, et seule, maladroite dans ses bottes, se dirigea vers le fond du couloir. Une première pancarte, à gauche, signalait « the terrace » puis une seconde, tout au bout, « the balcony ». Là, au coin, elle attendit qu'Henri la rejoigne.

Le second couloir, à gauche, conduisait à un trou, creusé dans le roc, balcon donnant sur l'envers de la chute. On ne voyait que l'eau tomber, fracassante, puissante. On la voyait du dedans. Henri trouva le spectacle inutile, inquiétant, dange-reux. Il n'y avait encore qu'une barrière et surtout une pancarte que Cécile observa un temps, sur laquelle on pouvait lire « Please do not climb over », « S'il vous plaît, ne sautez pas de l'autre côté ». Henri se dit qu'en France, en pareil lieu, on eût mis un grillage, des pare-fous partout. Cécile recula d'elle-même et, à la hauteur d'Henri, se tourna vers lui. Elle voulait sourire mais ne le pouvait plus. Elle était pâle. La terre grondait du dedans. Tout trépidait. Quelques minutes plus tard, au bout du premier couloir, ils se retrouvèrent sur la

terrasse. Des embruns en bourrasques leur fouettaient le
visage. Encore une fois, ils étaient seuls, hasard auquel Henri
ne voulait pas vraiment croire. Seuls, au niveau du bassin, à
quelques mètres des eaux cassées, brassées qui bondissaient,
se soulevaient, grand désordre au bas des chutes lisses. Ils
restèrent là, un temps, à regarder le plongeon du fleuve et le
trou du ciel, au-dessus de leurs têtes. Un vent froid coulait
aussi, nerveusement, de partout. Henri attendit que Cécile lui
donne le signal du retour. Le couloir, abstrait, blanc, dénudé,
avait des allures de début de cauchemar. Quand l'ascenseur
ouvrit ses portes, un nouveau groupe leur céda la place. Henri
crut qu'il allait défaillir. Cécile lui reprit la main. « Je viens »
dit-elle « de comprendre des tas de choses. » Henri n'osa pas
lui demander lesquelles.

Ils prirent le thé, au premier étage du pavillon. Cécile acheta
une carte postale « famille Prouillan, 2, place d'Antioche,
Paris 17ᵉ, France ». Pour le texte, elle écrivit « je vous aime »
et signa « maman ». Henri lui fit remarquer que la carte
arriverait après leur retour. Cécile insista pour qu'il écrive
quelque chose lui aussi. Henri signa « Henri » et répéta
« vraiment, nous allons rentrer avant ». Cécile murmura
« non, c'est très important ».

Soleil couchant. Sur la banquette arrière de la Packard, trop
grande voiture, un espace les séparait. Ils ne regardaient le
paysage, chacun de son côté, que pour ne pas se parler.
Bientôt les gratte-ciel de Toronto se profilèrent à l'horizon de
l'autoroute. Henri demanda à Cécile « tu as compris quoi ? »
« J'ai compris que nous avions oublié... » Elle se tourna vers
lui « que nous avions oublié, toi et moi... » Elle ferma les
yeux « toi et moi, de... » Elle ôta le bonnet de feutrine, le
serra dans ses mains, rouvrit les yeux et murmura « rien n'a
vraiment commencé entre nous. Jamais. Pourquoi ? » Henri

se contenta pour toute réponse de hausser les épaules. Plus tard, à l'hôtel, alors qu'ils se préparaient pour le dîner, Cécile avait ajouté « j'aurais tant voulu que tu me répondes ou que tu me regardes quand je t'ai parlé, tout à l'heure. Qu'est-ce qui te retient ? Je t'ai choisi, moi aussi, tu le sais. J'attends toujours ce peu qui me fera croire que nous sommes deux ». Henri s'était approché de Cécile et l'avait giflée.

Henri se redresse, sur le lit. Suzy vient de l'appeler. Il se lève, pris de vertige. Suzy l'appelle encore. Elle est enfin sous la douche. Elle veut que son frère la voie. Le souvenir du fleuve Niagara n'aura duré que quelques secondes. Instinctivement, Henri se frotte la main gauche, la main de la gifle. Il revoit Cécile étalée entre le lit de la chambre de l'hôtel de Toronto et le fauteuil du coin salon. Il se précipite vers elle. Elle croit qu'il va frapper de nouveau. Il l'empoigne, la soulève, la secoue, l'embrasse, la serre si fort contre lui qu'elle le repousse gentiment. Pendant tout le dîner, elle ne parlera que de Luc, Sébastien, Claire et Bertrand. Le lendemain, à l'aéroport de Montréal, en transit, ils perdront leurs valises. Ils attendront longtemps devant le tapis roulant qui devait leur rendre leurs bagages. Au-dessus du sas, à l'endroit où le tapis repartait de l'autre côté de la paroi, il y avait encore une pancarte sur laquelle on pouvait lire en deux langues « the luggage will return », « Les bagages reviendront ». Henri avait vu Cécile sourire de l'inscription. Quelques instants plus tard, hors de lui, il alertait tant de personnes dans l'aéroport, menaçait de toutes sortes de plaintes. Cécile se tenait à l'écart, calme, presque heureuse, les billets pour Paris à la main, guettant l'heure du second vol. Les bagages n'avaient aucune importance. Ils reviendraient. Et quand, dix jours plus tard, Air Canada livra place d'Antioche les valises égarées, Cécile ne dit rien à Henri mais se plut à lui faire porter les vêtements qui, en principe, avaient été perdus à tout jamais.

Henri s'approche de la salle de bains. Suzy vient de sortir de la baignoire. Elle se frotte avec une serviette « à quoi pensais-tu ? » Elle se retourne, regarde son frère « c'est la première fois que tu me vois nue ? » Elle enfile un peignoir, le serre à la taille, le drape et met bien en place le col, échancrure « Jean disait des vieilles femmes : dommage et hommage ! » Elle éteint la lumière de la salle de bains, passe devant son frère « un alcool fort ? Une infusion ? Un taxi ? Veux-tu dormir ici ? Le lit est fait dans le bureau de Jean. Il ne sert jamais. Que fais-tu de toutes tes chambres place d'Antioche ? Viens ! »

Dans la chambre, elle contourne le lit, ouvre la fenêtre en grand « il fait si bon, dehors » et, agenouillée, du revers de la main, de gauche, de droite, fait tomber les poupées et les animaux en peluche, tire le couvre-lit, dégage les oreillers, les pose l'un sur l'autre, s'y accoude en s'allongeant, fermant le peignoir sur ses genoux, jambes repliées. Elle regarde son frère « va-t'en Henri, va-t'en vite ! » Elle ouvre le tiroir de la table de chevet, cigarette, briquet, cendrier qu'elle pose sur le lit. Elle regarde dehors « demain il fera beau. Un autre jour. Va-t'en ! » Henri sait qu'elle ne dira plus rien. Brusque. Butée. Elle a toujours été ainsi. Il a gagné la partie.

Il passe dans le salon. Sur la table basse, il prend le manuscrit de *La Mainmorte*, revient dans la chambre, le pose sur le lit, s'assoit devant la coiffeuse, écarte des flacons, tire son chéquier de la poche intérieure de sa veste, l'ouvre, cherche de quoi écrire, trouve un crayon à bille et regarde Suzy « tu as un double de ce manuscrit ? » Suzy allume une cigarette et fait signe que non. Henri murmure « alors, combien ? » Suzy ne répond pas. Henri écrit, sur le chèque, une somme, en chiffres, puis lentement en toutes lettres. « A l'ordre de…

madame Lehmann ? » Silence. Il sourit, signe le chèque, le
détache, reporte la somme sur le talon, ferme le chéquier, le
remet dans la poche intérieure de sa veste, se lève, et pose le
chèque à la place du manuscrit, sur le lit « si ce n'est pas assez,
Suzanne, il faudra me le dire. Je préviendrai ma banque,
demain matin, qu'ils ne s'étonnent pas ». Il prend le
manuscrit, quitte la chambre, se retourne une dernière fois
« bonne nuit ».

Henri sort de l'immeuble, traverse le boulevard Haussmann.
La fenêtre de la chambre de Suzy est fermée, la lumière est
éteinte. Suzy le guette dans l'ombre, il le sent. A tout hasard,
il lui envoie un baiser, du bout des doigts, comme autrefois,
quand ils jouaient ensemble. Il rentrera à pied. Du coin de la
rue de Courcelles, il se retourne une seconde fois et brandit le
manuscrit en signe d'adieu.

17

Suzy pose le chèque sur le bureau de son mari. Depuis le partage de la place d'Antioche et de Moncrabeau, c'est la première fois qu'elle obtient de l'argent de son frère. Plus qu'il n'en faut, sans doute, pour créer trois ou quatre spectacles au théâtre des Champs, publicité comprise. Plus qu'il n'en faut aussi pour couvrir les dettes en cours et aller à la banque sans crainte de croiser tel ou tel fondé de pouvoir ou ce sous-directeur, ami de David, qui manœuvre depuis des années pour le rachat du théâtre. Suzy relit le chèque, vérifie si la somme en chiffres correspond bien à la somme écrite en toutes lettres. La date aussi, 9 juillet. Et la signature, illisible, hiéroglyphe du frère. Pour ce petit bout de papier, en échange, elle va retrouver un peu de considération, sentiment oublié, assurance, certitude, tout ce qui masque, redonne un air de jeunesse ou de pouvoir. Par ce petit bout de papier, elle va de nouveau se considérer. Instinctivement, après avoir guetté son frère, elle a quitté sa chambre, traversé le salon en aveugle et rejoint ce bureau qu'elle respecte, mémorial, petite mémoire amoureuse. Elle veut prendre Jean à témoin. Elle attend de lui une approbation. Il lui faut régler ce compte-là avec elle-même. Or, Suzy sait qu'elle n'aura jamais bonne conscience. Elle n'obtient de Jean que le souvenir d'un sourire de désapprobation. Elle n'obtiendra rien d'autre. Mais elle se tient là, dans le fauteuil de son mari, caressant le chèque, à plat, sur le bureau. Elle tremble un peu, comme si elle avait gagné à la Loterie et comme si elle avait peur de perdre le billet gagnant. Elle vient de vendre Jean et de vendre Bertrand.

Pour se distraire, elle fait des projets. Repeindre l'appartement. Choisir une moquette neuve. Acheter des draps à fleurs. Pourquoi pas une cuisine ultra-moderne avec four encastré et lave-vaisselle ? Elle pourrait de nouveau inviter à dîner, recomposer un cercle d'amis ou encore préparer des petits plats pour Pilou. Lui offrir une moto. Pilou ou un autre, une moto ou quoi que ce soit d'autre. Suzy rêve aussi d'une nouvelle salle de bains avec vibro-masseur incorporé dans la baignoire et miroir grossissant pour le maquillage. Un nouveau chauffe-eau, bien sûr. Et des voyages. Le théâtre ? Il faudrait changer les fauteuils des balcons et des loges, remplacer le jeu d'orgue de régie. Et une nouvelle enseigne pour la façade. Suzy, pour le plaisir, mélange tout. A la première heure, demain matin, elle ira porter le chèque à sa banque. Si elle essuie un sourire ironique, débit de tant d'années, elle saura trouver les mots qu'il faut pour imposer de nouveau le silence du respect, ce silence que Jean qualifiait d'offense, au sens, précisait-il, « de l'offensive ! Dans ce pays où jamais plus personne ne réunira assez de confiance, seule l'offensive du fric décide de la durée du sursis ».

Pieds nus, peignoir écarté, ceinture défaite, Suzy reprend peu
à peu la respiration des jours anciens, quand elle n'avait à se
soucier que d'être l'épouse d'un auteur à succès. Ce chèque
lui redonne son rôle. Tant pis pour Jean s'il désapprouve et
pour Bertrand s'il végète. Tant pis pour tous. Le chèque est
là. Suzy sait qu'elle ne s'en réjouira jamais vraiment. Elle sait
aussi que par le jeu du jour elle ne vient que de s'accorder une
grâce. Elle décroche le téléphone, compose un numéro.
« Luce ? passe-moi David, s'il te plaît… Non, ce n'est pas
grave. » Silence. « David ? Voilà. Je viens de lire *La
Mainmorte*. C'est pour plus tard. Nous reprenons *La
Carambole*. Je produis, toute seule. Je reprends mon
théâtre. » « Avec quel argent, Suzy ? » « Avec le mien. »
« Ne quitte pas. Je veux que tu m'expliques. Je vais dans mon
bureau. » Silence. Suzy raccroche. Une minute plus tard, le
téléphone sonnera. Elle ne répondra pas. Quand David parle,
on ne sait s'il dit « je veux » ou « je vais ».

Henri s'approche des grilles du parc Monceau. Il se souvient
de ce Conseil des ministres au cours duquel le projet de
« nettoyage de Paris » avait été présenté au gouvernement. Il
fallait redonner à la ville « un visage propre », à la pierre des
monuments « son grain d'origine », aux sculptures « leur
espace » et aux grilles « leur éclat ». Paris, un temps, allait
redorer ses balustres et ses portails. Henri regarde le parc,
désert, interdit de nuit, clos, avec ses allées nettes, et ses
pancartes « pelouse interdite » « défense de jeter des
papiers » « les chiens doivent être tenus en laisse ». Il sourit,
inventaire du jour « beaucoup tombent en amour » « please
do not climb over » « les bagages reviendront ». Autour du
parc, des immeubles, des hôtels particuliers, pas une seule
lumière aux fenêtres. Tout le monde dort. Bien des volets
sont fermés, aussi, pour les vacances. Cécile est là, dans

l'ombre, avec son bonnet de feutrine rouge. Elle le froisse dans ses mains. Henri se dit qu'elle n'aura été que l'ouvrière de ses enfants. Il aurait dû la laisser par terre, après la gifle. Pourquoi l'avoir relevée, serrée contre lui, embrassée si fort, trop fort justement ? Cécile avait reçu ces baisers comme la gifle. Ils étaient de même nature.

Le visage entre deux montants de la grille, prenant appui sur ses tempes, comme s'il voulait coincer son visage, barreaux du berceau de la ville, Henri respire profondément. Ses mains plaquent le manuscrit sur son buste. Il se sent fidèle à lui-même et à son hésitation. Où donc a-t-il lu, un jour, « on ne se remet jamais d'un amour à venir ». La veille du départ pour Barcelone, Bertrand lui avait dit « je veux simplement mon équivalence dans la différence ». Henri avait fait semblant de ne pas comprendre. Bertrand avait dit également « à quoi bon réclamer son dû à des sourds ? » puis « je sais où tu m'envoies. Mais la raison pour laquelle je m'y rends n'est pas celle qui te fait financer et le voyage et l'opération. J'avais un planeur en travers de la tête. Désormais quelqu'un dort en moi, les bras en croix, sur un bout de trottoir. Salaud ! » Bertrand avait craché au visage de son père. Henri n'avait pas bronché. Bertrand s'était mis à rire « tu peux t'essuyer le visage, papa. Comme le type, à côté de toi, dans la voiture, le soir où tu m'as surpris 5, rue Saint-Benoît. Trompe-toi de bouton ! Fais fonctionner les essuie-glaces ! »

Henri recule d'un pas, se frotte le visage. Bertrand avait l'air heureux, ce jour-là. Personne n'est responsable. Personne. Une gifle, un crachat, des inscriptions, le souvenir d'un bonnet rouge, et cette réflexion de Bernadette quand, un temps, après la mort de Cécile, Henri avait pensé quitter la place d'Antioche pour un appartement plus petit du côté des Invalides « mais Monsieur, j'ai mes pantoufles dans ce

quartier ». Henri se dégage la tête et se tape le front contre la
grille. Il ferme les yeux et se heurte de plus en plus fort. Il se
sent bien, ainsi. C'est la nuit. Nul ne le voit. Il veut que Cécile
disparaisse à tout jamais dans le parc, avec Bertrand, les
autres, et Jacqueline aussi. Henri lâche le manuscrit qui
tombe contre la grille. Il porte une main à son front. Il saigne.
Ce sang, Henri ne l'a vu qu'une autre fois dans sa vie, à la
Libération, sur d'autres fronts, quand on l'avait nommé au
Comité d'épuration de l'arrondissement. Personne, non plus,
n'était responsable. Personne. Henri ramasse le manuscrit.

Au coin du boulevard de Courcelles, c'est, cette fois, une
goutte de sang qu'il essuie au bout de son nez. Dans la poche
gauche de son pantalon, il y a ce mouchoir que Bernadette
met toujours en place quand elle prépare le costume que
Monsieur a choisi de porter pour le jour, mouchoir de batiste,
bien repassé, plié. Henri le prend d'une main, serre le
manuscrit de l'autre. Il se tamponne le front. Ça fait des
taches sur le mouchoir, c'est bon. Comme un enfant il se sent
fier de sa blessure, prêt à accuser d'autres que lui-même d'en
être à l'origine. Quand il était ministre, il blessait aussi, mais
l'air jovial. C'était « l'épuration par le sourire » quand,
chaque matin, Bérard, son directeur de cabinet, venait dans
son bureau, premier moment de la journée, l'entretenir du
programme du jour, des audiences, des communiqués à la
presse, des déplacements officiels, et du jeu de sa fonction.
Un jour, las de se sentir décidé par tous ceux du ministère qui
restaient en place quand les ministres passaient, il avait dit à
Bérard « je n'avais qu'un rêve. J'aurais voulu écrire. Je me
dis, à ce poste, depuis quelques mois, que la politique n'est
qu'une forme dévoyée de l'écriture ». Bérard, pour une fois,
avait souri, puis avoué « vous n'êtes pas le premier à me le
dire, monsieur le Ministre ».

Au bout de la rue de Chazelles, Henri décide de s'asseoir sur un banc, un temps, et de humer Paris endormi. Il ouvre le manuscrit. Des millions, sur ses genoux. Première page « *La Mainmorte*. Pièce en trois actes. Jean Martin. » Seconde page « *Le décor*. Un salon bourgeois. Trois portes-fenêtres donnant, d'un premier étage, sur une place. On devine le feuillage des marronniers. On entrevoit une statue style Troisième République, femme brandissant un drapeau. Seule la porte-fenêtre centrale donne sur un balconnet. Entre les portes-fenêtres, deux commodes identiques et, sur chaque commode, un bronze. Au-dessus d'un des deux bronzes, un cartel dont les aiguilles sont arrêtées à l'heure de midi ou de minuit. Chaises-lyres. Bergères. Deux fauteuils anglais. Sur la gauche, une double porte qui donne accès à la salle à manger. Sur la droite, une cheminée, pendule, paire de vases. A gauche de la cheminée, la porte qui conduit au bureau du père et à la chambre des parents. A droite de la cheminée, la porte du couloir qui conduit à l'office. Ce décor sera conçu de telle manière qu'on aura toujours, de la salle, l'impression d'être entré dans ce salon par effraction et d'en constituer l'unique issue de secours. Nul accès du dehors, en fait. Les personnages de cette pièce devront donner l'impression d'être prisonniers de l'appartement. Les objets de ce salon sont indifférents au drame qui se déroule. Ils sont les éléments rapportés d'une famille qui, à trois générations déjà, s'est créé ce décor d'arrivée qui n'a jamais vraiment servi que de décor. » Troisième page « *Les personnages*. Albert Ceyraque : le père. Lydia : son épouse. Lucien : le fils aîné. Serge : le second fils. Chantal : leur fille. Bernard : leur dernier fils. Sylvie : sœur d'Albert Ceyraque. Jacques Rosenberg dit Jacques Rosan : critique de théâtre, époux de Sylvie. Blandine : une vieille servante. Et un caniche empaillé dont on aura trois versions : debout, assise et couchée. » Quatrième page « Acte 1, ou acte du caniche debout. Scène 1.

Lumière d'un dimanche après-midi de printemps. On entend des voix dans la salle à manger. Le chien empaillé, version debout, se tient près de la porte-fenêtre centrale, qui est ouverte. La pendule sur la cheminée sonne trois coups. Blandine entre, porte droite, chargée d'un plateau, cafetière, sucrier, tasses. Elle pose le tout sur une table basse près des fauteuils. Elle met en place les tasses, les cuillères sur chaque soucoupe, la pince dans le sucrier, geste abrupt qui doit faire sourire, soulève le couvercle de la cafetière, se fait un canard avec un sucre, en cachette, et le croque. Elle baisse le couvercle violemment comme si quelqu'un l'avait surprise. Rires, éclats de voix. Blandine s'approche du chien, lui caresse la tête, ferme la porte-fenêtre. Jacques entre le premier dans le salon. Il allume un cigare. Il regarde Blandine. *Jacques* — Vous les écoutez, quand vous les servez, à table ? Que pensez-vous de toutes leurs histoires ? *Blandine* — Je ne pense rien, Monsieur. Je suis payée pour ça. *Jacques* — Vous ne m'aimez pas ? *Blandine* — Vous n'aimez que ça. *Jacques* — Moi, je n'aime pas leurs histoires. J'aime ce qu'il y a autour. Je ménage. Je suis une femme de ménage. Comme vous ! »

Henri ferme le manuscrit. Une voiture prend son virage, rue de Chazelles. Les pneus crissent. Henri se lève. Il n'a plus qu'à remonter la rue de Prony pour se trouver chez lui. Il a froid. Le froid des nuits douces, quand on est seul et surtout quand on le veut bien. Le décor de *La Mainmorte* est planté. Jean parle le premier, en scène. Bernadette n'est là que pour tout mettre en place. Et à quoi bon déguiser les prénoms ? Henri songe aux diverses manières de détruire le manuscrit. Une seule le satisfait. Il le brûlera, dans la cheminée, sous la pendule qui sonnera aussi les trois coups, mais ceux du matin, sous la pendule, entre les deux vases qui font la paire. Henri se dit qu'il a payé assez cher le droit de ne pas lire la suite. Il a payé. La douceur du chèque et du chéquier éveille toujours en lui le début d'un sentiment qui ressemble à de la jouissance. Il a mal au front. La plaie coagulée lui fait du bien. Les humains s'agressent pour se dire agressés.

Dans le placard de la cuisine, Suzy a pris plusieurs sacs en plastique, des sacs de 50 litres « offerts par la municipalité de Paris » et dans lesquels elle descend ses ordures dans la cour de l'immeuble. Le règlement du gérant fait obligation d'emprunter alors l'escalier de service mais Suzy préfère prendre l'ascenseur au risque de croiser une voisine, elle la regarde droit dans les yeux, ou un voisin, elle prend un air détaché. Un jour, la locataire du second étage, femme de « directeur de sociétés », lui avait reproché d'imposer sa « poubelle aux autres ». Suzy avait répondu « tout ce que je jette est propre, moi, madame. Regardez ! » Suzy se le rappelle à chaque fois qu'elle ouvre un nouveau sac. Dans l'immeuble, elle passe pour folle. Dans la vie aussi. Elle sait, et elle le tient de son mari, que c'est la manière confortable pour les gens « bien rangés et peu pensants » de récupérer les voisins ou passants qui ne leur ressemblent pas.

Suzy jette dans un sac les poupées, Léa, Pitchoune, Mimi, Paulo le baigneur, Sandra, Catherine qui dit maman quand on appuie sur son ventre, Carlotta, Queenie que Jean avait rapportée de New York, Lola qui marchait mais dont le mécanisme est cassé, Diva, Chantal, Pierrette et celles aussi qui n'eurent jamais de prénom, poupées folkloriques, souvenirs de voyage. Puis, c'est au tour des animaux en peluche, Jumbo, Donald Duck, le singe à fermeture à glissière dans lequel, en principe, on peut mettre un pyjama d'enfant, le léopard, la girafe. Le sac est plein. Elle pousse, tasse, noue le col dans un sens, dans l'autre, et prend un second sac. Elle jette, elle veut jeter, place nette et sans aucun regret. Il lui faut faire vite. Elle a peur de se sentir coupable. Combien de fois, depuis la mort de Jean, a-t-elle voulu se séparer de tous ses enfants de chiffon ? A chaque fois, elle s'arrêtait au souvenir de chacune des poupées, où, qui, quand, comment, et très vite elle renonçait au sacrifice, sentiment de mère indigne. Dans le second sac, elle jette le lapin, les nounours et le koala, si doux au toucher, désormais râpé, usé de caresses. Ce petit peuple l'a aimée.

A genoux, Suzy vérifie si elle n'oublie pas une poupée ou un animal sous le lit. Elle ne trouve que des magazines, un recueil de poèmes, cette paire de ciseaux qu'elle a cherchée si longtemps partout, ciseaux « qui coupent bien », des bouts de coton et des épingles à cheveux. Elle jette les magazines, les cotons, les épingles, garde les ciseaux et les poèmes. Inquiète elle va vérifier si le chèque est toujours sur le bureau. Il y est. Elle revient dans la chambre, tire le second sac vers la coiffeuse et se met à jeter les flacons presque vides, les vieilles boîtes de poudre, les houppettes, les peignes, les brosses, les bijoux de pacotille, les cartons d'invitation, les cartes postales, le courrier en retard qui traîne là et vide le verre rempli de crayons et de feutres. Elle se sent mieux. Elle met de l'ordre, un désordre à l'envers. Elle vide, elle crée un vide en remplissant le sac. C'est la disgrâce. Elle aime cette activité brusque, si peu décidée. Elle y goûte l'impulsion, le règne, un sentiment de régence. Elle était devenue l'objet de ces objets. Elle rit. Elle se retrouve chez elle. Elle a de l'argent. Et si elle ne jetait pas tout ce qu'elle jette, sans doute se mettrait-elle à crier, vraiment folle cette fois. Elle vient de vendre Jean et Bertrand. Et beaucoup d'amour avec. Elle vient de se vendre. A son frère. Elle vient de faire ce qu'ils font tous, depuis toujours, ni grands ni petits bourgeois, à mi-chemin de tout, pour s'enrichir entre eux. La trahison rapporte. Elle ne veut pas y penser. Le second sac est plein. Elle le ferme dans

un sens, dans l'autre. Elle le soupèse. Il est plus lourd. Il y a
des flacons. Le second sac sent bon, pot-pourri de restes de
parfums. Le téléphone se remet à sonner.

Le troisième sac est vite rempli de chemisiers qu'elle ne porte
plus depuis longtemps, de bas dépareillés, de culottes, de
slips, de twin-sets qui ont la pâleur d'un trop grand nombre de
lavages. Une vieillesse est là, dans les vêtements que l'on use
jusqu'à même plus de trame. Ce tri, Suzy l'a déjà fait depuis
des années en pensée, à remettre des vêtements dont elle ne
voulait plus. Elle gardait tout, par peur de ne plus pouvoir
faire autrement. Elle jette les vernis ridés, les escarpins passés
de mode, les trottins troués à la semelle ou décollés, les
chaussures à talons plusieurs fois remplacés. Côté chaussures,
il ne reste presque plus rien. Le bas du placard est vide. Elle a
beaucoup marché depuis des années pour sauver son théâtre,
expliquer, séduire, défendre, et ne jamais faire admettre que
les succès de Jean, pour être à toute épreuve, n'en étaient pas
moins coûteux. Une ruine. Et si le chèque lui permet, au
moins un temps, de se retrouver, comme avant, apparence, ce
sera tant mieux. En nouant le troisième sac, elle dit à voix
haute « toujours ça de pris ! » Elle décroche le téléphone.
Elle rit « écoute David, n'insiste pas. J'ai l'argent. Rendez-
vous tout à l'heure vers 10 heures, au théâtre. Je dois passer à
la banque, avant. Attention, atterrissage forcé, je vais
raccrocher. J'ai beaucoup à faire. Il y a du monde à la
maison ! » Elle raccroche. Elle imagine David, en pyjama, et
Luce, en robe de chambre. Luce dit à David « qu'est-ce qui
lui prend ? » Luce remet en place l'écouteur. David fait la
moue. Il a perdu. Et elle, Suzy, a gagné.

Suzy, un à un, porte les trois sacs sur le palier. Tout à l'heure,
elle ira les poser devant l'immeuble. Dans la salle de bains,
quatrième sac, elle jette le tapis de lavabo, le tapis de bidet et

le tapis de sortie de baignoire. Comment pouvait-elle encore poser ses pieds dessus ? Et classement de l'armoire à pharmacie, pilules pour dormir, digérer, vitamines, crèmes amincissantes, vieilles boîtes d'antibiotiques, médicaments dont elle avait oublié jusqu'aux noms : à jeter !

2, place d'Antioche. Henri s'est arrêté, au milieu de l'escalier, une main sur la rampe. De l'autre, il tient le manuscrit. Il peine. Pantalon, le docteur Bermann, Suzy, Bernadette, les serviettes amidonnées, Moncrabeau, Barcelone, le théâtre des Champs, Taillevent, 5, rue Saint-Benoît, Bérard, Cécile, Toronto, la Légion d'honneur de Luc, les silences de Sébastien et de Claire, une plaie au front, et des millions pour quelques feuilles manuscrites ; Henri se sent interdit de séjour à Paris, et partout ailleurs. Henri Prouillan se dit que c'est un premier signe d'approche de la mort. Ne plus savoir où se tenir. Ils veulent sa mort ? Ils ne l'auront pas. Il reprend sa respiration, gravit les dernières marches, ouvre la porte. Quand donc est-il rentré chez lui avec plaisir ? Jamais.

Suzy vide les tiroirs du bureau de Jean. Elle ne veut plus de ces dossiers, de ces enveloppes contenant des correspondances, des articles, de ces classeurs répertoires de critiques. Elle jette même les albums, la boîte de gommes à laquelle Jean tenait tant, « il y a une gomme pour chaque qualité de crayon », et les stylos, les buvards, les paquets d'étiquettes vierges, les trombones, même les carnets sur lesquels Jean notait à tout venant et qu'il brandissait, parfois, amusant son monde, en disant « ma mémoire est là ! » Suzy se dépêche de tout jeter, sans trop s'interroger, même si Jean parle encore dans sa tête, et ne rate pas, au mot près, une de ses répliques de vie. Suzy fait claquer un à un les tiroirs vides. Reste tout ce qu'il y a sur le bureau, le petit cadre surtout, avec la citation de Flaubert que Suzy relit très vite, et à voix haute, en déclamant, comme pour se donner du courage « *les bourgeois ne se doutent guère ! Que nous leur servons notre cœur ! La race des gladiateurs n'est pas morte ! Tout artiste en est un ! Il amuse le public avec ses agonies !* » Suzy n'a pas respecté la ponctuation. Exclamations. Elle rit. Elle jette.

Sur le bureau, il n'y a plus que le chèque. Le soir des dix-huit ans de Claire, alors que Bertrand la faisait danser, Suzy avait remarqué que les miroirs du salon, en vis-à-vis, au-dessus des deux cheminées, se renvoyaient une image infinie, répétée, corridor sans fin, et qu'ils étaient nombreux, comme elle et Bertrand, à clore ce soir-là un bal qui n'avait eu d'heureux que le nom. Suzy noue le dernier sac. C'est le plus lourd. Le papier et les livres pèsent plus que tout quand on jette. Suzy fait glisser le sac, doucement, sur la moquette, pour ne pas qu'il se déchire. Puis elle le porte, par tractions successives, jusqu'au palier, encombré en quelques dizaines de minutes, comme pour un déménagement. Elle descendra le tout, au dernier moment, directement devant l'immeuble et veillera à ce que les éboueurs jettent bien les sacs dans les mâchoires du camion-benne. S'il le faut, elle leur donnera la pièce.

Suzy referme la porte de son appartement, respire, noue la ceinture de son peignoir, traverse le salon, rentre dans sa chambre et se jette sur le lit, la tête la première, comme une enfant, tête enfouie dans l'oreiller. Plus rien ni personne ne l'observe chez elle. Dans les jours à venir, elle fera une chasse encore plus impitoyable aux objets. En juillet, on trouve facilement des ouvriers pour remettre à neuf un appartement. Mais avant tout, les poubelles, le chèque et David. Elle s'assoit sur le lit, cale un oreiller dans son dos, éteint la lumière et guette les rumeurs de la ville, le bruit des voitures sur le boulevard, et cette lueur, dans le ciel, qui annonce le jour, un autre jour. Après tout, Henri ne lui a donné que les intérêts de ce qu'il a su garder pour lui et lui seul. Elle sourit, allume une cigarette. Elle fait des projets de décoration.

Henri ferme les portes-fenêtres du salon, éteint les lumières. Tout est rangé, comme jamais. Il se rend à l'office. Le petit déjeuner est préparé sur un plateau. Rien ne traîne sur la table de travail. Les casseroles sont suspendues par ordre de grandeur et les torchons pliés à côté de l'évier. Règne une odeur de biscuit ou de biscotte, parfum léger, à peine sucré. Là aussi la lumière était allumée. Henri éteint. L'horloge du couloir sonne trois coups, puis la pendule du salon, et de nouveau l'horloge du couloir. Henri rejoint l'entrée, surpris, inquiet de cette même heure qui vient de sonner trois fois de suite, comme si le temps criait gare. Sous la console, il n'y a plus le coussin de Pantalon. Le collier et la laisse ne sont plus suspendus au vestiaire. Henri fait le tour de l'appartement, éteint d'autres lumières, ferme d'autres portes, jusqu'à la chambre de Claire. Le lit a été défait et le matelas roulé sur le sommier. Traîne un autre parfum, lointain, la citronnelle de l'eau de toilette de Bernadette. La chambre est vide. Bernadette est partie. Henri se rend dans son bureau. Aucun message. Puis dans sa chambre. Sur la table de chevet il y a une enveloppe « à monsieur Henri Prouillan ». Henri ouvre la lettre « Minuit, ce 9 juillet, jour anniversaire. Cher Monsieur. Je me sauve. Je veux prendre le premier train pour Toulouse et de là, j'aviserai. Ce n'est pas un congé que je prends. Il s'agit bien de vous quitter. Je vous rends la chambre de Claire où je n'ai jamais pu vraiment m'installer. Je vous serais reconnaissante de bien vouloir m'adresser le solde de mes gages aux bons soins de Juan. Je resterai en contact avec vous en ceci que je rendrai visite à Bertrand, le plus souvent possible. Ce sera mieux qu'en pensée. Croyez à l'expression de mes sentiments dévoués. Bernadette Despouet ».

Henri pose la lettre, regarde le manuscrit, sur l'autre lit, lit de Cécile. Il décroche le téléphone, appelle un taxi. Musique de genre, une rumba, on lui répond « cinq minutes ». Il a juste le temps de passer à la salle de bains, de se tamponner le front avec un peu d'alcool, de changer de chemise et de partir pour la gare d'Austerlitz. Bernadette ne peut être que là. Il vérifie s'il a assez d'argent dans son portefeuille. C'est assez. Vite.

18

« Je soussigné Prouillan, Claire, Henriette, Colette, née le
29 août 1936 à Lestaque, dans le Gers, fille de Prouillan,
Henri, Joseph, Roland, né le 28 janvier 1906 au même lieu,
et de Bastien-Veyrac, Cécile, Noellie, Adrienne, née le
24 décembre 1911 à Lectoure, même département, épouse de
Pierrelet, Gérard, Sébastien, André, né le 19 juillet 1932 à
Valence dans la Drôme, mère de Loïc, Yves et Géraldine
Pierrelet, domiciliée à Sauveterre, par Saint-Michel-
l'Observatoire, dans les Alpes-de-Haute-Provence, décline ici
mon identité par désir de voir, arbre et ramures de cette
phrase, et de savoir, contours, ponctuations, respirations,
d'où je viens, où je vais, où cette nuit me conduit. Ecrire
maintenant, dans cette maison désertée, me fait du bien, me
tient debout, et me permet de livrer ce que, dans le silence de
la nuit, au moment du départ de mes enfants, je n'ai pas osé

crier. Je veux parler de la menace. Si de Bertrand je tiens ce goût pour les mots quand ils trébuchent, je dirai qu'à écrire, ici, je me sens alerte, de peur justement d'alerter. Je choisis le seul véritable cri, celui de la phrase livrée, qui exprime et se tend sous l'archet. Ce que je cherche sur la toile, la palette, avec les pinceaux, les couteaux, les brosses et les couleurs quand je les mélange, j'ai l'impression de le trouver ici, découverte de ce jour anniversaire, dans l'encrier, l'encre et sur le papier. Les mots ont ceci de puissant que rien ne les dessine ni ne les enferme jamais totalement. Dans le corps d'une phrase, sans cesse ils se modifient. La menace pour nous, les Prouillan, c'était Bertrand. Il avait découvert les mots et se préparait à en faire usage. Or, rien ne devait modifier la famille. Voici.

« Voici Gérard. L'image que j'ai de lui me devance. Elle est floue. Il n'y a d'image précise, caricature, que celle de l'oubli. N'est oublié que ce qui n'a pas été vu, vécu. Le vu serait la contraction du vécu, et son mouvement.

« Voici Gérard, époux, mari, père. Il me déracine encore. Rien n'y fait. Et il est mort. L'image que je garde de lui, jalousement, n'a pas les couleurs du spectacle figuré. Nous nous figurons trop l'amour tel qu'on l'oblige. Notre image est en noir et blanc. Ce n'est pas un deuil, mais la trame du vœu, mon tact, à le toucher encore. J'ai toute une rame de papier, ici, devant moi, pour lui.

« J'ai quitté Paris parce que je m'étais mise à entendre tous les bruits de la ville. Tous. Je veux chanter Gérard. Mes enfants viennent de partir, tous trois, ensemble. Cette fois ils m'échappent. Et Gérard avec eux. Je ne veux pas me retrouver Prouillan. Rien que Prouillan.

« Voici Gérard. L'image de lui qui reste en moi n'est jamais complète. Le désir tronque et ne fait pas le point. Je ne vois que tel détail. Chaque part de lui, chaque instant est une danse. Chaque séquence émeut, rarement. Au plus rare.

« Voici Gérard. L'image de ce que fut notre rencontre ne se définit pas. La définition, finition, c'est le dépit, la fin et la perfection. Un ennui. Gérard avance, recule, m'échappe. Il est en train de lire au-dessus de mon épaule. Il retient son souffle. Il ne faut pas que je me retourne. La surprise de le voir encore à notre approche déhanche, virevolte, trouble. Il se penche. Il va me toucher. Un millième de seconde ne suffirait pas à fixer l'image de cette retrouvaille. Ce qui s'efface reste. Oui, Bertrand, la répétition a un pouvoir créateur. Les formules du cœur rebondissent toujours, et de plus en plus fort !

« Pages, pages. En écrivant ici, je cours derrière la voiture de mes enfants. Je ne veux ni les rattraper ni les retenir. Je veux seulement leur dire que j'apprécie d'être la mère, avec le seul tourment du bon-heurt. Alors que pour le père, ça ne marche pas du tout comme ça. Ce n'est pas sûr du tout qu'il advienne un père à un enfant qui naît. Retour à l'image, pages.

« Te voici, Gérard. L'image que j'ai de toi, rien ne la révélera jamais vraiment. Je n'en connais pas de tirage montrable. Les photos que je garde de toi nous ressemblent si peu. L'image que je garde de toi, développée, finie, parfaite, prête à être montrée, signifierait ton départ, tellement plus que ta mort. Tu serais ailleurs, pour d'autres, un autre mouvement. L'amour ne se distribue pas. Personne ne corrige ce que j'écris ici. C'est ainsi que l'amour dit. C'est ainsi que " de l'amour " s'exprime. Ne bouge pas Bertrand. Nous serons toujours à nous rencontrer pour la première fois. Rien d'autre ne justifie une vie que ce sentiment-là. Voici.

« Voici ton image. Elle est d'ombres. Je me méfie de l'éclat et du trait. Notre rencontre est vraie. Rien ne nous cachera jamais. Notre image devrait dire de la même encre et du même support le regard que je te porte et ton corps regardé, surpris. Je ne sais rien de la famille Pierrelet et de la maison de Valence où tu as grandi. Tu te défendais bien, aussi, de comprendre les Prouillan et la place d'Antioche. Tu mesurais l'arbre. Tu m'arrachais à leurs bras. Et dans tes bras, je commençais à grandir. Nous commencions une histoire que nous souhaitions différente. Les mots, à parler de toi, ont une belle manière de frémir. Tu es parti trop tôt, apparence, et nous sommes toujours ensemble. Me vient en mémoire ce que Bertrand disait des pleins et déliés, sensualité, quand on écrit. Voici.

« L'image de toi, Gérard, se multiplie. Ce ne sera jamais la bonne, c'est toujours la meilleure, la dernière de l'instant. Tu ne me quittes pas. Postée, j'attends et te guette. L'impression est la seule et unique certitude. Tu es là. Rien n'inscrit ton image. Elle s'inscrit continuellement d'elle-même, le temps d'un regard partagé, hors du temps. Nous ? C'est rue des Beaux-Arts. Je te cède le pas et tu me cèdes le mien. Nous hésitons. L'image est floue. La photo, c'est la mort. L'image, elle, vit. »

Claire jubile. Elle vide le stylo, le trempe dans l'encrier, le remplit de nouveau, en essuie la plume avec un bout de buvard froissé qu'elle jette dans la panière, sous la table, devant la fenêtre. La fenêtre est ouverte. Il fait un jour de lune sur la montagne du Lubéron qui semble d'un trait de fusain marquer l'horizon du sud. Il faut que le stylo soit plein

et que le vent de la nuit entre dans cette pièce où depuis tant
d'années, comme un jour, un seul jour, elle se tient, dort,
peint, attend, guette, contient Gérard en elle. Il lui faut cette
vue, que Cécile appelait « le panorama de Sauve-qui-peut »,
Il lui faut cette maison jamais visitée, foulée, par
Henri, comme si le père avait compris que le séjour dans ce
lieu lui était interdit. Claire écrit de nouveau. « J'aime le
paysage d'ici, à l'automne, quand tout devient fauve et
mauve. »

Deux lignes, c'est tout. Il lui fallait noter le fauve et le mauve,
saisir, transcrire ces deux mots qui chaque année lui montent
à la tête, odeur de terre, pour signifier ce qu'elle voit, début
de sa saison préférée. Le Virage. Les enfants viennent de
partir. C'est le début de leur été. Ecrire et les poursuivre.

« Rêve. Je deviens plus grande que les meubles de la maison
de Moncrabeau. Je deviens plus grande que les armoires, les
bahuts et les buffets. Je vois le dessus de tout. Je grandis, mais
je ne me heurte jamais aux plafonds. Et dans des lits, devenus
tout petits, je couche les miens, famille de lilliputiens. Du
bout du doigt, d'une seule et légère pulsion, en faisant bien
attention, je peux leur caresser tout le corps. Sur le lit de mon
père, j'appuie. Mais il est si petit, à peine un point, une puce,
qu'il m'échappe. Ce rêve, je l'ai fait tant de fois. Plus je
grandissais plus j'aimais les uns, frères et mère, autant que
l'autre, père, même si je tentais de le tuer. Il n'y a de vraie
rupture d'avec la famille que dans la prise de mesure exacte de
l'attachement qu'on lui porte. On la trimbale partout, surtout
quand on prétend s'en être détaché. Puis un jour, je me suis
sentie grandir des hanches et du devant. J'avais un pain à la
place du ventre qui devenait immense, croûte dorée, pain
croustillant et toute une marmaille pour attendre le goûter.
Quand je t'ai raconté ce rêve, Bertrand, tu m'as dit que j'avais

eu de bonnes lectures puisque désormais je me mettais à
" bien lire ma vie ". Ici, à Sauveterre, c'est le contraire.
Le paysage se penche sur moi. Je suis sa naine, un point,
presque rien. Il n'y a jamais de mesure exacte si l'on veut
ressentir. »

Claire classe les feuilles, en fait une pile qu'elle pose, au carré,
à gauche du bureau. A droite, et à portée de la main, cette
rame de feuilles vierges qui attend le geste. Autre page.

« Voici, répétition. J'apprécie d'être la mère avec le seul
tourment du bon-heur, comme disait Bertrand. Alors que
pour le père, ça ne marche pas du tout comme ça. Ce n'est pas
sûr qu'il advienne un père à un enfant qui naît. Pour Henri,
notre Chronos, ce dieu dont on ne parle jamais, le temps
s'inaugure avec ses fils, Luc, Sébastien, Bertrand. Des fils.
Des autres. Différents ou indifférents qui, en principe, vont
rompre le temps, le temps du père, en faire une histoire, une
séquence sur une série. Or, Henri ne reconnaît pas son désir
qui était d'une autre, de Cécile, et ce n'est même pas certain.
C'était d'une altérité, en tout cas. Et voilà Henri Prouillan,
face à des mêmes, pas pareils, qui portent son nom. Il veut les
annuler tous, en un, Bertrand. Il veut l'incorporer, le murer
dans la maison de famille. C'était il y a vingt ans. Nous l'avons
laissé faire. Et Bertrand y est allé. C'est ça, l'anniversaire.
Nuit du 9 au 10 juillet. Cette vérité du jour échappe aux
caricatures. La vérité erre. On ne peut que lui tenir
compagnie, en route, et partager ses paysages, le plus
longtemps possible, au risque de se perdre. »

Loïc est au volant. Géraldine se tient à côté de lui, Yves est à
l'arrière. Ils ont abandonné Stéphanie à la première gare
venue et ils filent vers l'Italie. Claire voudrait pouvoir les
appeler, non pour qu'ils reviennent mais pour qu'ils partent

vraiment, si partir est possible, autres bagages, autres vies,
autrement. Elle écrit.

« Entre Gérard et moi, il y eut toujours la photo d'un père
assassin, parce que incapable d'élan, jaloux de nos étreintes,
furieux de nous avoir eus mes frères et moi, et fou de nous
perdre. Entre Anne-Marie et Luc, entre Ruth et Sébastien,
entre Romain et Bertrand, il y eut la photo du père, comme
une carte de visite. Je suis passé, je suis là, je vais revenir,
l'invitation est comminatoire. Je ne vous quitterai pas. Je vous
aurai. Il nous a. Je dis voici Gérard, voici Bertrand, voici Luc,
Cécile, Sébastien, Bernadette, Pantalon, voici Ruth, Anne-
Marie, Pierre, Laura, Paul, Loïc, Yves, Géraldine, voici
Lucio, Merced, Juan et j'écris voilà Henri, voilà mon père.
Tous essaient de franchir, un seul retient. »

Alors seulement et pour la première fois, Claire comprend les
natures mortes qu'elle peint depuis des années, objets pâles,
imprécis, regroupés sur ce qui n'est jamais vraiment une table
ou le rebord d'une fenêtre, sans décor figuratif tout autour,
impressions d'objets baignant dans une lumière de jour levant
et dont on ne peut que jouir de la forme sans s'inquiéter de la
fonction, natures que Loïc trouve vivantes. Claire vient
brusquement de se souvenir des matins quand elle s'éveillait,
avant Gérard. Elle n'osait pas bouger. Elle était prise dans les
bras et dans les jambes de son mari. A peine osait-elle le
regarder tant elle avait peur de le ravir à ce sommeil qu'ils
venaient de partager, senteur des draps, chaleur du lit, peau à
peau, jusqu'à l'odeur d'haleine qui était devenue comme un
signal, goût précis de Gérard. Claire, alors, les yeux mi-clos,
tout endormie, regardait autour d'elle ces objets de leur
chambre qui montaient la garde, vases, plats de céramique,
boîtes, outils en bois tourné, paniers, miroirs, objets que
Gérard avait choisis uniquement pour leurs formes et leurs

matières car, disait-il, « l'architecture commence là ». Et depuis des années, sans savoir, sans vouloir vraiment comprendre, sauvegardant ce peu d'innocence et d'inconscience qui seul permet à l'artiste de continuer à œuvrer sans avoir peur du jugement des autres, Claire avait recréé ces natures, cette garde, tout ce qui avait entouré leurs matins, les matins partagés avec Pierrelet, son ravisseur. A peine ose-t-elle, maintenant, regarder ces tableaux que son fils Yves a remis de face tout à l'heure. Elle vient de comprendre, et comprendre est trop pour le créateur. Henri est là. Gérard s'en va. Les enfants sont déjà loin. Claire a froid. Elle se lève, ferme la fenêtre, va chercher un pull-over, l'enfile, descend, boit un verre d'eau, et ferme la porte à clé, du dedans, ce qu'elle ne fit jamais dans cette maison. Elle se sent menacée. Elle remonte. Elle sait qu'elle ne pourra jamais peindre les natures mortes comme avant puisqu'elle vient de comprendre. Claire reprend place au bureau. Page.

« Je suis quittée. » Elle se met à dessiner un visage, ni frère ni fils ni époux mais, de trait en trait, le visage du père. Elle biffe. Autre page.

« Menace. Plus je le fuis, plus il se rapproche de moi. Son crime est parfait. Aucun indice, aucune trace. Il accomplit. On ne parle jamais de lui que pour prétendre le tuer alors que c'est lui l'assassin, lui le croque-mort. »

Comment exprimer qu'il ne s'agit pas d'une thèse mais d'un constat, une famille, une expérience, une situation, l'éclair d'un jour ? Claire se frotte les bras, respire profondément. La porte est fermée à clé. Elle a bu un verre d'eau. C'était bon. Elle écrit.

« Menace. Ils ne veulent qu'entendre des causes déjà

entendues. Ne pars pas, Gérard, je t'en prie. J'ai besoin de toi plus que jamais. J'ai besoin de sentir que ce fut possible un temps. Tu ne voulais plus des Pierrelet. Je ne voulais plus des Prouillan. La veille de ton accident, nous nous sommes fâchés seulement parce que je te reprochais de ne pas te voir assez souvent. Comme nous avions soif de tout. Tu me lis ? » Claire pose le stylo au bas de la page et en travers. Assise sur la chaise, elle se retourne, en fermant les yeux et en levant le menton comme si Gérard, derrière elle, posté, allait poser un baiser ses lèvres...

Elle se lève. Le pull-over s'accroche à la chaise. La chaise se renverse. Le stylo roule sur la feuille et tombe par terre. Le vent de la nuit fait claquer les volets. La lumière faiblit comme s'il allait y avoir une panne d'électricité. Claire tourne sur elle-même. Elle se mord les lèvres. Elle se jette sur le lit, attrape l'autre oreiller et le plaque contre son ventre. Ses enfants partent. Il lui faut tenir la douleur à l'écart. Elle se relève, revient vers le bureau, comme à l'assaut, ramasse le stylo, attrape une feuille et se remet à écrire, posément, de cette écriture ronde, large, que Bertrand trouvait « risible » parce que « lisible ».

« Menace. Place d'Antioche. Ma mère me coiffe. Je suis assise sur un tabouret, dans sa chambre. Elle me dit de me tenir droite et de ne pas bouger. J'aime qu'elle me brosse les cheveux mais je ne veux pas qu'elle me les coiffe. Elle va me faire encore des nattes comme on les lui fit, sans doute, à Lectoure, chez les Bastien-Veyrac, quand elle était petite. Très vite, à me caresser avec la brosse, elle ne me regarde plus vraiment. Elle pense à l'enfant qu'elle fut. Pour être sûre de sa distraction, je fais un clin d'œil, je tire la langue. Elle ne le remarque pas. Je voudrais tant pouvoir l'aider. J'ai six ans, sept ans, huit ans. Elle m'appelle rarement dans sa chambre.

Si elle le fait, c'est par peine. Brusquement, elle a besoin de moi, de me toucher et de me faire belle. Selon elle. Besoin de se souvenir de qui elle était, de moins penser à ce qu'elle est devenue à l'ombre du père, sans jamais se plaindre, à veiller qu'on ne la plaigne pas, rabrouant mes frères s'ils veulent prendre sa défense, nous interdisant de critiquer nos parents. Elle me coiffe. Elle oublie le temps. Elle me brosse les cheveux si longtemps que je finis par lui dire " maman, tu me fais mal ". Surprise, elle arrête. Dans son regard, une fraction de seconde, je lis une frayeur, comme si elle venait de se trahir. Elle se penche, m'embrasse sur le front, murmure " pardon " et se met à natter mes cheveux. Je n'ose plus lui dire que je n'aime pas les tresses. Henri nous tient. Rien ne doit modifier son idée de famille. Une société capote. C'est le dernier dimanche après les fêtes. L'expression est de Bertrand. La menace était dans le regard de Cécile, ombre portée de mon père. »

Claire pose la feuille sur la pile de gauche. Elle se mouille le bout du doigt, attrape une autre page blanche.

« Menace. Moncrabeau. Le jeu consistait à découper des journaux en feuillets, tous de la taille d'une enveloppe. Il en fallait beaucoup pour que le jeu dure le plus longtemps possible, et surtout pour gagner. Dehors, il pleuvait sur l'étang et le bois de bouleaux. Les sorties étaient interdites. Nous nous tenions tous les quatre autour d'une table. Luc et Sébastien savaient écrire, Bertrand et moi pas encore. Nous étions le " service secret des postes et télécommunications ". Nous avions la " responsabilité du réseau ". Sans notre tampon les messages " ne parviendraient jamais à destination ". Bertrand, parce que plus petit, avait seulement mission de tenir la pile. Je devais, à côté de lui, prendre un feuillet et vérifier en soufflant dessus s'il n'y en avait bien qu'un. Sébastien, ensuite, me l'arrachait des mains, tamponnait d'un côté, coup de poing sur la table, tampon imaginaire. Luc le prenait à son tour, tamponnait de l'autre côté, autre coup de poing, et comptait à voix haute. Nous devions aller jusqu'à mille. A mille seulement nous sauverions le monde et nous nous sauverions avec. Sébastien disait " ils finiront bien par comprendre que c'est grâce à nous ". Les Allemands étaient à notre recherche. Ils fusillaient les clandestins. Alors, très vite, je prenais deux feuillets à la fois et n'avais plus le temps de les séparer. Sébastien tamponnait quand même en me traitant de saboteuse. Bertrand tenait la pile, écarquillait les yeux. Il était heureux parce que nous le prenions avec nous pour le jeu, et peureux parce que nous risquions de perdre. Ça tambourinait sur la table. Luc, en comptant à voix haute, nous pressait. Nous ne sommes jamais arrivés à mille. Bernadette nous appelait, ou bien Merced, ou Cécile. Henri nous surprit un jour. Nous venions de dépasser les neuf cents. La porte s'ouvrit " mais que faites-vous ? " Et comme ni Luc ni Sébastien ni moi ne répondions, il avait emmené Bertrand en lui disant " ne reste pas avec eux ". Bertrand, le soir même, au moment où je le couchais, me demanda " c'est lui, l'Allemand ? " Cette histoire, je viens de me la rappeler à cause de ces feuilles que je prends sur la pile de droite, pages sur lesquelles j'écris, pages tamponnées d'écriture, que je pose ensuite sur la pile de gauche. Comment faire la chaîne ? je suis seule. C'est toujours le même réseau, le même service secret, les mêmes tampons imaginaires, le même appel. Comment arriver à mille ? C'est toujours le même cri de Bertrand, emmené par papa. Le premier front, c'était nous. Le jeu s'appelait "SOS monde entier ". C'était pendant la guerre. Rien n'a changé. Je refais aujourd'hui les mêmes gestes. Peut-être ai-je fermé la porte de cette maison, ce soir, exception, pour que mon père n'entre pas, alerté, furieux du crissement de la plume sur ce papier.

« Menace. Henri nous a voulus incapables de nous réjouir. Henri nous a maintenus incapables de réjouissance. Henri nous maintient encore. La loi est là. La loi et pas d'émoi.

« Je soussigné Prouillan, Claire, Henriette, Colette, née à, le, en, fille de, et de, sœur de, épouse de, et maman de trois enfants en route pour l'Italie et d'autres pays, certifie et me certifie, par ces lignes, que rien vraiment ne peut échapper au jugement du père dans l'exercice du pouvoir qu'il se donne et que nous lui donnons, tant dans le silence que dans la fuite ou l'affrontement. Il est là. Il est toujours là. Tout ce qui n'est pas de lui est rapporté. Tout ce qui est de lui ne lui ressemblera jamais assez.

« Appel. Je réclame, ici, à Gérard, mon dû sensuel.

« Sauveterre. Nuit du 9 au 10 juillet. Mon Gérard. Je viens d'écrire les brouillons d'une lettre que je voudrais dicter au temps pour que tout recommence. Tu commences seulement à me manquer. Tu n'es plus derrière moi, à lire au-dessus de mon épaule, à copier pour l'examen final qui m'emportera à mon tour, plutôt tôt que tard, mais tu es l'encre de ce stylo et la page qui reçoit. Je caresse ici ton ventre. J'écoute battre ton cœur. Je sens ta main dans mes cheveux. Tu les décoiffes. Tu me décoiffes encore. Tu es le seul regard que j'aie aimé rencontrer et auquel je me sois heurtée sans aucune crainte. Ce soir, je viens de comprendre que je n'avais fait que jouer le jeu qu'ils me dictaient, ils, tous au garde-à-vous, identiques, hommes, femmes, autres que nous, Henri et, derrière lui, une société à son image exacte. Les autres, à vous aider, en cas de malheur ou de dépression, poussent plus qu'ils ne vous retiennent ou redressent. Ils ont pour cela deux manières aimables. La première est de ne donner aucune importance à ce qui vous survient, la seconde de trop en donner. C'est rarement entre les deux, juste émotion, aide véritable. J'ai bien veillé, depuis que tu m'as quittée, à ne me laisser prendre à aucune de ces deux amabilités. Je n'ai trouvé que ton souvenir en moi, entre deux, pour me tenir debout, en route, et voir grandir nos enfants. Ils me quittent et tu commences en fait à me manquer. Il me fait bon te l'écrire. Cela contient en moi le cri.

« Mon Gérard. Il est toujours suspect d'écrire sous son nom. Que découvre-t-on alors ? Une volupté prise pour de l'amour ? Et l'on a vite fait de vérifier un falloir (je suis celle qu'il te faut, tu es celui qu'il me faut) et même un dû. Tu me fais défaut.

« Gérard, mon ami. Pourquoi mettre ton nom en haut de chaque page puisque tout de moi t'est adressé et que plus jamais aucun message ne te sera vraiment remis ? Depuis des années, j'use tes chemises. Je les porte comme des robes de chambre. J'en retrousse les manches. J'adore les boutonner. J'aime me sentir trop petite, dedans. Ni relique ni fétiche, c'est ce qui t'habille encore. Quand je les lave, j'en caresse la fibre. Quand je les repasse, je veille à ne pas faire de plis. Et quand je peins, je prends bien garde de ne pas les tacher. Je suis ton épouvantail. Là, maintenant, je porte un de tes pull-overs. Tu me tiens chaud. Tout nous interdit de vivre un passé s'il est présent encore. Tout nous impose de penser que ce qui est beau est idéal, donc d'illusion. Pourquoi, dans les secrets de ces pages, messages, suis-je encore, coupable, à me poser la question du jugement des autres ? C'est notre amour. C'est tout. Il dure. Ils prévoient tout, sauf ça !

« Histoire. C'était quelques jours après ta mort. Le surlende-main de ton enterrement. Ruth, Anne-Marie et Cécile

m'avaient accompagnée chez le notaire, boulevard Saint-
Germain. Bernadette gardait les enfants, place d'Antioche.
En sortant, sous le porche, Cécile nous avait proposé d'aller
prendre le thé, dans le quartier. Nous trouverions bien un
endroit agréable. Je l'entends dire " agréable " avec cette
diction précise, un peu guindée, qui trahit le doute et
l'affliction. Toutes trois ne savaient plus comment me traiter,
me parler. Tout ce qu'elles pouvaient dire ou faire masquait à
peine la joie profonde, pour chacune, de ne pas vivre le drame
que je vivais. Elles s'occupaient de moi par solidarité. Cela ne
durerait que quelques jours. Elles le savaient tout autant que
je le sentais. Comme disait l'oncle Jean " ça ne mérite pas
d'être noté, c'est joué d'avance ". C'était joué d'avance, ce
jour-là. Il faisait soleil. Les gens de la rue avaient l'air
heureux. Trois femmes m'entraînaient pour, disaient-elles,
" me distraire un peu ", et surtout " me faire réagir ". Je te le
raconte, Gérard, parce que je ne t'ai en fait retrouvé qu'ici, en
arrivant à Sauveterre, le jour du choix de cette maison. Cette
histoire, tu ne la connais pas. J'ai besoin de m'en délivrer.
Sans aucune honte. Telle quelle. Ecoute.

« Suite. Nous prenons le thé. Tout ce qu'elles me disent est
inévitable. Dans l'état où je me trouve, coupée de toi,
fracture, aucun mot ne peut jeter le pont. Les mots alors
tailladent, poignardent, farfouillent. Et pire encore les
regards d'impuissance. Il n'y a plus de salon de thé dans le
quartier. Nous nous retrouvons dans un snack, au coin de la
rue du Bac. Je me souviens du nom, l'Escurial. Cécile
demande s'il y a des gâteaux. Elle dit " gâteaux " comme elle
a dit " agréable ". Le serveur nous porte des tranches de cake
sous cellophane. Cécile me dit " mange, ça te fera du bien ".
Anne-Marie ramasse mon écharpe qui est tombée par terre, la
secoue, la plie et me la tend " elle est belle. Où l'as-tu
achetée ? " C'était un cadeau de toi, Gérard. J'écris

" cadeau " comme ma mère disait " gâteaux ". Il y a des
intonations dans les mots, si on prend le temps de les lire.
Snack. Escurial. Bac. Cake. Cadeau. Ruth me propose de
venir vivre chez elle un temps " je suis seule, moi aussi, tu
sais, Sébastien ne... " Elle rougit. Elle vient de dire une
bêtise. Je lui caresse la main, sur la table. Elle la retire très
vite pour boire son thé. Prétexte. Elle regarde Cécile et
Anne-Marie. Les trois femmes s'observent et ne disent plus
rien. Il y a la musique d'un juke-box et le murmure des gens
du comptoir. La table est en formica. Snack, Escurial, Bac,
cake, musique, juke-box, formica, je ne joue pas, Gérard.
Tout avait, brusquement, un éclat insupportable. Je venais de
me rendre compte que ces trois femmes avaient épousé des
Prouillan et que je n'étais, ennemie, qu'une Prouillan, dans la
lignée de leurs hommes.

« Cécile paie. " Vous ne finissez pas vos cakes ? Vous avez
raison. Ils sont secs. Rentrons. " Je déplie ton foulard, le
noue autour de mon cou un peu trop fort, comme si je voulais
m'étrangler. Ruth le remarque et tourne la tête. Elle nous
devancera jusqu'à la voiture. Chez le notaire, le clerc avait
des lustrines et la même voix que le jour où il nous avait lu le
contrat de mariage. Tu te souviens ? Henri avait exigé que
tout soit signé chez notre notaire. A Paris. Pas à Valence. Pas
chez toi.

« Valence. L'avant-veille. Au cimetière. Il y a la famille
Pierrelet au grand complet. De mon côté, comme on dit,
personne ne m'a accompagnée. Je l'ai exigé. Il y a de beaux
nuages dans le ciel. Des nuages comme tu les aimais, ronds et
en panaches, montagnes enneigées, de ces nuages qu'il
m'arrivait de regarder passer dans tes yeux. Tes parents ont
été très gentils avec moi. Il n'y eut pas de défilé. Nous avons
déjeuné dans une salle à manger où je t'imaginais. Ta sœur

aînée a voulu me montrer ta chambre d'enfant mais j'ai refusé. Ils m'ont raccompagnée au train en insistant pour que je vienne " passer des vacances ", chez eux, avec les enfants. Tout s'est déroulé si vite. Pourquoi t'ai-je laissé mettre dans ton caveau de famille ? Quand donc commence une famille pour un caveau nouveau ? Question absurde, et pourtant. Suite et fin de l'histoire.

« Anne-Marie conduit. Ruth est à ses côtés. Je me tiens droite sur la banquette arrière, veillant à ne pas toucher du bras ma mère. Plusieurs fois, elle veut me prendre la main, mais je fais tout pour éviter ce contact. Je baisse la vitre. Je me passe la main dans les cheveux. Je regarde les trottoirs, les autres voitures, les autres gens. Jamais les feux rouges ne me parurent si obstinés. Plusieurs fois Ruth se retourne comme si elle voulait me parler. Je baisse les yeux. Anne-Marie, de temps en temps, me regarde dans le rétroviseur. Nous ne pouvions être qu'étrangères les unes aux autres. C'est ce que Bertrand appelait " la fin du bal, quand on ressent ce qu'aurait pu être la danse ". Je n'aime pas, Gérard, l'histoire que je vais te raconter. J'ai peur que tu ne me lises plus après. Cette image, longtemps cachée en moi, est insupportable. Voici.

« Anne-Marie trouve à se garer sur la place d'Antioche, juste devant l'immeuble. Nous descendons de la voiture. Je sens alors, dans l'air, ce parfum de retour de classe des jours où Bertrand venait me chercher à la sortie du collège, pour " faire le chemin avec moi ". J'ai senti ce parfum végétal, arbre, tronc, terre, qui, à l'automne ou au printemps, souffle à Paris, bouffées fortes qui montent à la tête. J'ai revu, à ce moment-là, Bertrand, heureux de moi et moi de lui. Le temps de la rue, nous étions libres. Nous étions n'importe qui et nous en jouissions. Il exprimait alors sa joie en faisant tout ce qu'il ne fallait pas faire, traverser aux feux verts, écrire à la craie sur les murs, dire bonjour à n'importe qui, m'appeler chérie dans les boulangeries quand nous nous offrions un pain au chocolat avec l'argent volé, donner à qui nous demandait une direction la direction inverse, sauter à pieds joints dans les flaques ou dans les caniveaux, glisser dans mon cartable comme en secret le livre qu'il venait de lire et que je devais dévorer. Il appelait Henri " Mario-pouvoir " et Cécile " Mimi-je-me-tais ". Il me racontait des histoires policières à leur sujet. Il disait qu'eux seuls avaient le droit d'acheter des armes mais que jamais aucune armée organisée n'avait pu mater une action de rebelles isolés. En sortant de la voiture, j'ai appelé " Bertrand ! " Je venais de le revoir, sortant du taxi, le soir de Barcelone, à cet endroit précis, devant cet arbre-là. Et elles, elles trois, me regardaient sans comprendre. J'ai ri. Elles ont eu peur. Elles ont eu le regard de la peur. Suite et fin.

« J'ai découvert avec toi, Gérard, un emploi du corps et du temps. Nous unissait le fait que nous faisions la même découverte, ensemble. Autour de la table, chez les Pierrelet, à Valence, on ne se parlait pas non plus vraiment. Ta sœur aînée insistait pour me montrer ta chambre d'enfant parce qu'elle voulait avant tout la revoir, et la vivre. C'est toujours la même histoire et ça vaut la peine de la raconter. La peine amoureuse. La seule véritable peine, irréductible. La politique, ça commence à deux, quand on est deux, quand on le fut, quand on ne l'est plus. A la fin du bal, les couples se forment. C'est trop tard. Attention, nous sortons de la voiture. J'ai crié " Bertrand ! " et j'ai éclaté de rire.

« Suite et fin. Je fais quelques pas, Anne-Marie me rattrape par le bras et me dit " attention ! " J'allais marcher dans une crotte. Une crotte de chien. Une crotte de Pantalon près de son marronnier préféré. Et comme ces trois femmes se mettent à sourire, nerveusement, gentiment, parce que je ne fais plus attention, je mets le pied droit dans la crotte. Je l'écrase. Puis le pied gauche, pour en avoir sur toute la surface des semelles. Cécile, Ruth et Anne-Marie ne sourient plus. D'un pied sur l'autre, je me macule les jambes, les chevilles, les mollets. Je me couvre de crotte, devant elles, et devant l'immeuble. Je suis sale. Très sale. Je crois même que ça sent mauvais. Ça ne me plaît pas, mais je le fais parce que je ne veux plus qu'on me rattrape par le bras et qu'on me dise de faire attention. Je ne veux plus de ce dialogue de sourdes, absence de dialogue de femmes. Je ne veux plus de ces préventions et de ces silences qui sont dictés à elles tout autant qu'à moi. Je ne veux pas qu'on me traite en veuve et je viens de revoir Bertrand à cet endroit-là, maltraité lui aussi. Je suis debout, les jambes un petit peu écartées, surprise par ce que je viens de faire, heureuse du signe, consciente du risque que je cours, fidèle à moi-même et à toi, Gérard. Des passants se sont arrêtés, l'air dégoûté. Alors, alors seulement, Anne-Marie et Cécile se précipitent sur moi et m'entraînent. J'allais me pencher pour m'en mettre aussi sur les mains et sur le visage. Mais elles m'ont raptée. Ce n'était pas n'importe quelle crotte devant n'importe quel immeuble.

« Fin. Elles me poussent dans l'appartement. Cécile ordonne à Bernadette d'enfermer les enfants dans la cuisine. Elles me cachent dans la salle de bains. Elles me déshabillent. Elles me douchent. Elles me savonnent. C'est bon. Je me laisse faire. Anne-Marie me frotte fort les pieds et les jambes. Je pleure, mais sous la douche, et elles ne le voient pas. Cécile, une brosse à la main, nettoie mes chaussures dans le bidet. Ruth me tend une serviette et me sèche le dos. Elles me tarabustent, toutes trois, un peu et je m'agrippe au rebord du lavabo. Elles me veulent propre, nette, très vite et de

nouveau. Loïc, Pierre et Laura ont échappé à la surveillance
de Bernadette. Ils tambourinent à la porte en nous appelant.
Trois mamans viennent de faire la toilette d'une vilaine
quatrième. Elles me rhabillent. Cécile me dit en regardant les
chaussures dans le bidet " je vais te donner les miennes. Je ne
veux plus voir celles-là, s'il te plaît ". Tout s'est passé très
vite. Ne m'en veux pas, Gérard, de t'avoir caché si longtemps
cette histoire. Je me suis mise, après, à entendre tous les
bruits de la ville et je me suis réfugiée ici. Pour Cécile,
Anne-Marie et Ruth, j'étais devenue folle. Pour Suzy aussi,
pour Jean, pour mon père. On m'a lavée mais on a raconté
l'histoire. Je n'avais plus qu'à quitter Paris, comme Bertrand.
Et pour un autre Moncrabeau. L'existence de la douleur
m'instruit. J'y tiens. Je m'y tiens. Et je t'aime.

« Je vais essayer de dormir avec un seul oreiller. J'ai toujours
le goût de ta bouche dans ma bouche. Il suffit.

« Je suis folle parce que je ne connais pas l'oubli. Les enfants
sont loin. Je peux m'arrêter. Je t'embrasse. »

Claire se lève, recapuchonne le stylo, met bien en pile les
feuilles sur lesquelles elle vient d'écrire. Elle les glisse dans le
tiroir du bureau. Elle range la bouteille d'encre, entrouvre la
fenêtre et bloque la crémone. Elle descend dans la pièce du
bas, boit un verre d'eau, ouvre la porte et retire la clé. Elle
veut tout ranger dans la maison. Il y a de la lumière chez les
Schulterbrancks. Elle leur rendra visite demain si la douleur
est trop vive. Elle regarde l'heure, 3 heures du matin. Elle
met de la musique. Elle respire. Loïc, Yves et Géraldine sont
certainement en train de passer la frontière. Le cri est maté.

19

Un panneau lumineux, rouge, clignotant « ouvert la nuit ».
Luc ralentit. Second panneau « dernière station avant l'autoroute ». En rase campagne, un parking encombré de camions,
transports internationaux, une station-service, un relais de
routiers. Luc détache sa ceinture de sécurité, oblique à droite,
cherche une place le plus près possible du relais. Il veut de la
lumière, du bruit, des gens, de la fumée, des voix, d'autres
visages et un café, noir, dans un grand bol, comme autrefois
quand il préparait ses examens. Dans le rétroviseur, Luc
regarde son hématome, à la tempe. Il se trouve cogné mais
pas suspect. Il peut se montrer en public. Il attrape son
blouson, sort de la voiture, fait claquer la portière, vérifie si le
coffre est bien fermé. Dans les cabines des camions en
stationnement les rideaux sont tirés. Dans le sens Paris-
province, il y a de nombreuses voitures. Mais qui remonte

vers Paris, cette nuit ? Presque personne. Luc pousse violemment la porte du relais et la retient du même geste pour qu'elle ne heurte pas le mur et signale son entrée. Il a besoin d'être là. Une halte.

Toutes les tables sont prises. A une table de quatre, un homme seul. Luc s'approche, prend une chaise « je peux ? » L'homme fait signe que oui. C'est un barbu, aux yeux bleus, trente ans, pas comme les autres clients. Ses bagages sont là, contre le mur, deux sacs l'un sur l'autre, et un ciré dessus. Il a terminé sa bière. Des miettes sur la table, il vient de manger un sandwich. Luc commande « un grand café et deux croissants ». La serveuse donne un coup de chiffon devant lui. Il y a les bruits, les voix, la fumée, les autres, mais il y a aussi cette table, à partager, et ce type qui le regarde, de face, qui se penche et lui dit, comme un secret, d'homme à homme, « et n'oubliez pas que je vous dois un franc ! » Luc, surpris, hésite « vous vous trompez... » Le type éclate de rire, se redresse sur sa chaise et dit très fort, comme s'il voulait prendre tout le monde à témoin, « alors c'est deux francs que je vous dois ! » Luc croise les bras sur la table, baisse la tête, attend le café, les croissants. Le type insiste « vous ne dites rien ? Ça ne vous amuse pas ? Allons-y pour trois francs ! » Luc hausse légèrement les épaules, se tasse sur lui-même, rapproche la chaise de la table. Il se dit qu'il est tombé sur un fou. Ou bien non, rase campagne, milieu de la nuit, lieu public, ici on se restaure, il est face à quelqu'un d'autre qui veut parler, c'est tout. Comme s'il n'avait rien à dire, lui aussi.

« Bon ! Alors c'est quatre francs ! » Luc le regarde. Le type sourit « ne vous en faites pas. Je vais pas vous taper. Le fric c'est ric-rac, mais je me débrouille. J'attendais seulement que quelqu'un vienne s'asseoir ici. Quelqu'un avec qui échanger deux mots. Des mots pour rire. Mais personne ne sait plus ».

Luc fait le sourd. Le type écarte sa chaise, se tourne vers la salle comme s'il avait décidé de ne plus rien dire. Tant mieux.

Antoine et Eliane ont dû monter directement dans leur chambre. Christine est restée dans la sienne. Ils ne se parleront que demain matin. Luc, en conduisant, ne voyait plus la route, le bord de la route. Il ne voyait plus que lui, employé à sa propre perte, brisant tout, toujours, au meilleur moment, quand l'aveu l'emporte sur l'instant, quand la liaison devient possible. Tenter le braque. Fuir le rassure. Il peut alors s'inventer toutes sortes de scénarios, ceux d'après la fuite, comme s'il ne pouvait exister qu'en fuyant. Luc veut rentrer vite à Paris parce qu'il a peur de revenir vers Christine et de lui dire les mots simples qu'il n'a jamais su dire, même pas à Anne-Marie. Les mots interdits que Cécile aurait voulu entendre, les mots tus de plusieurs générations. Ou alors, Christine est descendue en courant, Antoine l'a retenue, Eliane l'a calmée. Non. Ce n'est pas possible.

Le café, les croissants. Luc dit « merci ». La serveuse s'en va. Le type pointe Luc du doigt « vous rentrez à Paris ? Moi, j'en viens ! Je peux vous donner les dernières nouvelles : il n'y a plus de place, pour personne. Et je vous dois cinq francs. Je vous dis ça parce que vous avez la gueule de quelqu'un qui a une 504 à injection et pas mal de cadavres dans le coffre ! » Luc regarde le type « je vous en prie... » Le type sourit « alors c'est six francs ! Ils sont bons les croissants à cette heure-ci, hein ? Ils sont chauds ! » Luc s'en veut d'être entré dans le jeu. Il n'a plus qu'à se dépêcher de boire son café et de manger les croissants. Le type murmure « j'ai une dette envers vous parce que je ne vous connais pas ». Il rit. Il essuie les miettes, écarte le verre vide, pose les mains à plat sur la table. Luc avale un bout de croissant de travers, toussote, boit une gorgée de café. Le type continue, à mi-voix « sept, huit, neuf francs ! Ainsi de suite jusqu'au million ! Je vous fais le coup parce qu'on me l'a fait. N'allez pas à Paris. Revenez au point de départ. Arrêtez de vous faire mal. Et surtout écoutez-moi, parce que quand on me l'a dit, j'ai pas su écouter. Je me suis dit, moi aussi, du bavard, là, comme ça, crac la vérité, qu'il était fou. C'était dans une station de métro, à minuit. Il n'y a pas beaucoup de rames à cette heure-là. Vous écoutez ? » Luc tourne la tête, regarde la serveuse, derrière le comptoir, et les types, d'autres types, voyageurs de la nuit. Une seule femme, la serveuse. Elle a les yeux maquillés, traits noirs. Il manque un bouton à son corsage. Quelle poitrine. Un vieil homme passe, un seau à la main. Il jette de la sciure par terre. Luc fait signe à la serveuse. Il veut payer. Il n'a même pas terminé son café. Le type lui dit « laissez, je vous dois bien ça. Ou alors, vous m'offrez une bière. Ne serait-ce que parce que je n'ai pas les moyens de me la payer. Comprenez ? Je descends et vous remontez. Vous devez m'écouter ». La serveuse s'approche. Luc dit « une bière, et l'addition s'il vous plaît ». Le type sourit. Luc l'observe. Le type prend un air fier « je vous ai eu. Et c'est à vous de me dire merci ».

Luc respire, se caresse la tempe du bout du doigt, instinctive-ment. Comme une image, flash, il voit une forêt et des arbres qui ne s'écartent plus sur son passage. Maintenant il peut boire son café, calmement, et penser au second croissant qu'il va manger. Quel besoin de s'inventer des hâtes et partout des ennemis pour ne jamais plus vraiment « prendre le temps du temps », expression de Bertrand. Luc murmure « fous le camp ! » Le type s'étonne « pardon ? » Luc sourit vaguement « je parlais à quelqu'un d'autre ». Le type secoue la tête, l'air épaté « je vous le disais ! Il y a du monde dans votre coffre ! »

La serveuse apporte la bière. Luc paie pour le tout.

Vrombissement d'un camion qui démarre sur le parking, lueur des phares, faisceau balayant la salle, lumière vive venue de l'extérieur. Le vieil homme balaie la sciure. La serveuse empoche le pourboire, petit sac gonflé de pièces suspendu à la ceinture de son tablier. Les talons hauts de ses chaussures sont usés. Luc l'observe, de dos, dandinant, tricotant du derrière, regagnant le comptoir. Le type dit « vraiment, je vous ai eu ! » Il lève son verre de bière comme pour trinquer. Sans même s'en rendre compte, Luc lui demande « comment vous appelez-vous ? » Le type répond « et vous ? Quelle importance ? Vous allez faire le plein d'essence, vérification du niveau d'huile, gonflage des pneus. Vous êtes aussi du genre ceinture de sécurité, ça se voit à vos lèvres. Vous ne dites pas ce que vous avez à dire. Des pièces de monnaie pour le péage ? Du fric pour tout ? Des gens sous vos ordres ? D'autres que vous quittez ? Certains que vous n'oubliez pas ? En roulant bien, vous arriverez à Paris à l'heure où on ramasse les poubelles. En fait, c'est Paris qu'on devrait jeter d'un seul coup. Seulement faudrait une grande benne ou une grande bombe. Il y a des Parisiens incompressibles ». Le type vide son verre, s'essuie les lèvres « si vous voulez j'arrête ». Il rit de bon cœur. Il a les yeux bleus de Bertrand. Luc boit son café, lentement, les coudes sur la table, la tasse dans ses deux mains, geste d'offertoire qu'il n'aime pas et qui lui rappelle certaines messes obligatoires, à Saint-Ferdinand. Personne n'y croyait, mais on y allait quand même. Ça faisait famille unie. Il murmure « non, continuez », puis à voix plus claire « parlez, je vous en prie. Vous voulez une autre bière ? » Le type hausse les épaules, se tourne vers la salle. Il se tait. Luc se sent épinglé. Reste un bout de croissant, il le croque. Le vieil homme leur dit « pardon » et balaie sous la table. Eclats de rire au comptoir. Quelqu'un a trouvé le bouton du corsage de la serveuse. Une voix « alors, j'ai droit à un baiser ! »

Luc se sent courbatu, fourbu par l'exercice physique de la
veille. L'histoire de ces derniers jours passés à jouer aux
« scouts d'un second âge avancé », expression de Christine,
est dérisoire. Christine avait beau soutenir que « l'événement » désormais était « assourdi par le commentaire »,
jamais Luc n'osa lui faire entendre que c'était là, encore, un
commentaire pour assourdir et taire. Luc pose la tasse vide
sur la soucoupe. Il aime le goût amer du café dans sa bouche.
Le type tourne toujours la tête. La serveuse a embrassé tout le
monde, sauf eux deux, à la table, à l'écart. Le sol est propre.
Le vieil homme vide les cendriers dans le seau de sciures sales.
Luc conjugue déjà Christine à l'imparfait. Elle savait et faisait
tout trop bien. Comme Bertrand. Comme tous ceux qui ont
commencé à l'aimer, lui, Luc.

Le type se tourne vers la table, s'accoude. Luc baisse les yeux.
Le type dit « toujours là ? Je m'appelle Jacques. Ça vous va ?
Je travaillais dans une imprimerie. Je suis au chômage. Ça
vous plaît ? J'ai été marié, j'ai deux gosses. Content ? Je vais
du côté de Biarritz. Je ne sais pas pourquoi. Peut-être à cause
du nom. Ça fait riche. Mon surnom, c'est Jacky. Vous savez
tout ». Le type tend la main à Luc, au-dessus de la table, geste
large, comme pour un au revoir. Luc ne bouge pas. Le type
retire sa main « mais je vous demande rien ! Quand vous êtes
entré, je me suis seulement dit que je vous connaissais
vachement bien. Que je vous avais vu des milliers de fois.
Toujours sûr de vous. Et puis pas ce matin. Alors, j'en
profite ». Le type sourit, regarde Luc droit dans les yeux et dit
lentement, à voix basse, distinctement « vous êtes le parfait
salaud qui passe totalement inaperçu jusqu'au moment de la
fêlure. Fêlure ou fracture. Moi au moins, je vous laisse le
choix ». Le type donne un coup de poing sur la table. La
serveuse les observe. Luc attrape son blouson, se lève. Le

type essaie de le retenir « pourquoi êtes-vous si nombreux ? »
Luc sort. Le type rigole. La serveuse se dirige vers la table
avec un plateau.

Dehors, une odeur de pneus et de ferraille. Comme un
dépotoir au bord de la route. Et, tout autour, des champs.
Luc voudrait bien pouvoir se dire qu'il n'a eu affaire qu'à un
ivrogne mais le regard du type était tellement clair. C'était le
regard de Bertrand, quelques jours avant son départ pour
Barcelone, quand il avait dit à son frère aîné « tu es content ?
Tu as tout ce que tu veux, toi aussi ? » Luc n'avait pas
répondu. Bertrand avait alors mimé quelqu'un en train de lui
scier le crâne. Stylo à la main, il dessinait des pointillés sur son
front. Luc avait donné un coup de poing à son frère pour qu'il
arrête. Le stylo était tombé sur un tapis du salon de la place
d'Antioche et avait fait une tache. Anne-Marie et Cécile
entraient, suivies de Sébastien et de Suzy. L'oncle Jean
plaisantait dans la salle à manger. Luc revoit Bernadette en
train de nettoyer le tapis et Pantalon se penchant pour
renifler. « Un sucre, deux sucres ? » Chacun avait fait
semblant de ne pas voir les pointillés sur le front de Bertrand.
Luc donne un coup de poing sur le capot de sa voiture, un
coup de pied dans un boulon, tourne sur lui-même, se jette
sur la portière, l'ouvre, s'engouffre, attrape le volant. Il se
sent « nombreux ». Démarrage sur les chapeaux de roue,
marche arrière, coup de frein, marche avant et, quelques
mètres plus loin, brusque arrêt devant la pompe à essence.
« Le plein s'il vous plaît ! » Luc regarde la porte du relais. Le
type sort, sacs en bandoulière. Il a enfilé son ciré. Les deux
hommes se regardent, à distance. Luc murmure « fous le
camp ! » Le type traverse la route. Il se poste pour
l'auto-stop, en sens contraire.

Plein, huile, pneus, argent, pourboire. Le pompiste a nettoyé le pare-brise. Luc redémarre. Luc fait exprès de ne pas regarder dans le rétroviseur, mais il a vu le type esquisser un geste d'adieu. L'entrée de l'autoroute, premier péage, prendre le ticket. Puis la nuit. Les phares. Comme un tapis pour rentrer à Paris. De temps en temps, instinctivement, Luc regarde dans le rétroviseur. Personne pour le suivre. Il est le seul. Il ne pourra jamais raconter l'histoire du type aux yeux bleus, des croissants chauds et du bouton du corsage de la serveuse. Les histoires vraies ne se racontent pas. Depuis vingt ans, on ne parle plus de Bertrand.

Luc aime l'odeur de l'appartement de la rue de Téhéran quand il revient après quelques jours d'absence. Une odeur de renfermé, alors il respire. Il se sent à l'abri. Il a l'impression de recommencer. Il y a des tris à opérer. Des tris sans importance. Le linge sale, le courrier, les factures, défaire le sac ou la valise, refaire le point des rendez-vous, des projets, des rencontres souhaitées et des ruptures provo-quées, savant dosage de solitaire. Luc, en cachette de ses frères, allait toujours tout « rapporter » à son père. Il le tenait au courant des propos tenus, des colères, des fuites, des jeux, des intrigues et même des vols. Il remplissait son rôle de frère aîné. Henri est au bout de l'autoroute. Luc a toujours rompu pour lui, et par lui, mêmes gestes, mêmes mots, même attitude de dépit, même goût pour ce qui est immobile et conforme. Luc n'a fait que semblant d'aimer Claire, Sébastien et Bertrand. Il n'a jamais partagé leurs enthousiasmes et leurs rêves que pour mieux se convaincre d'imiter le père, de lui ressembler et de traverser la vie, comme lui, sans rien changer. Luc n'est resté qu'un fils. Anne-Marie l'a quitté alors qu'il commençait seulement à s'accomplir dans le rôle exemplaire.

Luc se cramponne au volant. Il roule trop vite. Il ne pense

plus à la route. Il s'est raté, en père, fidèle au modèle, et il revient, comme s'il était tenu au bout d'une longe, pour « rapporter » encore les rêves de ceux qu'il n'a pas voulu être. Sébastien, Claire et Bertrand ne se doutèrent jamais de rien. Luc excellait à prévoir les doutes qui l'eussent trahi et s'employait alors à prendre des initiatives complices ou à tenir des propos encore plus violents qui l'assuraient, pour un temps supplémentaire, de l'adhésion des frères et sœur. Il fit très exactement de même dans sa profession. Il s'est raté père mais il est devenu P.D.G. et désormais chevalier de la Légion d'honneur. Grotesque. La mauvaise conscience ne l'effleurera jamais. Et là, au volant, Luc l'admet pour la première fois, constat. Le geste d'adieu du type, au bord de la route, sens contraire, était presque affectueux. Pour se distraire, Luc branche la radio. Les informations de 3 heures du matin. Un avion s'est écrasé, en bout de piste, au décollage, à l'aéroport de Cotonou, République populaire du Bénin. 127 morts. Pas de rescapés. Prochaines informations à 4 heures. Et maintenant une page de publicité.

20

« Composition française. Sujet : le jardin d'Acclimatation. Forme : libre. Pour : Sébastien. Par : Bertrand. Ecrit : comme une lettre, seul véritable roman, un seul auteur, un seul lecteur. Remis : le jour de son mariage. Sera lu : toujours trop tôt. Exemplaire unique. Note de l'auteur : je te demande, Sébastien, de garder cette composition pour toi. C'est un billet de navigation qui n'aura plus aucune valeur si qui que ce soit d'autre en prend connnnaissance. C'est mon cadeau de mariage et ton livret de famille.

« 1. Nous n'y sommes allés qu'une fois, un jeudi après-midi. Cécile était partie pour Lectoure, au chevet de sa mère, grand-mère que nous n'avons que peu connue et qui ne se signalait qu'au jour des étrennes pour nous donner de l'argent qui, disait-elle, lui " coûtait plus " qu'à notre père. Cécile était auprès d'elle pour l'aider à mourir, comme si on pouvait aider quelqu'un à ce moment-là autrement qu'en se réjouissant de ne pas être du voyage. Stop. Papa n'était pas là, comme chaque jour à midi. Luc lança l'idée d'aller au jardin d'Acclimatation. Une revanche. Depuis des années, chaque fois qu'il avait été question de nous y rendre, il se trouvait toujours l'un de nous quatre pour dire que c'était " idiot ", " pour les demeurés " ou " pas drôle du tout ". Or, ce jeudi-là, l'idée nous séduisit. Claire organisa une collecte. Elle paierait pour tout. A la cuisine, elle prit aussi, dans le tiroir des cahiers de recettes, l'argent que Cécile avait laissé pour les courses et le boucher. Comme fait exprès, à ce moment-là, Bernadette s'était rendue de l'autre côté de l'appartement. Je crois qu'elle aurait voulu nous accompagner. Mais elle avait " beaucoup à faire " et " Madame allait téléphoner pour prendre des nouvelles ". Pantalon croyait que nous allions l'emmener. Il remuait la queue et nous suivait partout, dans les chambres, affolé. C'était un jeudi ni d'automne ni d'hiver. Le soleil ne réchauffait pas. Nous avons pris le 43, porte des Ternes, trois stations, deux tickets chacun, et nous sommes descendus à Parmentier, devant le collège Sainte-Croix. Tu fis, Sébastien, un bras d'honneur aux bons pères qui t'avaient foutu à la porte et qui, disais-tu, guettaient ton " retour, tous planqués derrière les fenêtres et les grilles ". Porte Maillot, nous avons pris le " petit train " qui conduisait au " Jardin ", Luc et Claire devant, toi et moi derrière. Nous étions déjà trop grands pour les banquettes. Même moi. Le dernier. Stop.

« 2. Dans le bois de pins, le long du boulevard Maillot, il y avait des femmes, des nounous, des landaus, des enfants emmitouflés (j'ai l'impression d'être né étranglé dans un cache-col, et toi ?) et surtout un parfum de terre sèche, trop foulée, devant des immeubles cossus. Tu m'as dit de l'un

d'eux, en pointant du doigt, " celui-là est ventru ". Je
t'aimais, Sébastien, pour ces images-là. Tout devenait vivant,
par toi. Par Claire. Par Luc aussi. Mais pour lui, parfois
seulement. Nous voulions de la vie, partout, surtout quand il
n'y en avait pas, ou plus. Combien de fois, pour jouer, t'ai-je
vu grimper sur une chaise du salon, et faire tourner les
aiguilles du cartel ? Qui donc les remettait toujours en place,
à l'heure de midi ou de minuit ? Stop. Ne pas accuser. Mais
constater. Je tiens à mon jardin d'Acclimatation, un cadeau
de mariage " utile " comme dirait maman. C'est ma table de
bridge. Luc s'est marié. Tu te maries. Bientôt au tour de
Claire. Et moi alors ? Moi, le petit train a déraillé. Il " était "
déraillé quand je suis né. Je me penchais déjà trop avant
même de naître. Stop. Ne jette jamais ce billet, il navigue. Tu
le liras un jour. Tu vivras alors, enfin, la leçon de ce jeudi-là et
de ce jardin-là. Luc était en seconde. Tu préparais le
B.E.P.C. Claire venait d'entrer en cinquième. On me faisait
redoubler ma septième parce que je n'avais pas eu de dispense
pour entrer en sixième et commencer le latin. Stop. Entrons
dans le jardin.

« 3. Miroirs déformants. Le hall est désert. Il n'y a que nous.
Nous nous regardons nains, géants, obèses, squelettiques.
Nos images se fondent les unes dans les autres. Nous posons
groupés, devant les miroirs. Nous avançons, nous reculons,
nous nous pinçons, boxons, les regards fixés sur nos images
déformées. Nous rions des monstres que nous devenons.
J'entends l'éclat de nos voix dans ce hall. Je ris de bon cœur
moi aussi, mais une peur m'envahit. Tu le sens, puisque tu me
prends par la main. Tu me dis " c'est con, j'ai le vertige ". Luc
pousse Claire devant un miroir qui renvoie d'elle une image
ronde, comme un ballon. Il lui dit " regarde, tu es enceinte ".
Claire se fâche " partons ! " Mais il y a d'autres miroirs et
nous nous arrêtons. Nous rions quand même. Le rire, c'est

toujours " quand même " et c'est " beaucoup " de la peur.
" Beaucoup s'en faut ", la morale d'Antioche et de Moncrabeau. Luc gesticule devant nous. Pas à pas, nous reculons et
nous le laissons seul. Il ne s'en rend compte qu'un peu tard. Il
nous rejoint " on est venus pour s'amuser, oui ou non ? "
Claire murmure " non ". Nous sortons. Tu dis " j'ai mal au
cœur ". Je t'ai toujours connu avec mal au cœur et te voilà
officier de marine. Claire remarque que je suis pâle. Luc nous
entraîne. Nos rires ont attiré d'autres enfants, accompagnés
eux, qui se pressent à l'entrée du hall. Résumé : pour nous
acclimater, on nous déforme. Dès l'entrée on nous dit d'en
rire. Et nous en rions. Stop.

« 4. Des allées de macadam bordées d'arceaux et des pelouses
interdites. Chaque arbuste est flanqué d'une petite pancarte
sur laquelle on peut lire un nom étrange, compliqué, avec des
" y ", des " x " et des finales en " is " ou en " us ". Je n'aime
pas ces noms. Ils dénaturent. Tout est ratissé, sarclé, balayé.
Je vois des enfants avec des barbes à papa plus grosses que
leurs têtes, et des ballons qui s'envolent s'ils les lâchent. Je
vois des enfants qui grinchent parce que leurs ballons se sont
envolés. Dans ce jardin, il n'y a que des rêves contrariés. Il est
interdit de courir. Il ne faut pas non plus s'arrêter au risque de
" prendre racine ", c'est toi qui le dis en me tirant par le bras,
et de devenir un arbuste avec un nom qui ne dit plus rien au
passant. Voici le train fantôme. Cette fois, Claire me prend
avec elle. Un wagon, une rampe à crémaillère, puis une nuit
de coulisses et de toiles peintes, comme derrière la scène du
théâtre de l'oncle Jean. On crie pour nous faire peur. Et nous
ne crions pas parce que la peur fait partie du prix. Un décor.
Des squelettes. Un cercueil qui s'ouvre. Je me dis que
grand-mère de Lectoure est morte. Des formes qui s'agitent
sous des toiles. Des mains qui nous grattent la tête dans une
nuit foraine. Ils sont payés pour nous chatouiller, " ils ",

verrons-nous jamais leurs visages ? Fin de circuit, notre wagon heurte une double porte qui claque et nous revoilà dehors. Claire s'est agrippée à moi. Elle a eu peur, " beaucoup et " quand même ". On nous freine. Nous descendons. Surgit à son tour le wagon dans lequel tu te tiens, les yeux fermés, à côté de Luc. Luc crie « en avant, il faut tout faire ! " Stop.

« 5. Le grand huit. Luc se met devant " j'ai pas peur ", toi derrière, la bouche de travers, Claire et moi au milieu. Claire me dit " accroche-toi bien ! " Et nous voilà entraînés, hissés dans cette petite fusée de métal, comme à une verticale. Plus besoin de lever les yeux pour voir le ciel. Ça chavire un peu. Le soleil devient de plus en plus froid. Virage, chute, montée, chute de nouveau, montagnes russes, vibrations. Claire a crié tout le temps. Luc se penchait de l'avant, comme pour se jeter et nous épater. Tu hurlais " arrêtez ! " Tout s'est passé très vite. J'ai vu plein d'immeubles autour du bois de Boulogne, hébétés, repus, et les arbres, au carré. Fin. Arrêt. Nous sommes obligés de te soutenir. Tu dis " non, ça va. On continue ! " Que veux-tu prouver à Luc ? Plus loin, il y a des lions qui dorment sur un rocher, un éléphant qui tend la trompe au-dessus d'un fossé, et des singes, le cul rose, nous rions un peu, qui attendent que nous leur lancions ces biscuits que Claire vient d'acheter pour eux. Je te prête mon mouchoir pour que tu t'essuies la bouche. Stop. Il faut payer pour entrer dans ce jardin. Il faut payer tout le temps. Dans ce jardin, tout est payant. Luc dit "on aurait dû venir plus souvent ". Je n'ai plus rien à expliquer. J'ose à peine m'exprimer. Dis bien à Ruth que je la trouve belle. Je ne peux aujourd'hui que t'offrir ce jardin dans lequel nous grandirons toujours sans le savoir, sans le vouloir.

« 6. L'autodrome. Claire paye pour nous quatre et nous remet nos tickets. Nous montons chacun dans une petite voiture. Le circuit est en forme de 8. Je n'aime pas ce chiffre, infini, qui est celui de la mort. La chaussée est assez large, plaques de béton par endroits descellées, cahots au volant, et bruit de ferraille de chacun de nos engins. Des pancartes " interdiction de doubler " et " gardez votre droite ". Luc a démarré le premier. Puis toi. Puis Claire. Puis moi. Bien dans l'ordre. Luc essaie de nous distancer en prenant les virages au cordeau. Ça monte, ça descend, très gentiment cette fois, au milieu d'arbustes indifférents de ceux plantés partout dans ce jardin où même l'air semble stagner. Nous avons eu droit à quatre tours. Tu t'es retourné, une fois, pour t'assurer que je vous suivais bien. Claire aussi, une fois, en souriant. Mais pas Luc. Composition française : le jardin d'Acclimatation. Thèse : forces et manières d'acclimater. Antithèse : dangers. Synthèse : nous sommes tous nés dans ce jardin, qu'on ait les moyens de payer ou pas. On arrive toujours dans le même ordre. Mais on finit par en perdre un. Je suis perdu, Sébastien, et je me perds. Voyage le plus possible. Je souhaite si fort que tu lises un jour ce message-cadeau en plein milieu d'une tempête. Les éléments se déchaînent encore, eux. Reste la rivière.

« 7. La rivière enchantée. Il faisait froid. Nous allions rentrer. Luc a dit " non, il y a encore ça ! " Une guérite. Claire paie. Une grille. Remise des tickets. Un embarcadère. Nous attendons un bateau " pour nous seuls ". Un moulin fait courir l'eau dans un canal de béton qui a juste la largeur de l'embarcation. Une autre pancarte " ne mettez pas vos mains sur les rebords ". Et nous voilà emmenés, cours sinueux, forcé. Nous passons sous un pont de rocailles. Il y a Blanche-Neige et les Sept Nains, le château de la Belle au bois dormant et le Petit Poucet poursuivi par un ogre. Tu hausses les épaules. Claire en " a assez ! " En descendant du bateau, tu grelottes. Tu trouves la force de dire " c'est la rivière désenchantée ". Nous avons ri, quand même. Quand même. Stop. Et nous sommes rentrés place d'Antioche. J'avais très mal à la tête.

« 7 *bis*. Grand-mère de Lectoure était morte dans l'après-midi. Bernadette nous attendait avec la nouvelle. Je me suis couché, j'avais " beaucoup " de fièvre. Je voyais tout, en vrac, les miroirs, le train, le grand huit, le circuit et la rivière. Nous ne nous sommes plus jamais parlé, après, comme avant. Cécile m'offre un pyjama neuf. Elle me dit " ce n'est rien ". Henri, le jour de mon retour à table, me dira " tu n'as rien ". C'était fini, fini d'avance. Un jour j'écrirai un roman de cent mille pages qui s'intitulera *Le Père immobile.* En exergue, j'annoncerai " c'est l'histoire d'un père assassin qui n'a rien trouvé de mieux pour tuer ses enfants que de les laisser vivre ". L'expression est de lui. Suivront cent mille pages blanches qu'on ne me laissera pas écrire, refusées d'avance. Je te les dédie. A bientôt, quand tu me liras. Echappe-toi, car tout nous biffe. Ton frère, Bertrand. Veille de ton mariage. Stop. »

Sébastien, nu, drap arraché, couché sur la banquette, dans sa cabine, plie le message qu'il n'avait jamais eu le courage ou la curiosité de lire. Il le replace dans l'enveloppe « à Sébastien Prouillan, la mémoire du cœur interdit » et glisse le tout dans l'exemplaire annoté des *Mémoires d'Hadrien.* Sébastien se lève, prend la lettre qu'il a écrite à son père le matin même et la place, avec le message de Bertrand, dans le livre. Il n'aura donc envoyé qu'une carte postale, à Toronto, à ses enfants. 82, Amelia Street. L'adresse chante. Ruth ne danse plus. La vie va. Sébastien enfile un pantalon, un pull-over à même la peau et, pieds nus dans des chaussures, sort de la cabine, le livre à la main. Quelques minutes plus tard, il le jette, sans le

lancer, verticalement, du haut du bateau, à flanc. Le livre
disparaît tout de suite. Les deux enveloppes flottent quelques
instants. Puis les vagues qui se heurtent au métal du *Firebird*
engloutissent les messages. Sébastien se frotte les bras.
Comme un froid à fleur de peau. Il ne veut plus penser à rien.
Chacun à sa place. Cent mille pages blanches. Il n'y a plus de
tempêtes.

21

Bertrand éteint la lumière et guette les bruits. La maison craque, la nuit. Des pas dans l'escalier, des clés dans des serrures, des portes qui claquent, ou bien des volets, des cris, des voix, tant de rumeurs indistinctes. Il fronce les sourcils, esquisse des gestes dans le vide. Bertrand alors s'approche des murs, s'y colle, mains plaquées, longe et se penche à l'embrasure des portes qu'il laisse toujours ouvertes, et va de pièce en pièce, surpris, curieux de savoir si on l'attend, s'il y a quelqu'un, ou bien personne et rien. Il passe alors dans la pièce suivante. Il entend mieux, il y voit mieux, dans la nuit. Les pièces du bas lui appartiennent, ainsi que l'escalier, le couloir du premier et celui du second, sous le toit. Souvent, quand il pleut, il se tient tout en haut. Il écoute le crépitement sur les tuiles. La maison lui tient compagnie. Il caresse les murs. Il se déplace. Jeanne lui dit toujours « vous avez fait votre ronde de nuit ? » Bertrand, l'air étonné, ne comprend pas. Qu'entend-il dans cette voix, un peu de reproche et beaucoup de tendresse, ou l'inverse tour à tour ? Jeanne dit encore, phrases habituelles, « je vais vous couper les cheveux, vous en avez besoin », « votre père a téléphoné, tout va bien », « il faut vous couvrir plus que ça, vous allez attraper froid », « Juan est de mauvaise humeur », « Merced va me reprocher d'être restée trop longtemps », « j'ai pensé à vous pour les crayons », « votre père viendra bien un jour », « il y a un bon film, ce soir, à la télévision. Tonio viendra vous chercher ». Ces phrases, Jeanne croit qu'à les répéter Bertrand finira par les comprendre. Bertrand dit « merci », « dehors », « eux », « jour » pour bonjour, « crire » pour écrire, et surtout « propre », « tête » s'il veut un médicament, « tige » pour vertige, il faut appeler le médecin. Ce sont alors toujours les mêmes calmants, les mêmes prescriptions. Mais pourquoi dit-il « eux » aussi souvent que « merci » ? Juan soutient que c'est « heu », un soupir, un râle, raclement de gorge, grognement animal. Jeanne sait que c'est « eux » et que ce mot désigne.

La lumière éteinte, Bertrand va dans la salle de bains. Devant le lavabo, bras tendus, il se lave les mains, longuement. Il les savonne, les frotte, les rince, les savonne de nouveau et les tient, appliquées l'une contre l'autre, geste de prière vers le bas, sous le robinet et le jet. José l'a souvent surpris, ainsi, faisant couler l'eau le plus fort possible, maintenant ses mains sans plus les frotter, debout, rigide, un peu cambré, le visage légèrement rejeté, dégoûté ou fasciné, les yeux mi-clos. José alors s'approche, coupe l'eau et tend une serviette à Bertrand. Bertrand prend la serviette et, avant de s'essuyer les mains, la porte à son visage comme s'il voulait retrouver un parfum. Merced dit de cette manie que « tant mieux puisqu'il se lave ». Juan se moque « faudrait couper l'eau, de temps en

temps ». Lucio ordonne aux siens de se taire. José, parfois, en
rentrant des champs, fait le même geste en lavant ses mains. Il
voudrait ressentir ce que Bertrand ressent, et comprendre. Ça
lui glace les mains, c'est tout.

Bertrand porte la serviette à son visage, respire, s'enfouit la
tête, puis s'essuie les mains, plie la serviette, la remet en
place, ferme le robinet et sort de la salle de bains. Il tourne sur
lui-même comme s'il était attaqué de côté ou de derrière. Il
lève un bras, puis l'autre, comme s'il voulait se dégager de
lanières. Il s'arrête net. A-t-il entendu un bruit ? Il regarde le
plafond, fixement. Antonio est allé se coucher en traitant son
frère de « laquais ». José s'est posté, dehors, derrière une
porte-fenêtre qui donne sur la chambre de Bertrand. Le volet
lui sert de paravent. Il se penche. Il observe. Il voudrait faire
la ronde avec Bertrand. Voir où il va, ce qu'il fait et pourquoi.

Bertrand s'approche du bureau, ouvre le tiroir, le tire
complètement, le tient à deux mains, haut, devant lui, bras
largement écartés et d'un geste brusque renverse le contenu
par terre, photos, lettres, cahiers, crayons, papiers, carnets,
enveloppes, chemises cartonnées, désordre de feuilles et
d'objets sur ses pieds et autour de lui. Il remet en place le
tiroir vide, se dirige vers l'armoire à linge, dans le coin, près
de la cheminée. Il essaie de l'ouvrir. Mais Jeanne la tient
toujours fermée à clé. Bertrand tape sur la serrure, coups de
poing, coups de pied. Puis il renonce, va vers le lit, le défait
d'un geste bref, arrache un drap, revient vers le bureau, étend
le drap par terre et, agenouillé, jette dessus les enveloppes,
les photos, les carnets, tout ce qui est tombé du tiroir. Parfois,
il embrasse un crayon ou une lettre. Il regarde bien s'il
n'oublie rien, sous le bureau. Il rampe à quatre pattes et à
tâtons. Puis il se lève, s'approche de la bibliothèque, fait
glisser son doigt sur la tranche des livres, prend celui-ci et

celui-là, sans hésiter, d'instinct, et les jette sur le drap, avec le
reste. Il jette aussi d'un coup le contenu du tiroir de la table de
chevet, et des vêtements qu'il va chercher dans un placard, un
costume, un pull-over, une veste. José retient sa respiration.
Le drap fait tache de lumière, par terre. José sent seulement
que Bertrand choisit ce qu'il empile, là, en vrac. Mais il
voudrait voir mieux et de plus près. Ces vêtements, Bertrand
ne les a jamais portés.

Bertrand noue le drap, fait un balluchon et tire le tout vers la
porte-fenêtre. José recule et se plaque derrière le volet.
Bertrand ne sort pas. Silence. José attend puis se penche de
nouveau. Le balluchon est là. La porte-fenêtre est ouverte.
Bertrand est parti dans la maison.

José entre et le suit, glisse de pièce en pièce jusque dans
l'entrée. La main sur la rampe, lentement, Bertrand monte au
second étage. Il s'arrête, comme s'il était inquiet de ne pas
trouver un chemin, comme s'il avait oublié une destination,
une commission à faire, un message à porter. Il hésite. Puis il
fait un grand mouvement de tête, nerveux, et gravit les
dernières marches. José attend qu'il soit en haut, retire ses
chaussures, les cache sous l'escalier et grimpe à son tour,
quatre à quatre, côté rampe, sans faire aucun bruit.

Second étage, le couloir, porte du fond. Bertrand essaie
d'ouvrir et, coups de poing, coups de pied, comme pour
l'armoire à linge, tape dessus, s'agite, recule, fonce, coup
d'épaule, recule et se jette de nouveau. Bertrand tombe à
genoux, le front contre la porte. José le rejoint, lui tend la
main, l'aide à se relever, l'écarte et se jette à son tour une fois,
deux fois. La troisième, la porte cède. Une chambre, un lit
sans sommier et sans matelas, une chaise retournée sur une
table. Bertrand marmonne « merci », entre et va droit vers un

petit cadre suspendu, face au lit. Il le décroche, l'essuie avec
ses doigts et le tient tout contre son visage comme s'il voulait
l'embrasser. Nuit de la chambre. Nuit du couloir. Bertrand
s'en va avec son butin. Plusieurs fois, dans l'escalier, José
croit que Bertrand va manquer une marche et rouler. Mais du
mur à la rampe, de la rampe au mur, Bertrand arrive à se tenir
en équilibre. José le suit, pieds nus. Il oublie de reprendre ses
chaussures. Bertrand a l'air pressé.

Bertrand, dehors, traîne le balluchon d'une main et tient le
cadre de l'autre, très fort, contre lui. La lune est tombée. Le
jour va se lever. Il y a de la brume sur l'étang, une forte odeur
de terre et de rosée. A quelques dizaines de mètres de la
maison, Bertrand s'arrête, défait le balluchon, brise le cadre
en le piétinant, déchire la gravure qui se trouvait dedans puis,
à genoux, une boîte d'allumettes à la main, fait brûler une
enveloppe, une photo, déchire un carnet, craque une autre
allumette, attise. Ça ne brûle pas.

José court à la buanderie, derrière la maison. Sous l'évier, il y
a une bouteille d'alcool à brûler. Quand il revient les chiens
des alentours se sont mis à aboyer. Bertrand se redresse,
s'écarte, panique. José le retient en lui montrant la bouteille
« avec ça, ça flambera ! » José s'agenouille, ramasse un petit
bout de la gravure déchirée, la glisse dans la poche de son
pantalon, asperge le drap, les vêtements, les objets. Il se
relève. La bouteille est vide. Il la lance de toutes ses forces
dans l'étang. Il prend la boîte d'allumettes et fait flamber le
drap. José se frotte les mains. Bertrand dit « propre » et
recule lentement vers la maison.

Au bout du chemin, alertés, Antonio, Juan, puis Lucio,
Jeanne et Merced. Ils n'osent pas approcher. Les coqs
chantent. La brume de l'étang se dissipe. Une fumée noire

au-dessus du feu. Puis bientôt plus de flamme et une tache
dans l'herbe. Tête penchée, bras ballants, Bertrand attend
qu'on vienne vers lui.

Les femmes se sont occupées de lui. Elles l'ont déshabillé,
couché, bordé. Bertrand s'est laissé faire. Ils se tenaient tous
dans la chambre, les hommes près de la porte et les femmes de
chaque côté du lit. Puis, Merced a fermé la porte-fenêtre et
tiré les rideaux. Juan observait ses fils. Antonio a haussé les
épaules. José a souri à son père. Lucio fit signe à Juan de ne
rien dire. Une dernière fois, Merced a caressé le front de
Bertrand. Il dormait déjà, les yeux grands ouverts.

Ils ont fermé toutes les portes derrière eux. José a repris ses
chaussures, sous l'escalier, en disant « il y a une porte de
cassée, au second ». Mais tous étaient déjà dehors. Personne
n'a entendu. José, furtivement, regarda le bout de gravure :
un visage dans des buissons.

Un peu plus loin, en chemin, alors qu'il rejoignait le groupe,
José jeta le bout de gravure dans l'herbe. Lucio dit « no paso
nada ! » Juan répéta « il ne s'est rien passé ! » Merced prit le
bras de Jeanne. Jeanne posa sa main sur la main de Merced.
José dit à son frère « il ne s'est rien passé ? » Antonio
répondit « rien ! » Juan s'arrêta et se retourna pour regarder
la maison, de loin. Les mains dans les poches, les épaules
relevées, il cracha par terre. Lucio fit de même. Antonio et
José les imitèrent. Merced fit un signe de croix. Une nouvelle
journée commençait. Jeanne dit « rentrons. J'ai froid ».

22

Le 10 juillet. 5 heures du matin. Gare d'Austerlitz. Henri
Prouillan se tient debout, mains croisées dans le dos, la tête
légèrement penchée, le front contre la porte vitrée de la salle
d'attente. La gare est déserte. Les guichets sont fermés. A
chaque minute on entend le bruit de la grande aiguille des
horloges électriques. Elles marquent toutes très exactement la
même heure. Ordinateur. Depuis près de deux heures, il
guette, attend, va, et revient vérifier si pendant chacune de
ses tournées Bernadette n'a pas quitté son refuge. Bernadette
est assise, les mains sur les genoux, bien droite et posément,
tout au fond de la salle. A ses pieds, deux valises. Henri n'ose
pas entrer. Trois autres personnes dorment. Bernadette le
regarde. Le premier train en partance pour Toulouse est
à 5 h 57.

Plusieurs fois, Henri a voulu renoncer et rentrer place d'Antioche. Il se voyait déjà déchirant le manuscrit de *La Mainmorte* sans même le lire, le jetant dans les poubelles de l'immeuble, une moitié dans l'une, une moitié dans l'autre, plongeant la main pour bien mélanger aux ordures, simple précaution. Il se voyait encore prenant un exceptionnel bain du matin, et se couchant, lavé, totalement abandonné, peut-être plus fort que jamais, pensant à tout sauf au chèque donné à Suzy, sauf à Moncrabeau, sauf à Cécile, Luc, Claire et Sébastien, essayant de ne penser à rien qu'à « vivre jusqu'à la mort », expression employée au déjeuner chez Taillevent, par son agent de change, il y aura huit jours aujourd'hui, samedi. Plusieurs fois, Henri s'est retrouvé devant la gare, sur le quai de la Seine, côté départ, ou sur le boulevard, côté arrivée, attendant le passage d'un taxi libre.

Mais il revenait sur ses pas, obstiné. Bernadette ne pouvait pas partir comme ça, lui faire ça, à lui, justement, maintenant. Et le voici de nouveau, le front contre la vitre de la porte. D'un regard fixe, Bernadette le tient à distance et lui interdit d'entrer dans la salle d'attente. Que faire contre Bernadette puisqu'il ne sait rien d'elle, somme toute de tant d'années, qu'elle sait tout, de tous et de tout, et qu'elle a décidé de reprendre une liberté ? En se tenant le front contre la vitre, mains dans le dos, attitude d'enfant, bouderie, rêverie, surplomb de la place d'Antioche, Henri croit encore, parade, pouvoir troubler Bernadette, l'émouvoir au point de la forcer à sortir et à lui parler. S'il dit le premier mot, ce ne sera que pire, et obligatoirement maladroit. Toute sa vie, Henri a laissé les autres se condamner en leur abandonnant l'initiative de la prise de parole. Bertrand ne disait-il pas qu'il aurait toujours le « premier mot » ? Il l'a eu. Tant pis pour lui. Henri ne pense plus Bertrand, mais Moncrabeau, un tas de pierres avec quelqu'un qui bouge dedans. Henri fera retirer le lit jumeau, lit de Cécile, il ne veut plus qu'un lit dans sa chambre. Henri n'ira pas à la remise de Légion d'honneur de Luc. Henri ne sera « pas libre » pour Sébastien quand il passera à Paris, la prochaine fois. Henri ne répondra aux lettres de Loïc, Yves ou Géraldine que si Claire lui écrit. Au moins une lettre. Au moins ça. Où est Pierre ? A qui ressemble-t-il ? Où sont Laura et Paul ? Ils ne lui ressemblent pas. Henri ne veut plus voir Suzy, jamais. Henri n'osera plus téléphoner à Jacqueline. Et si elle appelle, il raccrochera sans rien dire. Henri, le front contre la vitre, crée, s'invente, se fait toutes sortes de chantages. Il n'est pas venu gare d'Austerlitz pour convaincre Bernadette de rentrer à la maison et de reprendre son service, mais pour la voir partir, une fois pour toutes, comme tous les autres, et sentir qu'il n'y a plus sur l'échiquier qu'un roi et quatre fous. Les yeux dans les yeux, à distance, une porte les sépare, Bernadette Despouet et Henri Prouillan se scrutent en silence.

Des phrases, des discours, Henri eut le pouvoir, un temps. Des phrases, toujours les mêmes phrases « le pouvoir ne doit pas choisir l'ordre moral contre la liberté », « l'amalgame ne doit pas se faire entre la sécurité et la sécurité du pouvoir établi » et des discours, toujours les mêmes discours « la conquête des libertés sera toujours une bataille inachevée. Dans cette lutte, tout repos est une défaite. Regardons un instant derrière nous. La bourgeoisie a créé sa propre féodalité. Ce n'est pas contre elle, mais avec elle qu'il aurait fallu bâtir les premiers fondements de la démocratie sociale, conquérir les droits collectifs. Trop tard ! » Henri faisait alors claquer de la voix son « trop tard » cravaté, ministrable, ministré ou d'ancien ministre. Toujours les mêmes phrases, les mêmes discours, des idées, rien que des idées. Ce matin, Henri entend le bruit des minutes, un clang, à chaque fois

comme un dernier battement de cœur. Rien n'arrête ce
temps-là.

Henri se redresse. Il laisse la trace de son front sur la vitre.
Plusieurs traces, il a sali la porte. Trépidement sourd du
premier métro, un homme dépose des paquets devant le
kiosque à journaux, deux filles, en sandales, sac au dos,
jambes nues, regardent le panneau des départs grandes lignes.
Petit à petit, du monde, des voyageurs, des employés. Un
militaire sort de la salle d'attente. Les deux autres personnes
se sont réveillées. Henri entre. Bernadette instantanément se
lève, serre la ceinture de son manteau, vérifie si son sac est
bien fermé, prend ses valises et passe devant Henri, sans rien
dire, en ne le regardant plus. Henri lui tient la porte. Elle sort.
Il la suit. Les valises sont lourdes mais elle a peur. Elle se
presse. Henri ne l'avait jamais vue si petite, frêle, fragile. Il la
revoit à Auzan, le jour de la première visite. C'était une belle
femme. Depuis, il ne l'a plus vraiment regardée. Comment
a-t-il pu dire, usant de son rang, que la bourgeoisie avait
« créé sa propre féodalité », et dès lors qu'il aurait fallu
« bâtir avec elle » et non « contre elle » ? Henri rougit, met
les poings dans les poches de sa veste. Sans chapeau, sans
manteau, il se sent nu, cible de tous les regards. Bernadette le
devance. Elle peine un peu, manque de trébucher, et fait vite.
Henri s'arrête à l'entrée du quai n° 7. Il fait beau, l'air est
parfumé. Le train n'est pas encore en gare. Le soleil s'est levé.
Bernadette est au bout du quai, bien au-delà de la limite de la
verrière. Elle s'arrête, pose ses valises, pose son sac sur une
des deux valises. Elle hésite. Elle se retourne et regarde
Henri, de loin. Henri recule d'un pas pour ne plus l'effrayer.
Il veut lui adresser un petit signe d'adieu. Mais Bernadette
tombe, comme cassée aux genoux, fauchée, entre les deux
valises. Des gens l'ont vue. Une femme court vers elle. Le
train entre en gare, lentement, marche arrière. Train vide.

5 h 13. Henri s'en va. D'autres personnes ont couru, quai
n° 7.

Au coin du pont d'Austerlitz, Henri a longuement attendu. Il
a vu la camionnette de Police-Secours, une ambulance. Il a
entendu les sirènes. Il a guetté la civière. Puis il a hélé un taxi
« 2 place d'Antioche, s'il vous plaît ». Sur le tableau de bord,
une pancarte écrite à la main « votre itinéraire sera le mien ».
Mais il n'a rien dit. Il s'est laissé conduire.

Sur les Champs-Elysées, on met en place les tribunes pour le
défilé du 14 Juillet. Boulevard Haussmann, au coin de la rue
de Téhéran, une 504 oblique sur la droite, Luc est au volant.
Henri dit « continuez ! » Le chauffeur de taxi, étonné, le
regarde dans le rétroviseur. Un peu plus haut, devant l'entrée
de son immeuble, Suzy tire de grands sacs en plastique. Henri
murmure « plus vite, s'il vous plaît ». Henri demande au
chauffeur de le laisser au coin de la place d'Antioche « là, ça
ira ». Il paie. Il descend. Il attend que le taxi disparaisse.
Souvent, avec Suzy, ils jouaient à se regarder, fixement, les
yeux dans les yeux. Le premier qui riait avait perdu. Il gagnait
toujours. Suzy prétendait alors que c'était « à qui perd
gagne ». Henri fait le tour de la place. La concierge n'a pas
encore sorti les poubelles. Henri rentre chez lui, comme un
voleur. Il referme la porte délicatement. Le téléphone sonne.
Il laisse sonner. Puis il décroche. Bernadette a été transportée
à la Pitié. Elle est morte. Une embolie. « Non, elle n'a pas de
famille » puis « je passerai reconnaître le corps dans la
matinée. » Autre jour. Autre histoire.

Le 10 juillet. 5 h 30. A cette heure-là, impasse des Acacias, le
camion de l'Hygiène départementale fait une marche arrière

et s'arrête devant la grille de la clinique vétérinaire du docteur Bermann. Prise en charge d'un coffre métallique étanche dans lequel se trouvent, bordereau du jour, les corps de trois chiens, sept chats, un perroquet et un caniche, en vrac, Pantalon III. Le crématoire est à Gennevilliers. On prend un coffre plein, on laisse un coffre vide. Et ainsi de suite. A cette heure-là, quelques femmes âgées se dirigent vers l'église Saint-Ferdinand pour la première messe du matin, le trottoir, devant chez Berthier fils, embaume la brioche chaude, un camion d'arrosage mouille la chaussée de l'avenue des Ternes, deux hommes en treillis nettoient les vitrines des Magasins réunis. A cette heure-là, de ce jour d'été, Paris a un air de jeunesse. Paris séduit. Rien ne crie. Tout chante. Ni vu ni connu, tout continue. A cette heure-là, Luc lit les télégrammes de félicitations glissés sous sa porte, les noms, pas le texte, seulement pour savoir qui entre dans le jeu. A cette heure-là, Suzy surveille le passage des éboueurs. Elle voit ses poupées, broyées, d'un coup de mâchoires de fer dans le camion-benne. Elle rentre chez elle. Reprise de *La Carambole*. Fric. Sursis. Elle va se faire belle pour se rendre à la banque. A cette heure-là, le ciel immense et bleu claque au-dessus de Sauveterre. Claire ouvre toutes les fenêtres de la maison et fixe instinctivement l'horizon de l'Italie. A cette heure-là, dans le fjord d'Overfjellet, un vent tombe des montagnes et des bois, un vent de roche et de pic qui fait frissonner la mer. Sébastien ne veut pas rentrer dans sa cabine. Il ferme les yeux. Il navigue. A cette heure-là, Juan et ses fils partent pour les champs. Lucio reste à la maison. Merced change les draps du lit dans leur chambre. Bertrand s'est levé pour ouvrir la porte-fenêtre. A cette heure-là, Henri regarde le cartel du salon, les bronzes sur les commodes de chaque côté de la porte-fenêtre centrale. Les camions des Glacières réunies traversent la place d'Antioche, livraison du matin. Samedi, veille de dimanche. A la terrasse des cafés les boissons seront frappées. C'était le 9 juillet de l'année à venir. Cri du cœur. Cri retenu. Les Prouillan sont toujours là. Henri attend. Il a le temps.

Joucas, juin 79
Joucas, janvier 80
à Marie-Claude & Jean-Jacques

ACHEVÉ   D'IMPRIMER
LE 20 NOVEMBRE 1980
SUR LES PRESSES DE
L'IMPRIMERIE HÉRISSEY
À   ÉVREUX   (EURE)

N° d'édition : 9364
N° d'impression : 26914
Dépôt légal : 3e trimestre 1980

LE JARDIN D'ACCLIMATATION